DEMOCRACIA OU BONAPARTISMO

TRIUNFO E DECADÊNCIA
DO SUFRÁGIO UNIVERSAL

pensamento**C**rítico
2

UFRJ	FUNDAÇÃO EDITORA DA UNESP

Reitor
Aloisio Teixeira

Presidente do Conselho Curador
Herman Jacobus Cornelis Voorwald

Vice- Reitora
Sylvia Vargas

Diretor-Presidente
José Castilho Marques Neto

*Coordenador do Forum
de Ciência e Cultura*
Carlos Antonio Kalil Tannus

Editor-Executivo
Jézio Hernani Bomfim Gutierre

Editora UFRJ

Conselho Editorial Acadêmico
Alberto Tsuyoshi Ikeda
Célia Aparecida Ferreira Tolentino
Eda Maria Góes
Elisabeth Criscuolo Urbinati
Ildeberto Muniz de Almeida
Luiz Gonzaga Marchezan
Nilson Ghirardello
Paulo César Corrêa Borges
Sérgio Vicente Motta
Vicente Pleitez

Diretor
Carlos Nelson Coutinho

Editora Executiva
Cecília Moreira

Coordenadora de Produção
Janise Duarte

Conselho Editorial
Carlos Nelson Coutinho (presidente)
Charles Pessanha
Diana Maul de Carvalho
José Luis Fiori
José Paulo Netto
Leandro Konder
Virgínia Fontes

Editores-Assistentes
Anderson Nobara
Henrique Zanardi
Jorge Pereira Filho

DEMOCRACIA OU BONAPARTISMO

TRIUNFO E DECADÊNCIA DO SUFRÁGIO UNIVERSAL

Domenico Losurdo

TRADUÇÃO
Luiz Sérgio Henriques

Editora UFRJ / Editora UNESP
Rio de Janeiro
2004

Copyright © by Domenico Losurdo

Ficha Catalográfica elaborada pela Divisão
de Processamento Técnico - SIBI/UFRJ

L 991d
Losurdo, Domenico
Democracia ou bonapartismo: triunfo e decadência do sufrágio universal / Domenico Losurdo; tradução Luiz Sérgio Henriques – Rio de Janeiro: Editora UFRJ ; São Paulo : Editora Unesp, 2004. – (Pensamento Crítico; v. 2)

376p.; 14x21 cm

1. Sufrágio – história. 2. Sistema representativo e representação – história. 3. Bonapartismo – história. I Titulo.

CDD: 324.6

ISBN 85-7108-277-4 (Editora UFRJ)
ISBN 85-7139-565-9 (Editora Unesp)

Revisão
Josette Babo

Capa e Projeto Gráfico
Ana Carreiro

Editoração Eletrónica
Marisa Araujo

Direitos desta edição reservados a:

Editora UFRJ
Av. Pasteur, 250 / sala 107
Praia Vermelha – Rio de Janeiro
CEP 22290-902
Tel./Fax: (21) 2542-7646 e 2295-0346
         (21) 2295-1595 r. 124 a 127
http://www.editora.ufrj.br

Fundação Editora da UNESP (FEU)
Praça da Sé, 108
São Paulo – São Paulo
CEP 01001-900
Tel.: (11) 3242-7171
Fax: (11) 3242-7172
www.editoraunesp.com.br
feu@editora.unesp.br

Apoio

Fundação Universitária
José Bonifácio

SUMÁRIO

Prefácio à edição brasileira — 9

1. A luta pelo sufrágio: uma história atormentada e ainda não concluída — 15

   1. Constant e a restrição censitária dos direitos políticos 2. Tocqueville e a recusa do sufrágio universal direto 3. Europa e América 4. Discriminação censitária e discriminação racial 5. Os excluídos da democracia 6. Propriedade, cultura e direitos políticos em John Stuart Mill 7. O voto plural 8. A discriminação censitária como principio de legitimidade 9. Emancipação e des-emancipação 10. Negação dos direitos políticos, mercado de trabalho e trabalho servil 11. Tradição liberal, discriminação censitária e racialização dos excluídos 12. Do liberalismo à democracia? 13. As três etapas da conquista do sufrágio universal

2. Em busca de um novo tutor para a a multidão "criança" — 61

   1. Sufrágio universal e bonapartismo 2. A multidão "criança" e o líder carismático 3. Personalização do poder e culto aos heróis 4. Bonapartismo, liberalismo, bonapartismo liberal 5. Personalização do poder, "missão" e exportação do conflito 6. Da multidão "criança" à "psicologia das multidões"

3. Uma alternativa à discriminação censitária: as origens do bonapartismo entre América e França — 93

   1. Bonapartismo francês e modelo americano 2. O "golpe de Estado" dos federalistas americanos 3. França e América: como sair da revolução 4. A sombra da ditadura da antiga Roma 5. Tradição liberal, estado de exceção e Constituição americana 6. A França entre presidência imperial e Império presidencial 7. América e França: analogias e diferenças 8. O bonapartismo como alternativa à discriminação censitária 9. Bonapartismo e missão imperial 10. O presidente dos Estados Unidos como intérprete da "missão" do seu povo 11. Normalidade e estado de exceção 12. Regime bonapartista, bonapartismo *soft*, bonapartismo de guerra

4. As trombetas das classes dominantes e os sinos das classes subalternas ... 147

1. O regime representativo e os corpos armados 2. Controle político e controle econômico dos meios de informação 3. O pároco, o jornal, o partido 4. Jornais, partidos organizados e classes subalternas 5. Partidos, sindicatos e individualismo repressivo

5. O batismo de fogo do regime bonapartista ... 167

1. Itália e Estados Unidos: como impor a guerra à multidão "criança" 2. Um regime político à altura do estado de exceção 3. "Missão" e mobilização total 4. "Americanismo" e ritos de purificação e de expulsão do Mal 5. Cesarismo perfeito e imperfeito entre Estados Unidos, Inglaterra e Alemanha 6. Weber: cesarismo e primado da política externa 7. Mussolini, Pareto, as "duas democracias" e o bonapartismo 8. O movimento comunista e o espectro do bonapartismo 9. Cesarismo, ditadura e bonapartismo

6. Sufrágio universal, proporcional e reação uninominalista ... 207

1. Colégio uninominal e novas formas de discriminação censitária 2. A representação proporcional como coroação do sufrágio universal 3. Entre emancipação e des-emancipação: o voto das mulheres 4. Democracia, partidos e representação proporcional em Kelsen 5. Parlamento corporativo e voto plural 6. Nacionalistas, fascistas e colégio uninominal 7. Colégio uninominal e controle político e social do eleitorado 8. Gobetti, a representação proporcional e a Inglaterra 9. O sufrágio universal, a "tragédia atual da burguesia" e os possíveis remédios 10. Liberalismo, fascismo e des-emancipação

7. O século XX entre emancipação e des-emancipação ... 243

1. A multidão "criança", a democracia e o mercado 2. Crítica e redefinição da democracia em Schumpeter 3. Da sociedade por ações ao mercado 4. Processo de emancipação e teorização dos "direitos sociais e econômicos" 5. Hayek e a nostalgia de um mundo não contaminado pelo sufrágio universal 6. A crítica à democracia do século XIX ao século XX e seu ponto de chegada 7. Sufrágio universal e "democracia 'social' ou totalitária" 8. Des-emancipação e "minimização" da democracia: o caso Popper 9. Des-emancipação e "minimização" da democracia: o caso Bobbio 10. Debilidade da resistência ao processo de des-emancipação 11. Des-emancipação e "Nova Ordem Internacional" 12. Velha e nova ideologia colonial 13. O retorno dos "estrangeiros" e o futuro da democracia

8. O triunfo do bonapartismo *soft* e o tempo longo da
democracia   295
1. Democracia, mercado e manipulação total 2. O século XX e a nova vitória do bonapartismo *soft* 3. Duas investiduras plebiscitárias concorrentes 4. Bonapartismo *soft*, monopartidarismo competitivo e poder dos *lobbies* 5. Um balanço histórico instrumental e o advento da "democracia do chanceler" 6. Gaullismo e república presidencial na França 7. Sistema uninominal, bonapartismo e decapitação política das classes subalternas 8. A parábola do liberalismo atual 9. O bonapartismo *soft* e a análise marxiana da democracia "burguesa" 10. A nova des-emancipação e o tempo longo da democracia

Referências bibliográficas   335
Índice onomástico   365

PREFÁCIO À EDIÇÃO BRASILEIRA

No centro da ideologia hoje dominante há um mito, chamado a glorificar o Ocidente e, em particular, seu país-guia. É o mito segundo o qual o liberalismo teria gradualmente se transformado, por um impulso puramente interno, em democracia, e numa democracia cada vez mais ampla e mais rica. Para nos darmos conta de que se trata de um mito, basta uma simples reflexão. Da democracia como hoje a entendemos, faz parte em qualquer caso o sufrágio universal, cujo advento foi por muito tempo impossibilitado pelas cláusulas de exclusão estabelecidas pela tradição liberal em detrimento dos povos coloniais e de origem colonial, das mulheres e dos não proprietários. E estas cláusulas foram por muito tempo justificadas, assimilando os excluídos a "bestas de carga", a "instrumentos de trabalho", a "máquinas bípedes" ou, na melhor das hipóteses, a "crianças".

O mito hoje dominante também quer fazer crer que democracia e livre mercado capitalista se identificam. Na realidade, durante séculos, o mercado do Ocidente liberal comportou a presença da *chattel slavery*, da escravidão-mercadoria: os antepassados dos atuais cidadãos negros foram, no passado, mercadorias a ser vendidas e compradas, e não consumidores autônomos. E precisamente a história dos dois países em que a tradição liberal está mais profundamente enraizada se mostra inextricavelmente entrelaçada com a história do instituto da escravidão. Um dos primeiros atos de política internacional da Inglaterra liberal, nascida da Gloriosa Revolução de 1688-1689, foi arrancar da Espanha, com a paz de Utrecht, o *Asiento*, o monopólio do tráfico negreiro. Do mesmo modo, dever-se-ia saber que só em 1865 foi abolida nos Estados Unidos a escravidão dos negros, os quais, por outro lado, mesmo depois de tal data, continuaram por muito tempo a ser submetidos a formas de servidão ou semisservidão.

Este livro, em primeiro lugar, é a reconstrução histórica da luta travada pelos escravos reduzidos a mercadoria, pelas "bestas de carga", pelos "instrumentos de trabalho", pelas "máquinas bípedes" ou pelas "crianças" para serem reconhecidos em sua plena dignidade humana, que devia ser subtraída às oscilações do mercado junto com o direito à vida, ao trabalho, à saúde, à instrução. Portanto, é a reconstrução histórica da luta pela conquista dos direitos civis, políticos, econômicos e sociais. Trata-se de uma história não só longa, atormentada e marcada por revoluções, mas também de uma história que procede de modo tortuoso e em ziguezague, no sentido de que, às vezes, a vitórias exaltantes se seguem derrotas desastrosas: à experiência exaltante da emancipação, ou seja, da conquista de direitos anteriormente não desfrutados, bem pode se seguir a amargura da des-emancipação, ou seja, da perda dos direitos tão arduamente conquistados. Superadas na sua forma tradicional, as cláusulas de exclusão e as discriminações tendem a se apresentar sob forma nova. Primeiro conquistado e depois perdido, o sufrágio universal (masculino) na França foi reintroduzido por Luís Napoleão, mas no âmbito de um regime em que o momento "democrático" se limita à aclamação plebiscitária de um líder carismático e inconteste, que, desvencilhado de partidos, sindicatos e de qualquer outro obstáculo, fala diretamente ao povo e pretende ser seu intérprete exclusivo. Mas o bonapartismo, que assim toma corpo, tem uma longa história atrás de si e, sob novas formas, continua a agir no presente.

Publicado na Itália em primeira edição em 1993, este livro se pergunta sobre a sorte da democracia num momento em que ela parece triunfar em nível planetário. Mas se trata realmente de um triunfo? Nos países de tradição liberal mais consolidada, afirmou-se um mecanismo eleitoral que – além de reduzir a competição à disputa entre dois líderes mais ou menos carismáticos e de marginalizar os partidos organizados com base num programa, e, em primeiro lugar, os partidos ligados às classes subalternas – não hesita em cancelar o próprio princípio da soberania popular. Para comprovar isto, este livro traz um exemplo: na Inglaterra de 1924, os conservadores, em minoria no país, conquistaram graças ao sistema uninominal uma maioria não só absoluta mas até esmagadora na Câmara dos Comuns. Seria ainda atual esta denúncia? Obviamente, quem deve julgar é o leitor; mas o autor se permite recordar que, nas eleições presidenciais estadunidenses de 2000, o derrotado (Al Gore) conseguiu mais votos do que o vencedor (George W. Bush).

É verdade que, respeitada a vontade do eleitorado, talvez não mudasse muita coisa. Com a atenção voltada sobretudo para os Estados Unidos, o livro chama a atenção sobre um fenômeno inquietante, ou seja, o triunfo do "monopartidarismo competitivo". Por um lado, no plano jurídico, toda uma série de normas e de casuísmos dificulta a apresentação de candidaturas fora dos dois partidos oficiais; por outro, as grandes empresas de televisão são livres para convidar aos debates por elas organizados os candidatos considerados merecedores de atenção e para excluir os candidatos de risco para o sistema e a ideologia dominantes. E assim a competição eleitoral se reduz a um duelo televisivo e midiático entre dois contendentes. Confrontam-se dois programas diversos? No curso da campanha eleitoral presidencial de 2004, John Kerry, o opositor de Georg W. Bush, reconheceu o caráter democrático e justo da invasão do Iraque; apenas se limitou a contestar o relativo isolamento dos Estados Unidos e as dificuldades ou o fracasso do "processo de paz"; assegurou que, uma vez chegado à Casa Branca, saberia envolver os aliados, reduzir os custos humanos e econômicos da ocupação do país e colher melhor os frutos de uma guerra cuja legitimidade, de um modo ou de outro, não estava em discussão. *A stronger America*: a palavra de ordem do derrotado poderia ter sido tranquilamente a do vencedor!

Os dois candidatos oficiais remetem não só a um mesmo partido político, mas também a uma mesma classe social. O livro recorda como historiadores, cientistas políticos, jornalistas evidenciam o peso crescente do dinheiro nas campanhas eleitorais estadunidenses: a tal propósito, alguns falaram, sob formas diferentes, da discriminação censitária que durante séculos excluiu os não proprietários do direito de voto e do acesso aos cargos públicos. O direito de voto foi conquistado para sempre; e quanto aos cargos públicos? Escrevendo num jornal influente e respeitado, em 1992, um jornalista italiano (Vittorio Zucconi) não tinha papas na língua: nos Estados Unidos – observava –, a presidência "é comprada" com um "rio de dinheiro". De lá para cá, o rio se avolumou ainda mais, espantosamente: e sem ser empurrado por este rio lamacento ninguém tem acesso nem ao cargo máximo do país nem aos mais importantes.

O esvaziamento da democracia não é um caso isolado. Como se sabe e como imponentes manifestações de massa comprovaram, a grande maioria dos ingleses é contrária à guerra e à ocupação do Iraque. Mas como fará para exprimir esta sua orientação no plano eleitoral? Certamente, permite-se ao povo votar contra o atual primeiro-ministro, mas com o risco de levar ao poder um partido (o conservador) ainda mais decidido a percorrer o caminho da aventura bélica, em nome da glória imorredoura do império britânico e da fidelidade também imorredoura aos Estados Unidos da América. É verdade, existe até a possibilidade de votar pelos liberal-democratas, uma terceira força política; só que esta pode ficar sem representação, mesmo se conseguir um elevado número de votos: o sistema uninominal tende a repartir as cadeiras entre os dois maiores partidos. Salvo imprevistos, os pacifistas ingleses – ainda que constituam a grande maioria da população – parecem destinados a ficar destituídos de representação política. Se quiserem, os eleitores poderão consolar-se com o fato de poder escolher entre a política de guerra do Partido Trabalhista e a política de guerra do Partido Conservador!

Não se trata de uma grande escolha, pelo menos do ponto de vista de Kant. Este livro recorda que, na opinião do grande filósofo alemão, um povo só pode se considerar livre se for capaz de fazer uma escolha real quanto ao problema da paz e da guerra: "O que é um monarca *absoluto*? É aquele que, quando ordena: 'Deve haver guerra', a guerra acontece." A este propósito, Kant dá o exemplo do "monarca britânico" e depois acrescenta: só crianças podem se deixar ludibriar pela norma constitucional que exige serem as despesas de guerra aprovadas pelo Parlamento; este é chamado a intervir tarde demais, quando as hostilidades já se abriram por iniciativa do Executivo, que, em seguida, tem amplas margens de manobra para fazer ratificar o fato consumado.

Meu livro remete sobretudo à realidade dos Estados Unidos, onde, historicamente, fazendo-se intérprete supremo da Nação, do seu "destino manifesto", da sua "missão" providencial, o presidente decidiu-se em várias ocasiões por ações bélicas mesmo sem a aprovação prévia do Congresso. Assiste-se ao surgimento de um novo regime político, que se poderia definir como bonapartismo *soft*. Mas, mesmo que tenha encontrado um lugar privilegiado de desenvolvimento nos Estados Unidos, este regime político parece se difundir em nível mundial...

Certamente, o país-guia do Ocidente apresenta características peculiares. Vale a pena lembrar que George W. Bush obteve seu primeiro mandato presidencial empunhando na campanha eleitoral um verdadeiro dogma político-religioso: "Nossa nação foi eleita por Deus e tem o mandato da história para ser um modelo para o mundo." Em virtude desta eleição divina, o presidente dos Estados Unidos pode se arrogar o direito de intervir militarmente em qualquer parte do mundo, por decisão unilateral e sem autorização da Organização das Nações Unidas, que no máximo pode ser chamada, em seguida, a ratificar o fato consumado: neste sentido, Washington parece ser a sede de um bonapartismo de dimensões e ambições planetárias.

É verdade que, como justificativa de tudo isso, desfralda-se muitas vezes a bandeira dos "direitos humanos", cujo intérprete privilegiado é, por definição, o líder da "nação eleita" por Deus. Mas o que acontece na realidade? O que se declara é a liquidação do direito – sancionado pela Carta da ONU – que tem cada nação de ser considerada e tratada num plano de igualdade com relação às outras; do mesmo modo; é evidente o desmantelamento do Estado de bem-estar social e dos direitos econômicos e sociais, também sancionados pela Carta da ONU; e não se pode fechar os olhos diante da restrição crescente das liberdades clássicas da tradição liberal, como demonstram o *Patriot Act* e o universo concentracionário de Guantânamo e Abu Ghraib.

As análises históricas e políticas, as categorias teóricas contidas neste livro podem ser úteis a um movimento de luta que, felizmente, está crescendo e busca enfrentar as ameaças à paz e à democracia? Obviamente, a resposta cabe ao leitor. Mas desde já o autor se permite agradecer à Editora UFRJ, na pessoa de Carlos Nelson Coutinho, seu diretor, e à Editora da Unesp, bem como ao tradutor Luiz Sérgio Henriques, amigos e colegas que, decidindo publicar no Brasil *Democracia ou bonapartismo,* acharam por bem dar uma resposta positiva àquela pergunta.

Urbino, outubro de 2004.
Domenico Losurdo

1. A LUTA PELO SUFRÁGIO: UMA HISTÓRIA ATORMENTADA E AINDA NÃO CONCLUÍDA

1. Constant e a restrição censitária dos direitos políticos

Para compreender a gênese e os problemas da democracia moderna, convém remontar à Revolução Francesa. O elogio mais alto a respeito desta foi objetivamente pronunciado por um expoente respeitado, por um clássico de algum modo, da tradição liberal, que, depois de ter ironizado a ideia, "peculiar" só à França, do sufrágio como "direito natural, absoluto", e depois de ter sublinhado a distância da Inglaterra e dos Estados Unidos (os países por ele admirados) em relação a uma concepção política tão ruinosa e extravagante, conclui: "É preciso chegar à Revolução Francesa para encontrar, na Europa, alguma coisa que se assemelhe ao sufrágio universal" (Laboulaye, 1866, v. 3, p. 319 e 322).

Com efeito, é no curso do processo de radicalização de tal revolução que emerge a reivindicação do sufrágio mais ou menos universal (limitado à população masculina) e direto. Depois da jornada de 10 de agosto de 1792, que marca o ato de nascimento da Comuna revolucionária de Paris, junto com a distinção entre cidadãos ativos e passivos também é posta em discussão a instituição dos "corpos eleitorais" e do sufrágio em dois graus, o qual, ainda que como medida provisória, fora mantido em vigor pela Assembleia Legislativa. Em vez disso – declaram os jacobinos – "o povo soberano deve alienar sua soberania o menos possível" (Aulard, 1977, p. 256 ss.). Se as eleições para a Convenção são ainda caracterizadas pelo sistema eleitoral de duplo grau e pela exclusão dos dependentes, o sufrágio universal (masculino) e direto é sancionado pela Constituição de 24 de junho de 1793 (Villey, 1900, p. 4 ss.). Por certo, as condições concretas em que se desenvolvem as eleições para a Convenção, enquanto já se entrevê a sombra do Terror, não garantem nem o segredo nem a plena liberdade do voto (Fayard, 1989, p. 610) e os desdobramentos dramáticos da situação interna e internacional impedem que a Constituição aprovada entre em vigor; e, no entanto, esta primeira contestação radical que atinge a discriminação censitária permanece como um fato de grande relevância histórica.

Às transformações democráticas do sistema eleitoral correspondem, no período de radicalização jacobina da revolução, intervenções decisivas do Estado no campo econômico: começa a ser reivindicada uma política econômica que hoje definiríamos como redistribuidora de renda, através, por exemplo, do imposto progressivo. E é significativo que Robespierre, que condena como contraditória em relação à Declaração dos Direitos do Homem a restrição censitária dos direitos políticos, teorize ao mesmo tempo o direito à vida como o primeiro entre os "direitos imprescritíveis do homem" (Robespierre, 1958, v. 1, p. 140, e v. 2, p. 85).

Depois do Termidor, a burguesia liberal termina por se ver diante de um dilema: por um lado, adere ao regime representativo em função antiabsolutista e antifeudal; por outro, deve impedir que a representação política confira uma excessiva influência às massas populares. Daí, portanto, o retorno a uma política de rígida restrição censitária dos direitos políticos: a crítica à política social dos jacobinos tem lugar *pari passu* com a crítica ao sistema eleitoral democrático. Particularmente visado é o imposto progressivo, denunciado como sinônimo de "lei agrária" e, portanto, de atentado ao direito de propriedade. Boissy d'Anglas declara ser preciso excluir os não proprietários dos direitos políticos: caso contrário, eles "estabelecerão ou farão estabelecer taxas funestas" (Lefebvre, 1984, p. 28 ss. e 35). Esta é também a opinião de Constant, para o qual, precisamente, as medidas que comportam isenção tributária ou um tratamento fiscal favorável para os pobres não só penalizam injustamente "a riqueza", mas terminam por tratar "a pobreza como um privilégio" e por instituir "no país uma casta privilegiada", da qual, no entanto, surpreendetemente, fazem parte não os nobres ou os ricos, mas os miseráveis (Guillemin, 1958, p. 76 ss.). Trata-se de uma tese singular, quando menos porque aparece num momento em que o efeito conjunto de carestia e inflação reduz, segundo o respeitado testemunho de Madame de Staël (1983, p. 317) e de Mallet du Pan (Guillemin, 1958, p. 37), "a última classe da sociedade à condição mais miserável", infligindo-lhe "males inauditos", até a morte por "inanição". Mas, para a tradição liberal, trata-se, exatamente, de neutralizar politicamente estas massas em condições de indigência ou literalmente famintas.

Qual é o meio mais adequado para conseguir tal objetivo? A burguesia pós-termidoriana reintroduz tanto a restrição censitária dos direitos políticos (ainda que em medida mais atenuada do que a prevista pela Constituição de 1791, que fora varrida pela insurreição de 10 de agosto do ano seguinte), quanto o sufrágio em dois graus, como instrumento adicional para filtrar socialmente os organismos representativos e protegê-los contra qualquer contaminação plebeia e popular (Lefebvre, 1984, p. 34). Mas, do ponto de vista de Constant, esta última cláusula do sistema eleitoral torna difícil, se não impossível, a identificação da massa do povo com seus representantes, reduzindo, em vez de ampliar, a margem de consenso e trazendo o risco de criar o vazio em torno do governo e dos organismos legislativos (Constant, 1970, p. 86). Daí que a restrição censitária se imponha numa medida ainda mais drástica do que no passado. Para que os miseráveis não se transformem numa "casta privilegiada" – ou seja, se aproveitem do poder polític;o ou da influência exercida sobre ele para impor uma redistribuição de renda e melhorar de algum modo sua condição material –, o exercício dos direitos políticos deve constituir privilégio exclusivo das classes ricas; caso contrário, expõe-se a ordem social existente a riscos intoleráveis.

2. *Tocqueville e a recusa do sufrágio universal direto*

A preocupação de Constant também é a de Tocqueville, que erradamente é apresentado hoje como um teórico da democracia, quando, ao contrário, deve ser incluído claramente entre seus críticos, pelo menos se se considera parte integrante da democracia o sufrágio universal e direto. O autor de *Democracia na América* partiu das mesmas preocupações sociais que observamos na tradição liberal anterior a ele: é nitidamente contrário a uma intervenção do poder político no campo econômico, a qualquer hipótese de redistribuição de renda e, consequentemente, a um sistema eleitoral capaz de favorecer tais desastradas eventualidades. Contra a pretensão de pôr "a clarividência e a sabedoria do Estado no lugar da clarividência e da sabedoria individuais", Tocqueville proclama que "não há nada que autorize o Estado a intrometer-se na indústria" (Tocqueville, 1864-1867, v. 9, p. 551 ss.): é o célebre discurso de 12 de setembro de 1848, pronunciado para que a Assembleia Constituinte recuse aquela reivindicação do "direito ao trabalho" que já tinha sido sangrentamente sufocada nas jornadas de junho. O liberalismo econômico de Tocqueville vai até o ponto de debitar às "doutrinas socialistas" a regulamentação legislativa e consequente redução do horário de trabalho *(le travail de douze heures)*, a qual se torna assim objeto de uma condenação inapelável (Tocqueville, 1951, v. 8, II, p. 38). E, igualmente, é liquidada como expressão de socialismo e despotismo qualquer medida legislativa voltada para atenuar a miséria das "classes inferiores" mediante o controle do nível dos aluguéis (Tocqueville, 1951, v. 15, II, p. 182). Até uma redistribuição de renda bastante limitada deve ser considerada como um ataque inadmissível à liberdade e à propriedade; destituído de legitimidade é um regime político que, mesmo "ao assegurar aos ricos o gozo dos seus bens, proteja ao mesmo tempo os pobres do excesso da sua miséria, exigindo dos primeiros uma parcela do supérfluo para conceder o necessário aos segundos" (Tocqueville, 1951, v. 16, p. 126).

Mas o mesmo perigo é enfrentado agora de modo diferente daquele de Constant, para quem era preferível neutralizar politicamente as massas populares mediante a restrição censitária dos direitos políticos, não mediante o recurso a um sistema eleitoral de vários graus. Em vez disso, é a favor desta última opção que se pronuncia o autor da *Democracia na América,* referindo-se ao exemplo do país por ele visitado e apontado como modelo. Apesar da ampla extensão do sufrágio, os Estados Unidos gozam de uma invejável estabilidade política e social pelo fato de que deixam amplo espaço ao sistema eleitoral de segundo grau, o qual, sem necessidade de recorrer a discriminações patentes e muitas vezes percebidas como odiosas, consegue, apesar disso, e de modo ainda mais eficaz, proteger os organismos representativos da influência, ou da excessiva influência, das massas populares. Esta, pelo menos, é a interpretação de Tocqueville, que procede a uma significativa comparação entre Câmara dos Representantes e Senado (que – é importante lembrar – era então eleito pelas assembleias legislativas de cada estado):

> Quando entramos no plenário dos representantes em Washington, sentimo-nos surpresos com o aspecto vulgar desta grande assembleia. Nela, o olho busca muitas vezes um homem célebre. Quase todos os seus membros são personagens obscuros, cujo nome não fornece nenhuma imagem ao pensamento. São, na maior parte, advogados de província, comerciantes ou até homens pertencentes às classes inferiores. Num país em que a instrução é quase universalmente difundida, diz-se que os representantes do povo nem sempre sabem escrever corretamente.
>
> A dois passos, abre-se o plenário do Senado, cujo estreito recinto contém uma grande parte das celebridades da América. Dificilmente aí se percebe um só homem que não evoque a ideia de uma pessoa ilustre. São eloquentes advogados, eminentes generais, hábeis magistrados ou homens de Estado muito conhecidos. Qualquer palavra que sai desta assembleia honraria os maiores debates parlamentares da Europa.
>
> De onde deriva este contraste bizarro? Por que a elite da nação se encontra antes neste plenário do que no outro? Por que a primeira assembleia reúne tantos elementos vulgares, enquanto a segunda parece ter o monopólio dos talentos e da cultura? [...] De onde provém, pois, uma diferença tão grande? Só vejo um fato capaz de explicar isto: a eleição da Câmara dos Representantes é direta; a do Senado procede através de dois graus.

E Tocqueville conclui:

> É fácil entrever, no futuro, um momento em que as repúblicas americanas serão levadas a aumentar a aplicação do duplo grau no seu sistema eleitoral; de outro modo, perder-se-ão miseravelmente entre os escolhos da democracia.
>
> Não tenho dificuldades para admiti-lo; vejo na ação do duplo grau o único meio para pôr o uso da liberdade política ao alcance de todas as classes do povo. (Tocqueville, 1968, p. 240 ss.)

Cabe sublinhar, de passagem, o caráter radicalmente errado das previsões que o liberal francês formula sobre o futuro da América, caracterizado pela afirmação daquele sufrágio universal direto considerado funesto e incompatível com a estabilidade política e social, tanto por Constant quanto por Tocqueville. Ambos recusam a ideia de uma representação política autônoma dos "elementos vulgares" ou dos "homens pertencentes às classes inferiores", que, desgraçadamente, fazem sentir sua presença na Câmara dos Representantes em Washington, num plenário cujo acesso não é barrado nem pela discriminação de censo cara a Constant nem pelo sistema eleitoral de segundo grau caro a Tocqueville. Este último se expressa privadamente, em relação às eleições diretas, com uma hostilidade ainda mais aberta do que a que se revela nas tomadas de posição públicas. Isto, pelo menos, a julgar por uma carta de fins de 1835, na qual, depois de ter indicado nas "eleições em vários graus" (pode-se, pois, ir além até do segundo grau) o único "remédio para os excessos da democracia", Tocqueville acrescenta que, dado o clima ideológico dominante, é necessário apresentar "com muita prudência" uma tal tese, por ele mesmo expressa em público com cautela, atenuando-lhe um pouco as arestas (Tocqueville, 1951, v. 15, I, p. 57).

Para confirmar como é precipitado fazer do autor de *Democracia na América* um campeão da democracia, leve-se em conta que defensores de um sufrágio universal ou bastante amplo, mas expresso com base no sistema eleitoral de segundo grau, são também os legitimistas (Riais, 1987, p. 153-155), com os quais, de resto, como veremos, Tocqueville manteve breve contato logo depois do golpe de Estado de Luís Bonaparte. Leve-se em conta que, em 1789, as eleições para uma instituição típica do Antigo Regime (os estados gerais), longe de serem caracterizadas por uma rígida discriminação censitária, se desenvolveram com base num "sufrágio quase universal", que, no entanto, filtrava o terceiro estado através de eleições sucessivas, de modo a poder eliminar tranquilamente "os analfabetos abrigados nas assembleias primárias" (Halévi, 1988, p. 80). Uma coisa é certa: mesmo que a tomada de posição a favor do sistema eleitoral de segundo grau possa assumir conteúdos políticos e sociais até bastante diferentes (Losurdo, 1992a, cap. 6, § 6, e 12, § 5), não se deve perder de vista o fato de que ele é chamado por Tocqueville a desempenhar a mesma função de neutralização política das classes populares e de depuração social dos organismos representativos que Constant atribui ao monopólio dos direitos políticos por parte dos proprietários. De resto, é significativa a atitude tomada concretamente por Tocqueville no curso das lutas travadas na França contra a discriminação censitária. Observou-se que o autor de *Democracia na América* "manteve-se distante, durante a Monarquia de Julho, da agitação para ampliar o sufrágio eleitoral" (Drescher, 1964, p. 10). Em *Recordações*, Tocqueville escreveu tratar-se de um movimento que cometia a imprudência de apelar ao "povo" e que ele temia pudesse escapar, como depois efetivamente aconteceu, da direção e do controle da "classe média", isto é, da burguesia (Tocqueville, 1951, v. 12, p. 43). Mas talvez, mais do que distante, a atitude do teórico liberal parece desconfiada e hostil. É verdade que, nos escritos políticos deste período, é possível encontrar uma declaração que julga oportuno "estender gradualmente o círculo dos direitos políticos, ultrapassando os limites da classe média, de modo a tornar a vida pública mais variada e mais fecunda e a atrair o interesse das classes inferiores, de maneira regular e pacífica, para as questões políticas" (Tocqueville, 1951, v. 3, II, p. 737). Mas esta extensão do direito de voto deve alcançar apenas indivíduos ou uma camada bastante restrita dos excluídos. O liberal francês está tão distante da ideia de sufrágio universal e de participação democrática das amplas massas na vida política que, em transparente polêmica contra a agitação dos banquetes, declara: "Não se deve cortejar o povo e não se deve conferir-lhe, pródiga e temerariamente, mais direitos políticos do que aqueles que é capaz de exercer". Em copensação, em relação às "necessidades do pobre", os órgãos legislativos, eleitos em base censitária, devem mostrar uma solicitude "filantrópica", de modo a vincular o povo às instituições e a "consolá-lo do fato de não fazer a lei, fazendo-o incessantemente ver que o legislador pensa nele" (Tocqueville, 1951, v. 3, II, p. 727). E fique claro: continua a ser considerada intolerável, como sabemos, qualquer intervenção legislativa na esfera da economia e da propriedade privada. Não casualmente, fala-se de "filantropia" ou de caridade, ainda que "caridade pública" ou "caridade cristã aplicada à política" (ibid.; e Tocqueville, 1864-1867, v. 9, p. 537 e 551): se Robespierre subsume direito de sufrágio e direito à vida na categoria geral de direitos do homem, para o filósofo liberal o primeiro é uma questão de oportunidade política e o segundo é simplesmente impensável, dado que as "misérias humanas" são obra da "Providência" e não das "leis", de modo que é absurdo pensar "que se possa suprimir a pobreza mudando a ordem social" (Tocqueville, 1951, v. 12, p. 84).

Por fim, Tocqueville não parece se opor ao golpe de mão de 31 de maio de 1850 que cancela o sufrágio universal (masculino) sancionado pela Revolução de Fevereiro de 1848 (cf. infra, cap. 1, § 9). As reservas expressas em carta a um amigo só se referem à oportunidade política de atacar um princípio já enraizado na consciência do tempo, ainda mais que a nova legislação, embora reduzindo drasticamente o eleitorado e, portanto, provocando compreensíveis irritações, "não me parece dar garantias mais sérias à ordem, uma vez que se continua a ter diante de si uma multidão e as emoções de uma multidão". Em vez disso, a nova legislação pode até gerar efeitos contraproducentes, pelo fato de que ela "golpeia duramente, mas às cegas", a ponto de cancelar da lista eleitoral, no campo, "os homens que mais dependem dos proprietários e do clero e mais facilmente são por estes dirigidos" (Tocqueville, 1951, v. 15, II, p. 29 ss.). É verdade que, às vésperas do golpe de Estado de Luís Napoleão, que já se arvora em vingador do sufrágio universal pisoteado, Tocqueville parece perceber a oportunidade de rever ou ab-rogar a lei de 31 de maio (Jardin, 1984, p. 436); mas tal reexame acontece sempre a partir das preocupações políticas já vistas, e não certamente de uma adesão de princípio ao sufrágio universal. Por outro lado, a poucas semanas do 2 de dezembro de 1851, o filósofo liberal entra em contato com os ambientes legitimistas e escreve diretamente ao herdeiro dos Bourbons, o Conde de Chambord, para que se faça promotor de uma monarquia constitucional, a qual deveria, por certo, prever "uma sincera representação nacional", mas no âmbito de um sólido "poder tradicional baseado nas classes superiores e morais da nação" (Riais, 1987, p. 164 ss.). Sobreviveria o sufrágio universal ao eventual sucesso de tal tentativa ou daí decorreria uma des-emancipação, eventualmente camuflada mediante a introdução do sistema eleitoral de segundo grau?

3. Europa e América

Ao escrever *Democracia na América,* Tocqueville leva em conta o período inaugurado pela ascensão à presidência, em 1829, de Jackson, quando se desenvolve impetuosamente, dentro da comunidade branca, um processo de democratização, o qual parece cancelar as discriminações censitárias que, naquele momento, ainda continuam a imperar na Europa. Mas, se examinamos a história e a situação das décadas precedentes, vemos também na América alternarem-se ou entrelaçarem-se os instrumentos utilizados e discutidos na França para cancelar ou filtrar o sufrágio popular.

Os delegados à Convenção da Filadélfia (1787), da qual surgiu o projeto de Constituição federal, foram "designados pelos estados"; deve-se acrescentar que, "na maioria dos casos, os estados impunham aos eleitores requisitos de propriedade direta, enquanto outros estados eliminavam praticamente todos aqueles que não pagavam impostos"; e, portanto, neste caso, o sistema eleitoral de segundo grau se confundia com a discriminação censitária e, às vezes, com a discriminação religiosa, de modo que, em estados como New Hampshire e Georgia, para ser titular de direitos políticos, era preciso ser de religião protestante e, portanto, na prática, pertencer ao grupo de habitantes de mais antiga data (Beard, 1959, p. 67-72). E, no que diz respeito às convenções de cada estado chamadas a ratificar o projeto de nova Constituição, elas não se apoiavam certamente numa base popular muito ampla, se se leva em conta o fato de que, numa população de cerca de 3,5 milhões de pessoas, os votantes somavam 160 mil, com um percentual menor do que aquele que se verifica na França no momento da eleição dos estados gerais (Toinet, 1991, p. 123 ss.).

A ideologia chamada a legitimar a discriminação censitária também apresenta evidentes traços comuns nos dois lados do Atlântico. Como para Constant, também para Gouverneur Morris os trabalhadores manuais podem ser assimilados a "crianças", que não votam e não podem votar porque não têm uma vontade autônoma (Morison, 1953, p. 276). E esta é também a opinião de Hamilton (Merriam, 1969, p. 84). Sobretudo, vemos agir na realidade, tanto na Europa quanto na América, as mesmas preocupações sociais: "Na Inglaterra, atualmente – observa Madison –, se as eleições fossem abertas a todas as classes do povo, a propriedade fundiária não seria mais segura. Logo seria introduzida uma lei agrária". É verdade que a composição social da América é diferente, sendo caracterizada por um peso nitidamente superior dos agricultores, mas é preciso ser previdente e pensar no futuro; quando se desenvolverão mais ainda, como já ocorre nos países europeus, as diferenças de classe e as contradições entre ricos e pobres. Portanto, é necessário desde já manter sob controle o povo, o qual, segundo Hamilton, longe de ser a"'voz de Deus", como comumente se acredita e se pretende, é "turbulento e inconstante", invejoso e, por isso, propenso a atacar a propriedade (Morison, 1953, p. 263-265 e 259).

Analogamente ao que se verifica na Europa, pensa-se algumas vezes em enfrentar a ameaça popular mediante a eleição indireta, que, na Filadélfia, alguns membros da Convenção propõem vigorar, além do Senado, também para a Câmara de Representantes. E é interessante a resposta de Madison, que, depois de ter dito também ser favorável ao sistema de "filtros sucessivos" do voto, observa que, em alguns estados, o poder legislativo já é o resultado de uma eleição indireta, de modo que existe o perigo de ir "longe demais" neste caminho, com o risco de comprometer a "necessária simpatia" entre povo e governo, ou seja, de reduzir a base de consenso e a estabilidade deste último (Morison, 1953, p. 238-240). Como se vê, é o argumento ao qual mais tarde Constant também recorrerá na sua polêmica contra o sistema eleitoral de segundo grau. Ficam evidentes, pois, as analogias com a Inglaterra e a França da Restauração e, mais ainda, da Monarquia de Julho: no âmbito do sistema bicameral, antes de Jackson, a Câmara baixa se baseia, também no outro lado do Atlântico, na restrição censitária dos direitos políticos; a Câmara alta, em vez disso, é protegida contra a influência política das massas populares, na Europa, mediante o monopólio assegurado aos pares hereditários; e, na América, onde o estrato social da aristocracia feudal é praticamente ausente, mediante as eleições de segundo grau. Não casualmente, na Filadélfia, a proposta de fazer eleger o Senado não diretamente a partir de baixo, mas a partir das assembleias legislativas de cada estado é formulada explicitamente com o objetivo de constituir uma Câmara alta o mais semelhante possível à Câmara dos Pares da Inglaterra e, portanto, composta de membros que se distingam já pelo seu "nível" e façam valer inequivocamente o "peso da propriedade" (Morison, 1953, p. 244). Deve-se acrescentar que, nos Estados Unidos, a Corte Suprema funciona na prática como uma Terceira Câmara chamada a ser "a guardiã da propriedade contra o poder do número"; e é justamente desta forma que ela, no século XIX, obstaculiza fortemente o desenvolvimento da democracia, o associativismo sindical, o imposto de renda progressivo, a proibição do trabalho infantil, etc. (Laski, 1977, p. 20 e 30 ss.)

Já por estas razões fica insustentável o discurso de quem pretende transfigurar a história dos Estados Unidos, colocando-lhe a aura de um suposto "excepcionalismo" sob o signo da democracia e da igualdade: pelo contrário, como veremos, a discriminação censitária neste país se revelará particularmente tenaz até os nossos dias. Certamente, dentro da comunidade branca, ela é duramente questionada com a presidência Jackson, e, precisamente depois da ampla extensão do sufrágio, a *Democracia na América* tece o elogio do sistema eleitoral de segundo grau, que tão soberbamente consegue reservar o Senado para a "elite da nação", mantendo distantes dele os "personagens obscuros", os "elementos vulgares" e, sobretudo, os "homens pertencentes às classes inferiores". Uma descrição do "duplo grau" tão univocamente lisonjeira, e destituída de qualquer referência a eventuais contraindicações, parece sugerir sua introdução também para a Câmara dos Representantes, como já tinha sido proposto, na Filadélfia, pela ala direita da formação presente na Convenção.

4. *Discriminação censitária e discriminação racial*

Mas agora convém nos determos na interpretação da América pós-jacksoniana como país no qual a discriminação censitária dos direitos políticos teria desaparecido substancialmente, ainda mais que a opinião de Tocqueville também é compartilhada pelo jovem Marx, o qual vê "a elegibilidade ativa e passiva" como algo já sancionado nos Estados Unidos: o censo não constituiria mais uma condição exigida pela lei para o exercício dos direitos políticos e a admissão aos cargos eletivos; e, portanto, os não proprietários teriam se tornado, pelo menos em teoria, legisladores dos proprietários e a "propriedade privada [teria sido suprimida] *politicamente",* sem alterar o fato de que, segundo Marx, justamente no momento em que é declarada destituída de relevância política, como um fato atinente exclusivamente à esfera privada, a riqueza pode exercer, sem perturbações, sua influência e seu domínio. Neste sentido, como declara *A questão judaica,* a América aparece como "o país da emancipação política realizada", ou seja, constituiria, para usar desta vez as palavras de *A ideologia alemã,* "o exemplo mais perfeito de Estado moderno", o qual assegura o domínio da burguesia sem excluir *a priori* nenhuma classe social do gozo dos direitos políticos (Marx e Engels, 1955, v. 1, p. 352 ss., e v. 3, p. 62).

Mas, ao interpretar de tal modo os Estados Unidos, tanto Marx quanto Tocqueville na realidade se equivocam, ao generalizar e absolutizar uma tendência realmente em curso, desprezando os episódios de resistência: na Virgínia, antes de 1851, "entre um terço e a metade dos homens brancos" estão privados do sufrágio (Cooper Jr., 1987, p. 258). Mas é sobretudo relevante o fato de que, do outro lado do Atlântico, longe de ter desaparecido, a discriminação censitária se expressa através da discriminação étnica e racial e, nesta forma, se revelará muito mais tenaz do que na Europa. No tempo da Guerra de Secessão, Marx demonstra perceber este aspecto do problema, ao definir os rebeldes defensores da instituição da escravidão como "a nobreza da Confederação" *(Konföderiertenadel)* (Marx e Engels, 1955, v. 16, p. 19), estabelecendo assim uma comparação implícita com a França do Antigo Regime. A república norte-americana não mais constitui o exemplo de Estado moderno particularmente avançado, como se deduz também do fato de que Lincoln é considerado como o continuador da obra de Washington (Marx e Engels, v. 15, p. 553), como aquele que, de algum modo, leva a cabo também nos Estados Unidos a revolução democrático-burguesa que já triunfou nos países europeus mais desenvolvidos. Os secessionistas e escravistas do Sul não são muitas vezes designados pelos seus adversários como "Bourbons"? Quanto a Tocqueville, é ele mesmo quem nota que, para os senhores brancos do Sul, o valor mais alto é constituído pela *oisivité,* pelo *otium,* enquanto "o trabalho se confunde com a ideia de escravidão" (Tocqueville, 1968, p. 441 e 407). E, assim, além dos direitos políticos, o trabalho também se vê privado dos direitos civis. É verdade, no Norte os negros são livres e, em teoria, nem mesmo são excluídos do sufrágio, mas é sempre o liberal francês quem observa que, se por um lado, "em quase todos os estados nos quais a escravidão foi abolida, concederam-se aos negros os direitos eleitorais", por outro, "se ele se apresenta para votar, arrisca a vida" (Tocqueville, 1968, p. 404).

Os negros constituem um aspecto essencial de uma realidade mais geral. Observou-se que "os Estados Unidos importaram a própria classe operária com os veleiros e com os navios a vapor". Não se trata só dos escravos: "A emigração europeia antes da Guerra de Independência americana também trouxe muitas pessoas que aceitavam uma relação temporária de aprendizado, na esperança de poderem se estabelecer definitivamente no Novo Mundo; estes aprendizes compreendiam pelo menos dois terços do total dos primeiros emigrados" (Wolf, 1990, p. 504). Quem são, na realidade, estes "aprendizes"? Deixemos a palavra com um historiador americano contemporâneo. Trata-se dos chamados *indentured servants,* na prática "semiescravos", pelo menos durante a vigência do seu "contrato" (muitas vezes, de resto, arbitrariamente prolongado pelos seus patrões, sob vários pretextos): são vendidos e adquiridos num mercado regular, anunciado inclusive pela imprensa local, e são caçados em caso de fuga ou de abandono indevido do lugar de trabalho (Jernegan, 1980, p. 45-56). É uma relação definida como *"escravidão* legal" por Sieyès, que recomenda sua extensão à França com o objetivo de regulamentar a posição econômica e social da "última classe, composta de homens que só têm os braços" (Sieyès, 1985, p. 76 ss.), a classe que, em outra ocasião, o próprio Sieyès define como o conjunto dos "cidadãos passivos" a quem seria absurdo atribuir qualquer papel na vida política.

E não se trata de uma realidade que se refira apenas à história mais remota dos Estados Unidos, que, ao contrário, ainda no século XIX, importam massas consideráveis de trabalhadores chineses (Wolf, 1990, p. 522), os cules, que, por exemplo, são empregados na construção da intransitável ferrovia destinada a consolidar a conquista do *Far West* (Nevins e Commager, 1960, p. 333). Para compreender o estatuto jurídico e social destes imigrados, basta refletir sobre o fato de que Nietzsche a eles se refere quando sublinha a necessidade de introduzir na Europa e no mundo ocidental uma "nova escravidão", um "novo tipo de relação escravista", suscetível de ser realizada mediante "uma introdução maciça de populações bárbaras asiáticas e africanas", que se devia obrigar a "trabalhos servis"; mediante a importação, em particular, de chineses, os quais "trariam consigo a maneira de pensar e viver adequada a formigas laboriosas". Em termos análogos, ainda que com um juízo de valor evidentemente diverso e contraposto, expressa-se Engels, o qual fala de "escravidão camuflada de cules indianos e chineses" (Losurdo, 1986, p. 103 ss.).

E, portanto, além dos negros, existe uma outra categoria importante a ser excluída nos Estados Unidos dos direitos políticos e até, em ampla medida, dos civis. É mesmo possível chegar a esta conclusão: para justificar a discriminação censitária contra os trabalhadores assalariados, Constant os assimila, entre outras coisas, a "estrangeiros" não interessados numa "prosperidade nacional", cujos elementos constitutivos "não conhecem" e da qual participam pouco ou nada (Constant, 1970, p. 100); pois bem, tal metáfora se torna realidade nos Estados Unidos, onde, com efeito, a força de trabalho, em grande parte importada do outro lado do oceano, continua a ser estrangeira até o momento da naturalização, um momento que, em situações de crise, pode ser tranquilamente adiado, como ocorreu em 1798 com o *Naturalization Act,* quando o período de residência necessário para a naturalização foi prolongado de cinco para quatorze anos (Commager, 1963, v. 1, p. 175). Pode-se até perguntar se, ao recorrer à metáfora dos estrangeiros, além dos metecos da Antiguidade clássica (Lcisurdo, 1992a, cap. 8, § 8), Constant não pense precisamente na América, que muitas vezes evoca e às vezes refere como um "grande exemplo" (Constant, 1980, p. 494 e 499; Constant, 1970, p. 95).

5. *Os excluídos da democracia*

Tocqueville se ocupa explicitamente da realidade dos imigrados nos Estados Unidos, mas é interessante ver em que termos. Enquanto se adensam as nuvens que dali a alguns anos levariam à

Guerra de Secessão, o liberal francês atribui o agravamento da crise à "rápida introdução nos Estados Unidos de homens estranhos à raça inglesa" e que, justamente por isso, fazem com que a América corra "o perigo maior" (Tocqueville, 1951, v. 8, III, p. 229). Em relação a tal perigo, Tocqueville não se cansa de advertir seus amigos e correspondentes americanos: "Desgraçadamente, todo dia lhes traz tantos elementos estranhos que logo vocês não serão vocês mesmos: todos os argumentos que se podiam fazer sobre sua natureza *(naturel)* se tornam cada vez mais incertos. Com efeito, misturados como são a tantas raças, quem poderia dizer agora qual é a natureza *(naturel)* de vocês?" E mais ainda: "O que me espanta é este número prodigioso de estrangeiros que faz de vocês um povo novo" (Tocqueville, 1951, v. 7, p. 177 e 182). É provavelmente excessivo afirmar que Gobineau, o teórico da desigualdade das raças, esteja "muito menos distante de Alexis de Tocqueville, seu mentor e superior temporário, do que se possa crer" (Noite, 1978, p. 682), mas, seja como for, não faz sentido pintar como campeão da democracia um autor que denuncia a inexistência de oposição à imigração maciça (e ao consequente abastardamento da população americana original) como uma das "grandes culpas" da classe dirigente estadunidense (Tocqueville, 1951, v. 7, p. 177), um autor que parece compartilhar os argumentos mais tarde utilizados pelos nativistas americanos na campanha por eles desencadeada para negar os direitos políticos aos imigrados (sobretudo, aqueles estranhos à "raça" anglo-protestante) e até para submetê-los, como veremos, a um processo de des-emancipação.

O fato é que Tocqueville nunca pensa a democracia em termos realmente universais. Só assim se explica o paradoxo pelo qual, por uma parte, descreve com lucidez e sem indulgência o tratamento desumano imposto a peles-vermelhas e a negros e, por outra, insiste no fato de que os Estados Unidos constituem o único verdadeiro modelo de democracia. Os primeiros são obrigados a sofrer os "males terríveis" que acompanham as "emigrações forçadas" (ou seja, as sucessivas deportações impostas pelos brancos) e já estão perto de serem varridos da face da Terra (Tocqueville, 1968, p. 382 e 399). Quanto aos segundos, o liberal francês reconhece que sua situação é catastrófica, e não só no Sul; ao contrário – observa –, "o preconceito racial me parece mais forte nos estados que aboliram a escravidão do que naqueles em que a escravidão ainda existe, e em nenhuma parte se mostra tão intolerante como nos estados em que a servidão sempre foi desconhecida". Tal preconceito exclui o negro, mesmo aquele teoricamente livre, do gozo não só dos direitos políticos mas também dos civis, dado que a sociedade o entrega efetivamente desarmado à violência racista: "Oprimido, pode lamentar-se, mas só encontra brancos entre seus juízes" (Tocqueville, 1968, p. 404). No entanto, isto não impede que Tocqueville celebre a América como o único país no mundo em que a democracia vigora,

> viva, ativa, triunfante [...]. Lá verão um povo cujas condições são mais iguais até do que entre nós; em que a ordem social, os costumes, as leis, tudo é democrático; em que tudo emana do povo e a ele volta e em que, no entanto, cada indivíduo goza de uma independência mais inteira, de uma liberdade maior do que em qualquer outro tempo ou qualquer outra parte da Terra (Tocqueville, 1864-1867, v. 9, p. 544 ss.).

A sorte de peles-vermelhas e negros não chega nunca a ofuscar este quadro tão luminoso. A declaração programática que o liberal francês faz na abertura do capítulo dedicado ao problema das "três raças que habitam o território dos Estados Unidos" tem algo de inacreditável: "A tarefa principal que me impus agora está realizada; mostrei, pelo menos na medida em que me foi possível, quais são as leis da democracia americana, dei a conhecer quais são seus costumes. Poderia deter-me aqui". É só para evitar uma possível desilusão do leitor que ele fala das relações entre as três raças: "Estes temas, que tocam minha questão, dela não são parte integrante: referem-se à América, não à democracia, e eu quis sobretudo fazer o retrato da democracia" (Tocqueville, 1968, p. 373). No curso da sua polêmica contra os jacobinos, Constant censura-os por terem esquecido o fato de que a democracia antiga, que pretendem apontar como modelo, na realidade está baseada na escravidão; mas depois ele mesmo é quem incorre num esquecimento ou desatenção ainda mais singular, quando, precisamente no texto dedicado à ilustração e à celebração da liberdade moderna, vai perguntar o que se deve entender "pela palavra liberdade", entre outros, a "um habitante dos Estados Unidos da América" (Constant, 1980, p. 494), como se este país nada tivesse a ver com a instituição que projetava uma sombra tão grave sobre a liberdade antiga. O esquecimento e a desatenção de Constant se tornam uma espécie de declaração programática em Tocqueville, o qual escreve com todas as letras que a sorte dos negros (e dos peles-vermelhas) é um tema estranho e alheio à essência da democracia americana. Evocada para explicar, e condenar, a democracia antiga, a escravidão é tranquilamente ignorada pela tradição liberal quando se trata de contrapor à violência e à turbulência plebeia da tradição revolucionária francesa a democracia americana, cujo desenvolvimento, celebrado como ordenado e pacífico, repousa, na realidade, em amarras que mantêm presas as classes "perigosas" já nos lugares de produção.

6. Propriedade, cultura e direitos políticos em John Stuart Mill

Se, para neutralizar politicamente as massas populares e amortecer a tendência à redistribuição de renda própria da democracia, Constant recorre à restrição censitária dos direitos políticos e Tocqueville, transfigurando e desentendendo o modelo americano, recomenda o recurso às eleições indiretas, John Stuart Mill, em vez disso, depois de ter feito um balanço e uma reformulação, de algum modo mais moderna e elegante, dos métodos tradicionais, chama a atenção, sobretudo, para um método recomendado como novo. Concentremo-nos, de início, no primeiro aspecto. O sistema eleitoral de segundo grau, caro ao seu amigo e interlocutor Tocqueville, parece ao liberal inglês pouco viável já pelo fato de que se revela dificilmente exportável para um país carente de estrutura federal:

> O caso em que a eleição em duas fases funciona bem na prática é quando os eleitores não são escolhidos unicamente como eleitores mas também para cumprir outras funções importantes; deste modo, eles deixam de ser eleitos unicamente como delegados para dar um voto. Uma outra instituição dos Estados Unidos da América, o Senado, oferece um exemplo a este respeito [...]. Estes membros não

são escolhidos pela população mas pelos legislativos estaduais, que, por sua vez, são escolhidos pela coletividade de cada estado.

Além disso, deve-se considerar que o sistema eleitoral de segundo grau começa a se revelar uma ficção mesmo onde formalmente continua em vigor: só "nominalmente", nos Estados Unidos, a eleição do presidente é "indireta"; na realidade, os membros do colégio eleitoral são eleitos com um mandato vinculado a uma candidatura presidencial precisa e exclusiva (Mill, 1916, p. 172 ss.).

O que fazer? Em relação à precedente tradição liberal, em Mill existe uma preocupação nova. Nesse meio tempo, na França o sufrágio universal (masculino) se impôs definitivamente e, mesmo que esteja "regulamentado" e inutilizado pelo regime bonapartista, torna-se de todo modo cada vez mais difícil contestá-lo em princípio. O autor inglês leva isto em conta: "É absolutamente necessário [...] que o sufrágio seja o mais amplo possível" e se chegue, inclusive, à "universalidade do sufrágio". Mas, depois deste reconhecimento de princípio, logo emerge a preocupação de sempre:

> num tal estado de coisas, a grande maioria dos votantes de quase todos os países, e com certeza também no nosso, se comporia de trabalhadores manuais; e o duplo perigo, o de um nível demasiado baixo de inteligência política e o de uma legislação de classe, continuaria a subsistir em medida considerável (Mill, 1916, p. 155 e 153).

Para enfrentar tal perigo, desponta o remédio tradicional da restrição censitária dos direitos políticos:

> No entanto, é importante que a assembleia que vota os impostos gerais ou locais seja eleita exclusivamente por aqueles que pagam uma parte destes impostos. Aqueles que não pagam impostos, dispondo com seus votos do dinheiro alheio, têm todas as razões para serem pródigos e nenhuma para serem frugais. Enquanto se trata de questões de dinheiro, todo direito de *voto* possuído por estes é uma violação do princípio fundamental de um governo livre; uma separação entre o poder de controlar e o interesse de exercer proficuamente este poder. [...] Como se sabe, isto provocou em algumas grandes cidades dos Estados Unidos

a elevação dos impostos locais a uma cifra exorbitante, sustentada inteiramente pelas classes ricas. A representação ampliada proporcionalmente ao imposto, e não além disto, concilia-se com a teoria das instituições britânicas (Mill, 1916, p. 153).

Emerge aqui, com clareza, que o princípio caro à tradição liberal, pelo qual não é lícita nenhuma tributação que não seja aprovada pela representação parlamentar *(No taxation without representation)*, também significa, e talvez em primeiro lugar, que não têm direito a uma representação política autônoma aqueles que se demonstram pobres demais para ser submetidos à tributação *(No representation without taxation)*. De resto, é neste sentido que, um quarto de século mais tarde, este princípio, "o princípio mais fundamental da liberdade britânica", será interpretado por Lecky (1981, v. 1, p. 2 e 27). Para Mill, de todo modo não existem dúvidas sobre o fato de que

> a assistência do município deve ser um motivo peremptório de inadmissibilidade ào direito de voto. Aquele que não pode sustentar-se com seu trabalho não tem o direito de servir-se do dinheiro dos outros. Dependendo dos membros da comunidade para seu sustento, ele abdica do direito de ser tratado no mesmo plano dos outros. Aqueles aos quais ele deve a continuação da sua própria existência podem reclamar, a justo título, a direção exclusiva das atividades para as quais ele não contribui ou contribui com menos do que recebe. Para ter direito de voto, seria preciso não estar inscrito no cadastro do município por um certo número de anos (por exemplo, cinco) antes do dia da inscrição eleitoral. (Mill, 1916, p. 154)

Mas a concessão dos direitos políticos com base na renda é percebida cada vez mais como odiosa por camadas crescentemente mais amplas da população. Daí que a discriminação censitária se esforce por assumir uma face mais moderna e mais aceitável: "Considero inadmissível que uma pessoa participe do sufrágio sem saber ler, escrever e, acrescentaria, sem possuir os primeiros rudimentos de aritmética" (Mill, 1916, p. 151). Alguns anos depois, na América, o processo de des-emancipação dos negros e dos brancos pobres também ocorreria, precisamente, mediante a imposição de um exame preliminar voltado para verificar o nível de alfabetização e de cultura do eleitor.

É significativo o argumento a que Mill recorre para justificar a exclusão dos analfabetos da esfera dos direitos políticos: conceder "o sufrágio a um homem que não saiba ler" é como "dá-lo a uma criança que não saiba falar" (Mill, 1916, p. 151). Está de volta a metáfora que servira a Constant para discriminar "aqueles que a indigência mantém numa eterna dependência e condena aos trabalhos diários" e, por isso, não se mostram "mais iluminados do que as crianças quanto aos negócios públicos" (Constant, 1970, p. 100). Considerados como analfabetos ou crianças, estes seres a quem o duro trabalho impede conseguir a cultura e a maturidade cívica remetem sempre à mesma classe social à qual ambos os autores liberais negam a cidadania política. Escrevendo algumas décadas depois de Constant, Mill parece propenso a afrouxar as amarras da discriminação censitária, mostra-se e é mais possibilista acerca da indireta "influência sobre o espírito dos votantes e sobre o do legislador" que é lícito e oportuno atribuir às "opiniões e desejos das classes operárias mais pobres e mais grosseiras", as quais, mesmo assim, não podem ser admitidas "ao exercício pleno do direito de sufrágio na condição atual da sua moralidade e da sua inteligência" (Mill, 1916, p. 185). Agora, os cidadãos tradicionalmente considerados "passivos" podem tomar a iniciativa de comunicar suas opiniões àqueles "ativos", os quais, no entanto, continuam a ser os únicos titulares dos direitos políticos em sentido estrito.

Mas como é que fica a "universalidade do sufrágio", apesar de tudo afirmada como princípio? Para realizá-la concretamente, dever-se-ia atuar para que "o imposto incida de forma visível até nas classes mais pobres" e o "meios de aquisição" do "saber elementar" exigido para o exercício dos direitos políticos "estejam ao alcance de todos" (Mill, 1916, p. 153 e 151). Portanto, deduz-se com clareza que, em Mill – enquanto o sufrágio universal é conjugado no futuro, adiado até o momento em que tiver desaparecido o analfabetismo e não houver mais indivíduos tão pobres que necessitem da assistência pública e não possam ser submetidos a um nível mínimo de tributação –, as exclusões, ditadas mediata ou imediatamente pelo censo, são conjugadas no presente. Na realidade, o filósofo que, não obstante, teve o mérito de questionar e condenar a exclusão das mulheres da esfera dos direitos políticos (Mill, 1971) não consegue superar a lógica da discriminação censitária, apesar de algumas homenagens formais ao princípio do sufrágio universal.

7. *O voto plural*

Mas não só: com o olhar voltado para o movimento ascendente de reivindicação da extensão dos direitos políticos, o liberal inglês indica um outro método para neutralizar ou limitar ao máximo a influência politica das classes populares:

> Quando duas pessoas interessadas na mesma controvérsia são de opiniões diferentes, deve a justiça exigir que as duas opiniões sejam consideradas exatamente de igual valor? [...] Se as instituições do país atribuem virtualmente às duas opiniões um mesmo valor, elas sancionam um absurdo. Uma das duas pessoas, por ser dotada de melhores qualidades, tem direito a uma influência superior. (Mill, 1916, p. 155 ss.)

E, portanto, ainda que conjugado no futuro, o sufrágio universal não deve, de qualquer modo, ser igual para todos: aos melhores e mais inteligentes deve ser assegurada, já pela via legislativa, uma influência superior na vida pública. Mas tal discriminação não seria também odiosa? Não é esta a opinião de Mill: "Cada qual tem o direito de sentir-se ofendido se não for levado em consideração. Ninguém, a não ser um louco, e só um louco de uma certa categoria, pode sentir-se ofendido porque se reconhece que existem outros cuja opinião e cujas aspirações valem mais do que a sua" (Mill, 1916, p. 157).

Como verificar, porém, o nível de inteligência dos eleitores de modo a atribuir o voto plural aos merecedores? Para o liberal inglês, há uma evidência imediata à qual recorrer:

> Um empregador é mais inteligente do que um operário, por ser necessário que ele trabalhe com o cérebro e não só com os músculos [...]. Um banqueiro, um comerciante serão provavelmente mais inteligentes do que um lojista, porque têm interesses mais amplos e mais complexos a seguir [...]. Nestas condições, poder-se-iam atribuir dois ou

três votos a toda pessoa que exercesse uma destas funções de maior relevo.

E um análogo tratamento privilegiado pode ser reservado às "profissões liberais" (Mill, 1916, p. 158). É praticamente o caso de dizer que, expulsa pela porta, a discriminação censitária volta vigorosamente pela janela. Pelo menos num caso, ela nem tem necessidade de evitar a porta principal ou assumir algum disfarce. No tocante às instâncias locais, Mill propõe explicitamente um voto plural com base censitária: "Como o uso honesto e proveitoso do dinheiro constitui um fator muito mais importante nas instâncias locais do que na assembleia nacional, é politicamente justo atribuir uma influência superior e proporcional àqueles que têm em jogo interesses pecuniários superiores" (Mill, 1916, p. 246).

Neste ponto, o teórico do voto plural é obrigado a polemizar, até vigorosamente, contra o país que Tocqueville, seu amigo e interlocutor, aponta como modelo, por se basear no sufrágio universal igual, ainda que posteriormente filtrado através de um sistema eleitoral de segundo grau. O liberal inglês escreve:

As instituições americanas imprimiram fortemente na mentalidade americana a ideia de que, na raça branca, todo homem vale tanto quanto qualquer outro: esta falsa crença está estreitamente ligada a alguns dos aspectos menos felizes do caráter americano. É um mal, é um grande mal que a Constituição de um país venha a sancionar este princípio: nele crer mais ou menos explicitamente é, moral e intelectualmente, tão nocivo quanto os piores efeitos que a maior parte das formas de governo pode acarretar (Mill, 1916, p. 163).

Como se vê, também se pretendeu erradamente tornar Mill um campeão da democracia, ele que reconhece sua desconfiança em relação a tal regime político, dado o terror que nele suscitam "a ignorância e especialmente o egoísmo e a brutalidade das massas" (Mill, 1976, p. 180). Em vez disso, tinha razão o liberal, ou liberal-conservador, Lecky ao evocar, no final do século XIX, na sua denúncia dos efeitos ruinosos do colapso de toda discriminação censitária, o ensinamento de Mill, o qual "não era insensível ao perigo e à injustiça de dissociar o poder de deliberar sobre impostos da obrigação de pagá-los e era consciente do fato de que o sufrágio universal não qualificado conduz, direta e rapidamente, a uma forma de expoliação" (Lecky, 1981, v. 1, p. 232).

Uma reflexão adicional merece a história do voto plural. Adotada do em escala limitada na França durante a Restauração, no momento em que mais fortemente se faz sentir a reação nobiliária e clerical (Villey, 1900, p. 10), por um curioso destino o sistema eleitoral proposto por Mill com o objetivo de conciliar ampliação do sufrágio e hegemonia das classes proprietárias e cultas orienta, na prática, todas as tentativas de des-emancipação que ocorrem nas décadas subsequentes: foi assim depois da Comuna de Paris (cf. infra, cap. 1, § 9); foi assim na Itália, logo depois da Marcha sobre Roma (cf. infra, cap. 6, § 4); e foi assim, de novo, na França, depois do colapso da Terceira República e do advento de Pétain ao poder (Huard, 1991, p. 357). Deve-se apenas acrescentar que, ainda na América dos nossos dias, não faltou quem propusesse, no rastro de Mill, a introdução de um "sistema de representação proporcional que dê peso ao voto de cada homem de acordo com sua capacidade comprovada de operar escolhas inteligentes". O artigo em questão, de J. Farkas, publicado na página de "opinião" do *New York Times,* tem um título bastante significativo: "Um homem, ¼ de voto"! (Okun, 1990, p. 9)

8. *A discriminação censitária como princípio de legitimidade*

O caráter obstinado, variado e proteiforme da resistência oposta ao princípio do sufrágio universal põe em crise a tese cara àqueles que, mais ou menos abertamente, gostariam de reduzir a discriminação censitária a uma espécie de incidente de percurso ou a um erro juvenil superado em virtude de um processo de amadurecimento espontâneo da tradição liberal, em última análise fora de qualquer pressão e condicionamento externo (Veca, 1990, p. 27). Na realidade, tal tradição mostra tão pouca abertura em relação à extensão do sufrágio às classes populares que chega a considerá-la, por ser portadora de ataques ruinosos à propriedade, como uma violação das regras do jogo merecedora de ser combatida até com a violência. Para Montesquieu (1949-1951, livro II, cap. 6), a supressão da Câmara hereditária dos Pares e do seu direito de veto em relação às "iniciativas do povo" (isto é, às leis aprovadas pelo ramo de algum modo mais popular do Parlamento) já é sinônimo de despotismo e até de "escravidão", pelo fato de que abriria caminho para uma legislação toda ou predominantemente voltada contra as camadas priviliegiadas. Colocando-se desta vez mais do ponto de vista da burguesia do que daquele da nobreza, o termidoriano Boissy d'Anglas, depois de ter advertido contra os "impostos funestos" que seriam inevitavelmente aprovados pelo poder legislativo, uma vez posto sob controle ou sob influência dos não proprietários, acrescenta: "Um país governado pelos proprietários encontra-se na ordem social; ao contrário, aquele que os não proprietários governam encontra-se no estado de natureza" (Lefebvre, 1984, p. 35). E, numa condição destituída de ordem jurídica e de normas legais, a palavra cabe evidentemente às armas. Ainda que com uma linguagem mais cautelosa, também Constant se expressa em termos análogos:

> Observem que o escopo necessário dos não proprietários é chegar à propriedade: eles empregarão para este escopo todos os meios que lhes forem dados. Se à liberdade de ofício e de trabalho *(de facultés et d'industrie)*, que lhes é devida, acrescentarem-se os direitos políticos, que não lhes são devidos, estes direitos nas mãos da maioria servirão infalivelmente para invadir a propriedade [...]. Se entre os legisladores forem postos não proprietários, mesmo bem--intencionados, a inquietude dos proprietários obstaculizará todas as suas providências. As leis mais sábias serão postas sob suspeita. (Constant, 1970, p. 101)

Ou seja, as leis serão desatendidas ou transgredidas, legítima e compreensivelmente. É também com base em tais considerações que os ambientes liberais franceses participam da organização do golpe de Estado do 18 Brumário, ou o saúdam calorosamente, pelo menos no início (cf. infra, cap. 3, § 1).

O quadro não muda se se passa da França para a Inglaterra, que, de resto, já constitui o modelo de Montesquieu. Também para Locke, do fato de que "a conservação da propriedade" é o próprio fim da sociedade segue-se não só que "o poder legislativo de um Estado" não pode "dispor arbitrariamente dos bens dos súditos ou tomar uma parte deles a seu bel-prazer", mas também que o poder legislativo não pode ser modificado na sua composição, afetando, por exemplo, a Câmara dos Lordes e a transmissão hereditária das suas cadeiras (Locke, 1974, §§ 138 e 243). Ainda que mediada pela intervenção do poder legislativo, a intrusão ou a "invasão" dos não proprietários na esfera da propriedade é sempre um ato de arbítrio ou de saque, de violência, um ato, pois, que pode ser legitimamente combatido pela violência do agredido. E esta é a opinião do próprio John Stuart Mill: "todo direito de voto" nas mãos de quem não paga impostos "é uma violação do princípio fundamental de um governo livre"; atribuir os direitos políticos a cidadãos pobres não submetidos a tributação e, portanto, conceder-lhes a participação no poder legislativo – isto "é a mesma coisa que permitir às pessoas mexer no bolso do próximo com objetivos que se quer chamar de públicos" (Mill, 1916, p. 153).

No final do século XIX, Lecky, depois de ter retomado a tese já vista em Constant segundo a qual os não proprietários titulares de direitos políticos seriam inevitavelmente levados a perseguir "objetivos predatórios e anárquicos" e até mesmo a "demolir a sociedade", define como um "sistema de confisco velado" aquele que permite aos não proprietários impor impostos que incidam nas costas dos proprietários. De tal modo, estes últimos acabam por ser, de fato, "completamente privados dos direitos políticos" *(disfranchised)* (Lecky, 1981, v. 1, p. 2,21 e 27). Ou seja, a indevida emancipação política das classes populares comporta a des-emancipação de fato das únicas classes capazes de dirigir o país. Como se vê, é simplesmente um mito apologético a tese de um amadurecimento espontâneo do pensamento liberal, que progressivamente se abre a uma extensão cada vez mais ampla do sufrágio. De resto, ainda nos nossos dias, autores como Mises e Hayek apontam no sufrágio universal a causa última das providências despóticas e totalitárias de redistribuição de renda emanadas pelo *Welfare State*, até no Ocidente (cf. infra, cap. 7, §§ 5 e 7).

9. Emancipação e des-emancipação

Mas a tese dos apologistas da tradição liberal se mostra insustentável não só porque passa por cima das gigantescas lutas políticas e sociais empreendidas pelas massas populares excluídas dos direitos políticos, mas também porque confere ao processo histórico de conquista e extensão do sufrágio um caráter linear que não corresponde de modo algum à realidade. Já a primeira reforma eleitoral realizada pela Inglaterra liberal, aquela que começa a introduzir os elementos constitutivos do regime representativo moderno, apresenta características contraditórias: "O sufrágio em muitas cidades era democrático, mais democrático antes do que depois de 1832; e, se por um lado a grande lei de reforma atenuou muitos abusos e varreu algumas anomalias, por outro privou dos direitos políticos inúmeros eleitores pobres e criou um descontentamento que alimentou o movimento cartista" (Pollard, 1938, p. 164).

Assistimos, aqui, a um entrelaçamento entre emancipação e des-emancipação. Considerações análogas também podem ser feitas em relação à França. Depois de 1789, a burguesia liberal introduz uma discriminação censitária mais severa do que a existente no momento das eleições dos estados gerais, acontecidas, como vimos, com base num "sufrágio quase universal", mesmo que controlado, no tocante ao terceiro estado, mediante um sistema eleitoral de vários graus (cf. supra, cap. 1, § 2). Como na Inglaterra, também na França os primórdios do regime representativo moderno são caracterizados pelo entrelaçamento de emancipação e des-emancipação.

O desenvolvimento histórico posterior vê a ferrenha alternância entre reivindicações e medidas de emancipação e tentativas e medidas de des-emancipação. A jornada de 10 de agosto de 1792 impõe um sufrágio masculino quase universal, sucessivamente cancelado pelo Termidor. Algo análogo se verifica depois da Revolução de 1848, que sanciona o sufrágio universal (masculino). Mas eis que, em maio de 1850, a burguesia liberal não hesita em pisotear a Constituição que havia jurado dois anos antes. Esta afirmava (art. 25): "São eleitores, sem condição de censo, todos os franceses acima de 21 anos e que gozem dos direitos civis e políticos". E, no entanto, com uma espécie de "golpe de Estado parlamentar", são privados da emancipação política recém-conquistada aqueles que, obrigados a contínuos deslocamentos em busca de emprego, não podem exibir um certificado de residência estável (Pierre, 1876, v. 2, p. 366 e 322). Deste modo, são excluídos "3 milhões de um total de 9,5 milhões de votantes". A ser des-emancipada é a "multidão vil", indigna dos direitos políticos; esta, pelo menos, a opinião de Thiers (Cobban, 1967, p. 397), o qual, em seguida, não sem cinismo, acrescenta: "Universal não quer dizer todos, mas quer dizer o maior número possível no espírito da Constituição" (Huard, 1991, p. 11), isto é, se olharmos bem, da ordem social existente.

Para conquistar o consenso popular, Luís Napoleão reintroduz o sufrágio universal masculino, embora controlando-o do alto no âmbito de um regime cujas características analisaremos nos capítulos sucessivos. Como se viu, não faltam tentativas de substituir o regime bonapartista por um regime legitimista-liberal que dificilmente teria deixado de pé o sufrágio universal direto. Este último, tal como depois da experiência jacobina e da Revolução de 1848, também depois da Comuna de Paris é duramente contestado e discutido pelos mesmos ambientes liberais. Florescem as propostas mais variadas que preveem o voto plural em favor dos "mais inteligentes", o sufrágio em vários graus ou, ainda, o retorno à discriminação censitária explícita. Esta última opção revela-se logo muito perigosa ou inteiramente impraticável por causa das. reações populares que poderia provocar. Não é mais possível, ou de todo modo é desaconselhável, colocar abertamente em discussão o princípio do sufrágio universal. Trata-se, quando muito, de "regulamentá-lo, moralizá-lo, depurá-lo", como afirma Thiers (talvez com referência à lei de 31 de maio de 1850, da qual tinha sido um dos promotores), mas evitando suscitar a impressão de querer reintroduzir a discriminação censitária. Mas mesmo este subterfúgio se revela bastante problemático, ainda mais que os bonapartistas continuam a posar de defensores do sufrágio universal; e, assim, a legislação eleitoral da Terceira República contenta-se em sancionar o colégio uninominal, estabelecendo as circunscrições eleitorais com base em critérios "que falseiam, em benefício dos departamentos rurais; a igualdade na representação entre os cidadãos" (Huard, 1991, p. 108-117).

O país clássico da des-emancipação, no qual esta se afirmou com particular amplitude e tenacidade, são os Estados Unidos. Aqui, no final do século XIX, desenvolve-se um movimento geral de des--emancipação constituído por três processos certamente inter-relacionados mas que apresentam características distintas. As primeiras vítimas são, obviamente, os negros: libertados da escravidão e admitidos ao gozo dos direitos políticos com a Guerra de Secessão, inicialmente conseguem até estar presentes em organismos representativos locais e estaduais (Piven e Cloward, 1988, p. 79). Sua situação, porém, piora rapidamente, e muito, depois da retirada das tropas federais e da "reconciliação" entre Norte e Sul: "Antes que o século XX tivesse concluído sua primeira década, a supressão dos direitos eleitorais dos negros era um fato consumado em todo o Sul"; o "princípio do sufrágio universal" foi declarado pela classe dominante simplesmente absurdo e "impossível" (Buck, 1963, p. 277). É o período no qual, como veremos, até mesmo inúmeros brancos são privados dos direitos políticos. Mas que estamos em presença, ao mesmo tempo, de um processo específico de des-emancipação relativo aos negros é demonstrado pela legislação bem definida de inúmeros estados do Sul e pela reinterpretação do *literacy test* em curso na Louisiana, que introduz, em 1898, a "cláusula do avô", pela qual um cidadão está isento da prova de ler e escrever se votou antes de 1º de maio de 1867 ou se é filho ou neto de uma pessoa que tenha usufruído daquele direito: com tal expediente, as listas eleitorais são expurgadas de todos os votantes negros, mas incluem, ao mesmo tempo, "todas as classes de brancos", ou quase (Buck, 1963, p. 276 ss.).

Particularmente complexa e tormentosa é a evolução do estatuto político dos imigrados. O *Naturalization Act* de 1798, que tivemos oportunidade de mencionar, comporta na prática uma des-emancipação, pelo fato de que nega a cidadania, à qual até aquele momento tinham direito, a inúmeros imigrantes, que até se veem também privados de alguns direitos civis, dado que aquela lei é o pressuposto de outras que, imediatamente a seguir, conferem ao presidente poderes discricionários quanto "à detenção e à deportação" dos estrangeiros (Wilson, 1918, v. 6, p. 39). Sucessivamente, os imigrados também usufruem do processo geral de emancipação que se verifica na década subsequente à Guerra de Secessão e que parece derrubar toda discriminação política: em alguns estados, mesmo sem ter formalmente conseguido a cidadania, os imigrados "podem votar, sob a condição de serem residentes há vários anos e/ou terem manifestado a intenção de pedir a naturalização". No momento mais alto de extensão da cidadania política, os imigrados têm direito de voto na maioria dos estados (22 num total de 37). No entanto, a partir de 1875, tem início o processo de des-emancipação: em 1900, só 11 estados permitern tal voto; em 1925, só restou o Arkansas; "em 1928, pela primeira vez desde as origens, nenhum não americano participa de uma eleição, federal, estadual ou local" (Burnham, 1970, p. 71-90; Toinet, 1988, p. 294 ss. e 299).

Também os brancos pobres são submetidos a medidas de des-emancipação através da *poll-tax*, isto é, o imposto eleitoral, e do *literacy test*, que mede o nível de alfabetização. Não poucas vezes, a des-emancipação é sancionada solenemente: "A maior parte dos estados do Sul e o Oklahoma" procedem a uma revisão constitucional com base na qual se pede aos eleitores "saber ler ou até saber explicar o texto da Constituição" (Ostrogorski, 1991, p. 470, nota). Isto sobretudo no Sul. No plano federal, em vez disso, são aprovadas as *registration laws*, que atribuem a cada cidadão a tarefa de efetuar o próprio registro nas listas eleitorais e tornam esta tarefa cada vez mais complicada e custosa, com o resultado (e a intenção) de desencorajar a participação das classes mais pobres. Com efeito, verifica-se um colapso vertical. O ano de 1896, ano da derrota definitiva do movimento populista e da aceleração do processo de reação por obra das classes dominantes ainda atemorizadas, assinala uma virada que pode ser até definida como uma "contrarrevolução", ainda que de modalidade pacífica (Piven e Cloward, 1988, p. 48 ss.).

10. *Negação dos direitos políticos, mercado de trabalho e trabalho servil*

Tal como a tenaz restrição censitária dos direitos políticos não é um incidente de percurso ou uma inadvertência da tradição liberal, também a des-emancipação não é uma ocasional recaída num erro ou pecado da juventude. A contrarrevolução em questão tem evidentes implicações sociais. Comecemos a analisar as implicações relativas aos imigrantes e aos brancos americanos. A pressão operária e popular tinha conseguido arrancar em inúmeros estados uma legislação social que limitava e regulamentava o trabalho de mulheres e crianças, bem como impunha, nas fábricas e lugares de trabalho, algumas medidas gerais de segurança; tratava-se de uma legislação que, embora amplamente desrespeitada e muitas vezes anulada pelos tribunais em nome da liberdade de contrato, era, no entanto, percebida pelas classes dominantes como uma ameaça e relacionada com os danos do sufrágio universal e da influência política das classes consideradas perigosas. Assim, era preciso proceder a uma decidida limitação de tal influência, de modo a impedir ou dificultar o mais possível o advento do Estado social: precisamente, a "contrarrevolução" do fim do século XIX é a principal responsável pelo atraso acumulado pelos Estados Unidos em tal campo (Toinet, 1988, p. 291 ss.; Piven e Cloward, 1988, p. 9).

Em relação aos imigrados, os obstáculos suplementares postos à sua naturalização e à aquisição da cidadania caem num período no qual contra eles se desenvolve uma exaltada campanha racista, com a verificação de episódios de linchamento vitimando chineses (Gosset, 1965, p. 290). Não casualmente, trata-se de uma minoria não poucas vezes enquadrada em relações de trabalho semisservis. Observou-se, com acerto, que "a questão racial reflete o processo político graças ao qual as populações de continentes inteiros foram transformadas em fornecedoras de trabalho excedente forçado". Outras minorias étnicas, des-emancipadas ou privadas da possibilidade de acesso à cidadania e "estigmatizadas" em termos ràciais, são forçadas aos "níveis inferiores" do mercado de trabalho (Wolf, 1990, p. 526 ss.).

Ainda mais evidente é a relação entre des-emancipação política e des-emancipação social, no que toca aos negros. Não poucos estudiosos sublinham o fato de que, no Sul dos EUA, "a supressão do direito de voto dos negros era uma condição de estabilidade da economia do tipo *plantation* e do trabalho servil no qual ela se baseava" (Piven, 1991, p. 243). A presença de expoentes políticos negros em nível local e estadual dificultava o restabelecimento do "sistema de trabalho de casta" (Piven e Cloward, 1988, p. 79); e é assim que os escravos já emancipados e admitidos à cidadania política tornam-se de novo "estrangeiros", inferiores por natureza e raça, e portanto destinados a "trabalhar para os brancos" numa condição "comparável à escravidão" (Buck, 1963, p. 274-278). Assiste-se, assim, a uma "nova escravização dos negros", cujos salários de fome são impostos não pelo mercado, mas pela força bruta dos patrões brancos (Franklin, 1983, p. 392 ss.).

11. Tradição liberal, discriminação censitária e racialização dos excluídos

Neste ponto, somos capazes de compreender melhor o significado da discriminação censitária que acompanhou tenazmente a história da tradição liberal. Sieyès, que teoriza a distinção entre cidadãos ativos e cidadãos passivos, considera como um fato pacífico que "a multidão sem instrução" seja obrigada a um trabalho "forçado" e, portanto, seja "privada de liberdade"; também propõe, como sabemos, introduzir na França o trabalho servil ou semisservil, a que deveriam ser submetidos os cidadãos passivos ou as "máquinas de trabalho": as duas categorias às vezes coexistem tranquilamente (Sieyès, 1985, p. 81 e 236). E, além da menção às *machines de travail*, o porta-voz do terceiro estado e da burguesia liberal francesa fala da "maior parte dos homens" como "instrumentos humanos da produção" ou como "instrumentos bípedes", retomando em última análise a categoria de que se serve Aristóteles para definir o trabalho servil (Sieyès, 1985, p. 89, 75 e 81).

Se passamos da França à Inglaterra, vemos que também Burke, o *whig* inglês ainda hoje bastante caro a autores liberais como Hayek e Dahrendorf (cf. infra, cap. 7, § 10), subsume o trabalhador rural ou o assalariado na categoria de *instrumentum vocale* utilizada na antiguidade clássica para designar e classificar o escravo (Burke, 1826b, p. 383; Losurdo, 1992a, cap. 6, § 4). E a coisa bem se compreende: já Locke é de opinião que "a maior parte da humanidade" não pode deixar de estar submetida a condições de vida e de trabalho pelas quais se encontra *enslaved*, ou seja, reduzida a uma condição semelhante à escravidão (Locke, 1982, livro 4, cap. 20, § 2); por sua vez, Mandeville, um outro clássico da tradição liberal, define a "parte mais mesquinha e pobre da nação" como *the working slaving people*, destinada para sempre a desempenhar um "trabalho sujo e semelhante ao do escravo" (*dirty slavish work*), um trabalho em face do qual a instrução só pode ser considerada um elemento de distúrbio (Mandeville 1987, parte primeira, nota L; Mandeville, 1974, p. 106 e 91 ss.). Como se vê, caminham *pari passu* a discriminação censitária e uma divisão do trabalho que vai até o ponto da justificação do trabalho servil ou semisservil. Os miseráveis a ele condenados são descritos, em seguida, em termos que justificam sua utilização como simples instrumentos de produção e, de algum modo, são representados como seres destituídos da plenitude das características humanas. Que sentido teria conceder direitos políticos àqueles que, "por causa do natural e inalterável estado de coisas neste mundo': estão destinados – é Locke quem se expressa nestes termos – a permanecer no nível de uma "besta de carga puxada para a frente ou para trás pelo mercado, numa trilha restrita e num caminho sujo" e que são separados dos homens das classes superiores por "uma distância maior do que aquela entre alguns homens e alguns animais"? (Locke, 1982, livro 4, cap. 20, §§ 2 e 5). Análoga é a atitude de Burke, que fala da maior parte dos homens, aquela que obtém seus meios de subsistência do duro trabalho cotidiano, como "multidão suína" (*swinish multitude*) (Burke, 1826a, p. 154), ou a de Sieyès, que nega se possam "encontrar homens", pelo menos no sentido pleno da palavra, na "multidão imensa de instrumentos bípedes *(instruments bipedes)*, privada de liberdade, privada de moralidade, privada de vida intelectual (*intellectualité*)" (Sieyès, 1985, p. 81). Como fundamento e justificação da discriminação censitária, há uma antropologia e uma ontologia, ou – para recorrer a uma categoria hoje no centro do debate sociológico e do debate político (Taguieff, 1987; Balibar, 1988a e 1988b) – um processo de racialização, que torna totalmente estranhos aos cidadãos ativos e à elite dominante os excluídos da cidadania.

Observou-se que, entre 1660 e 1760, desenvolve-se na Inglaterra

> uma atitude em relação ao novo proletariado industrial consideravelmente mais dura do que aquela difundida na primeira metade do século XVII, a ponto de não encontrar correspondência *nos* nossos tempos senão no comportamento dos mais abjetos colonizadores brancos em relação aos trabalhadores de cor. (Tawney, 1975, p. 513)

É uma observação que se presta a dois tipos de consideração. De início, faz entrar definitivamente em crise o esquema evolucionista caro aos apologistas da tradição liberal, os quais, assim como ignoram o entrelaçamento entre emancipação e des-emancipação, também passam por cima do nexo entre a discriminação censitária e aquele processo de racialização dos discriminados que caracteriza os primórdios da Inglaterra liberal, mas que também se pode observar em outros países. É evidente, por exemplo, que, no tocante à França, seria difícil encontrar em autores como Bodin ou Bossuet a dureza manifestada por Sieyès em relação àqueles que ele define como "instrumentos bípedes".

O segundo tipo de consideração deriva da comparação instituída por Tawney entre a atitude tomada pela Inglaterra protoliberal em face do proletariado industrial e a atitude racista ainda amplamente difundida, nos nossos dias, em face das populações coloniais ou ex-coloniais. É uma comparação que nos ajuda a compreender o processo de racialização voltado contra certos estratos sociais. Com efeito, em Locke podemos encontrar escrito com todas as letras que um trabalhador assalariado, "um trabalhador manual [...] não é capaz de raciocinar melhor do que um indígena" *(a perfect natural):* um e outro ainda não atingiram o "nível de criaturas razoáveis e de cristãos" (Locke, 1979, §§ 6 e 8). Ainda na França liberal da Monarquia de Julho, a revolta dos tecelões de Lyon parece a Saint-Marc Girardin "a nova invasão dos bárbaros" (Hunecke, 1978, p. 164); e, depois da revolta operária de junho de 1848, Tocqueville, mesmo descrevendo as emoções coletivas do tempo, termina também por evocar o espectro "dos vândalos e dos godos" (Tocqueville, 1951, v. 12, p. 93). Mas já em Sieyès podemos ler que "uma grande nação é necessariamente composta por *dois povos*" – o grifo está no original–, por duas raças de algum modo diferentes e de valor essencialmente diverso, dado que, por uma parte, temos os verdadeiros "produtores" ou os "chefes da produção", por outra os "instrumentos humanos da produção"; por uma parte, "as pessoas inteligentes" ou "as pessoas de bem" *(gens honnêtes),* por outra "os operários que só têm a força passiva" e são simples "instrumentos de trabalho" *(instruments de labeur)* (Sieyès, 1985, p. 75 e 89).

Podemos então compreender melhor o sentido da metáfora que acompanha como uma sombra a história da tradição liberal até nossos dias, aquela que compara os excluídos da cidadania a "estrangeiros". É uma metáfora que, antes ainda de Constant, de algum modo já encontramos em Sieyès, para o qual "nesta multidão imensa de instrumentos bípedes" não existe "um só que seja capaz de entrar em sociedade" e fazer parte do círculo restrito de pessoas verdadeiramente "civilizadas" *(policés)* (Sieyès, 1985, p. 81). Aqui, trabalhador manual é sinônimo não só de estrangeiro mas também de estranho à civilização, de membro de uma raça inferior, de algum modo. É significativo que esta mesma metáfora seja usada já por Locke, desta vez em referência àquele

> tipo de servos que, com um nome específico, chamamos de escravos, os quais, sendo prisioneiros capturados no curso de uma guerra legítima [...] e tendo perdido seus bens e não estando qualificados, precisamente porque escravos, a usufruir de propriedade alguma, não podem ser considerados, na sua condição, parte da sociedade civil, cujo fim principal é a conservação da propriedade. (Locke, 1974, § 85)

Quer aplicada ao escravo em sentido restrito, quer ao trabalhador manual que desempenha um trabalho semisservil, resta o fato de que a metáfora em questão teve um papel importante na negação dos direitos políticos e mesmo em certas leis de des-emancipação, como a de 31 de maio de 1850, na França (que, exigindo determinados requisitos de residência, terminava por considerar de algum modo como estrangeiros os trabalhadores forçados a buscar algum emprego de uma localidade a outra), ou, ainda, como as que nos Estados Unidos prolongavam o período de residência ou, seja como for, agravavam os requisitos necessários aos imigrados para obter a naturalização e ser admitidos à cidadania.

Pode-se também surpreender a relação entre discriminação censitária e processo de racialização dos excluídos numa outra metáfora, aparentemente mais inócua, a que a tradição liberal recorre para definir e justificar a exclusão da esfera da cidadania dos trabalhadores assalariados, que, obrigados a trabalhar dia e noite, permanecem numa situação de "eterna dependência" e, portanto, são semelhantes a "crianças" dotadas de uma singular característica: a impossibilidade de se tornarem, mais cedo ou mais tarde, maiores de idade (Constant, 1970, p. 99 ss.). Por outro lado, segundo Locke, o servo assalariado passa a fazer parte da "família do seu patrão" e está submetido à "sua disciplina normal" (Locke, 1974, § 85). Leve-se em conta que *da família* aristotélica e antiga, também faziam parte os escravos, cuja figura nos remete mais uma vez aos "bárbaros", de cujas filas provêm os "escravos por natureza" de que fala o filósofo grego. E Mill, que teoriza o despotismo em relação aos "bárbaros" ou aos membros das "sociedades atrasadas", precisa que neste caso "a raça mesma pode ser considerada menor de idade" (Mill, 1981, p. 33). De resto, Sieyès, que divide a sociedade em "dois povos" nitidamente distintos e contrapostos, também define o povo destinado a fornecer os "instrumentos humanos" – ou melhor, "bípedes" – da produção como a "multidão sempre criança" (Sieyès, 1985, p. 80).

Até no que se refere aos Estados Unidos (onde o processo de racialização dentro da comunidade branca é dificultado pelo fato de que os instrumentos de trabalho – as máquinas bípedes – são identificados com os negros e, sucessivamente, na segunda metade do século XIX, com os imigrados não europeus ou provenientes do Sudeste da Europa e, seja como for, estranhos à estirpe dos americanos autênticos e de velha data), por ocasião da Convenção da Filadélfia não falta quem defenda o monopólio proprietário do sufrágio com o argumento de que, por certo, não se pode também estender um direito tão precioso e tão delicado aos "bípedes da floresta", isto é, aos bárbaros e selvagens (Jameson, 1960, p. 21). Sobretudo, dá o que pensar a caracterização à qual, em contraposição à "massa do povo", composta de "mecânicos" e de gente destituída de cultura e educação "liberal", Hamilton e John Adams procedem dos membros da elite dominante como "ricos e bem-nascidos" *(well-born)* (Morison, 1953, p. 259; Merriam, 1969, p. 130, 132 e 140): também nesta definição é evidente a tendência à naturalização e, portanto, numa certa medida, à racialização das diferenças sociais existentes dentro da própria comunidade branca. E é uma linguagem ainda mais significativa por fazer pensar naquela usada algumas décadas mais tarde por Nietzsche, o qual, em contraposição à massa democrático-plebeia e a tudo quanto é "degenerado e parasitário" (Nietzsche, 1977, *La nascita della tragedia*, aforismo 4), celebra os "bem-sucedidos" *(wohlgeraten)*, que fazem parte da *"raça* dos conquistadores e dos *senhores,* a dos arianos" (Nietzsche, 1979, aforismo 5, e III, aforismo 16).

Os operários e as classes populares em luta pelo reconhecimento do direito de coalizão ou dos direitos políticos percebem, de todo modo, que a discriminação contra eles se entrelaça estreitamente com uma antropologia que, considerando-os estrangeiros não só em relação à comunidade em que vivem mas também, em última análise, à civilização, relega-os à condição de raça inferior, negando-lhes a dignidade plena de homens. Por isso, na Paris imediatamente subsequente à Revolução de Julho, os jornais operários acusam os "nobres burgueses" por se obstinarem a ver nos operários não "homens", mas "máquinas", nada mais do que "máquinas" chamadas a produzir só para as "necessidades" dos seus patrões (Sewell jr., 1987, p. 339). Assim, especifica-se e golpeia-se com precisão uma categoria cara, por exemplo, a dois autores liberais como Burke e Sieyès. É interessante que, depois da Revolução de Fevereiro, as canções populares festejem na França a obtenção do sufrágio universal como prova de que também os indivíduos das camadas mais humildes começam a ser elevados ao "patamar de homens" (Huard, 1991, p. 33).

Independentemente de tais expressões espontâneas das classes populares, se se quiser encontrar uma crítica aos processos de racialização, não é certamente à tradição liberal clássica que se pode fazer referência. É num fragmento de Rousseau que os escravos em luta contra seu "senhor" censuram este último por considerá-los e tratá-los como simples "máquinas", "instrumentos de trabalho" ou "utensílios" (Rousseau, 1959, v. 4, p. 1.726): deste texto provém uma acusação objetiva à tradição liberal que, para definir o trabalho assalariado, continua a se servir das categorias já utilizadas pela antiguidade clássica em referência ao escravo, a quem era negada a plena dignidade humana. Se Locke compara o trabalhador assalariado a uma "besta de carga" e Burke troveja contra a "multidão suína", Rousseau censura as classes superiores pela tendência de assimilar ao "boi" ou a um animal doméstico os "infelizes oprimidos por um trabalho incessante" (Rousseau, 1971, v. 2, p. 330). Por fim, a metáfora (cara a Constant e implicitamente já presente em Sieyès) que assimila os trabalhadores assalariados a estrangeiros ou a membros de um povo diferente e inferior àquele constituído pelas classes dominantes é criticada antecipadamente pelo filósofo genebrino, quando sublinha que, num Estado bem ordenado, ninguém pode se sentir "estrangeiro" (Rousseau, 1959, v. 3, p. 255).

Discípulo de Rousseau se considera Robespierre, para quem, à diferença da monarquia absoluta e da aristocracia, em que um só ou só poucos indivíduos podem dizer que têm uma "pátria", enquanto os demais não a têm, o "regime democrático" é aquele em que "o Estado é verdadeiramente a pátria de todos os indivíduos", todos admitidos, num plano de igualdade, "à plenitude dos direitos de cidadão" (Robespierre, 1958, v. 3, p. 114 ss.). Não é certamente um acaso que, em Marx, o ponto de partida da crítica à sociedade capitalista seja a denúncia do fato de que, nela (para retomar as palavras do *Manifesto do partido comunista*), os operários "são apenas instrumentos de trabalho que custam mais ou menos de acordo com a idade e o sexo" (Marx e Engels, 1955, v. 4, p. 469).

12. Do liberalismo à democracia?

Não resiste à investigação histórica o mito, caro a Bobbio (1984, p. 6 ss.), do desenvolvimento espontâneo do liberalismo em direção à democracia. É um dado de fato que precisamente os países com uma tradição liberal mais consolidada acumularam um considerável atraso histórico no próprio terreno da emancipação política: "Durante o século XX, os Estados Unidos não foram uma democracia, no sentido elementar de um efetivo sufrágio universal" (Piven e Cloward, 1988, p. 9).

Deixemos de lado os peles-vermelhas, ou melhor, os sobreviventes: na teoria, passaram a gozar de direitos políticos em 1887 (Schlesinger sr., 1967, p. 178); mas, na realidade, através de vicissitudes num sentido e noutro, só viram reconhecida pelo Congresso a condição de cidadãos americanos em 1924 e, de todo modo, "estados como o Novo México e o Arizona lhes recusaram o direito de voto até 1948" (Jacquin, 1977, p. 160). Em relação à outra minoria racial, ainda no segundo pós-guerra vemos as classes dominantes no Sul condenar as tentativas de abolir a *poli tax* e de impor o registro eleitoral dos negros, "sem considerar sua inteligência e capacidade", como um atentado criminoso à melhor "herança anglo-saxã", como uma tentativa de reduzir os americanos autênticos "ao nível de uma raça bastarda, inferior" (Schlesinger jr., 1973a, p. 3.409 e 3.416 ss.). Ao lado dos negros, também os brancos pobres continuam a sofrer restrições censitárias até a "década 1960-1970" (Toinet, 1991, p. 123 ss.). São de 1966 as sentenças da Corte Suprema que declaram a inconstitucionalidade das normas que impõem, como pré-requisito para ser reconhecido titular do direito de voto, um certo nível de alfabetização e o pagamento do imposto eleitoral; enquanto é de 1972 a sentença que declara a inconstitucionalidade da norma, naquele momento ainda em vigor no Texas, que subordina o requisito de elegibilidade ao pagamento de uma soma proporcional à importância do cargo para o qual se pretende candidatar (Kerjan, 1991, p. 67-70 e 123-127). Ainda hoje, no entanto, continuam em vigor as leis sobre o registro que, de fato, diminuem a participação eleitoral das classes mais pobres e, portanto, segundo alguns autores, constituem uma nova forma, indireta e camuflada, de discriminação censitária (Piven e Cloward, 1988). Esta última, pois, continuaria a operar, nos nossos dias, no país-guia do Ocidente. De resto, ainda em 1988 a plataforma eleitoral do Partido Democrata convida a lutar, com referência às leis sobre o registro, contra "qualquer diluição do princípio 'uma cabeça, um voto'" (Gérard, 1989, p. 91).

Considerações análogas podem ser feitas, sempre quanto ao atraso histórico em termos de emancipação política e de conquista do sufrágio universal, a propósito do outro país clássico da tradição liberal, a Grã-Bretanha. Pode-se dizer, de passagem, que durante todo o século XVIII e até a reforma de 1832 – logo, um século e meio depois da Gloriosa Revolução liberal –, "ambos os ramos do Parlamento eram apanágio da classe mais alta da sociedade", isto é, da aristocracia. Ainda mais importante é o fato de que, por muito tempo, quase até nossos dias, as "tradições feudais" continuam a pesar sobre a própria ideia de representação, "a qual não é considerada em absoluto como um meio para expressar o direito individual ou para promover interesses individuais. As comunidades, e não os indivíduos, é que são representadas" (Pollard, 1938, p. 164 e 155). Em 1788, *The Federalist*, que estava muito longe de ser anglófobo, assim sintetiza o direito eleitoral da ex-pátria mãe:

> O número de habitantes dos dois reinos, Inglaterra e Escócia, certamente não pode ser calculado em menos de 8 milhões. Os representantes destes 8 milhões na Câmara dos Comuns são 558. Um nono destes são eleitos por 364 pessoas e a metade por 5.723. Não é possível supor que a metade assim eleita, e que sequer reside em meio ao povo, possa acrescentar alguma coisa às garantias com as quais o povo pode contar contra o governo [...]. Ao contrário, é notório que eles representam mais frequentemente o magistrado executivo, do qual se tornam instrumentos, em vez de saberem se erguer à condição de guardiães e defensores dos direitos populares. *(The Federalist*, n. 56, 1980, p. 431)

A situação existente algumas décadas depois é assim descrita por Ostrogorski: "Com base numa tabela feita por volta de 1815, havia na Câmara dos Comuns 471 membros que deviam sua cadeira ao favor de 144 pares e de 123 *commoners;* 16 membros eram nomeados pelo governo; e somente 171 deputados eram eleitos pelo sufrágio popular". Mas o que significa, então, "sufrágio popular"?

Os eleitores representavam apenas a corte pessoal dos rivais que se enfrentavam um ao outro em duelo: eram seus fiéis ou se vendiam a eles por dinheiro no dia do voto. Nos condados, o arrendatário seguia seu *landlord*. Os pequenos proprietários *(freeholders)* rurais, mais independentes, gravitavam em geral na órbita do grande senhor do lugar; entre os burgos, muitos dependiam diretamente dos magnatas do território; estes os possuíam como propriedade ou neles exerciam uma influência hereditária. A maior parte das outras cidades se vendia nas eleições em bloco ou no varejo. Os deputados que se faziam nomear graças à sua influência na região, ou à dos seus senhores, ou que compravam as cadeiras em dinheiro vivo, eram na realidade independentes do corpo eleitoral. (Ostrogorski, 1991, p. 113 e 144)

Para compreender até que ponto chegava tal independência, basta recordar que, "quando Palmerston entrou na Câmara em 1807, o patrono lhe impôs só uma condição: que nunca pusesse os pés entre os eleitores". Uma condição que, certamente, contribuía para equiparar seu mandato ao de Robert Peel, o qual, em décadas de carreira parlamentar, "jamais participou de uma competição eleitoral" (Calise, 1989, p. 39).

Um liberal inglês do século XIX, celebrador da Constituição do seu país, observou que por longo tempo Câmara Baixa e Câmara Alta estiveram submetidas ao monopólio ou ao estrito controle dos lordes, que decidiam até sobre a composição dos Comuns; e, assim, os dois ramos do Parlamento eram de fato apanágio da aristocracia (Bagehot, 1974b, p. 175). É esta "representação" que não consegue se livrar do peso da tradição medieval sobre suas costas, que considera o sufrágio não como um direito e nem mesmo como um direito reservado aos membros de uma determinada classe de renda, segundo uma regra de algum modo geral, mas sim como um motivo de distinção ou um privilégio graciosamente concedido e transmitido hereditariamente a determinadas comunidades, camadas ou ordens; é esta "representação" que ignora inteiramente a figura do indivíduo moderno como sujeito autônomo de direitos e, pelo contrário, comporta a plena "subordinação do indivíduo à comunidade" (Ostrogorski, 1991, p. 111 ss.); tal singular "representação", que, pelo menos no século XVIII, não difere muito daquela dos estados gerais do Antigo Regime, é que é criticada por Rousseau, quando no *Contrato social,* depois de ter sublinhado o fato de que ela deita raízes no "governo feudal", conclui que "o povo inglês acredita ser livre, mas se equivoca muito", e condena como contrário à liberdade o sistema representativo como tal (Rousseau, 1966, livro 3, cap. 15).

É verdade que, com a reforma eleitoral de 1832, a Câmara dos Comuns se abre cada vez mais à presença e à influência da burguesia: daí que Bagehot aconselha calorosamente à "plutocracia" e à "aristocracia" que evitem lutas internas e procedam de comum acordo para proteger as instituições parlamentares das massas populares, sem alterar o fato de que as duas Câmaras devem continuar a ser o monopólio de uma das duas classes altas e detentoras da riqueza do país (Bagehot, 1974b, p. 175-9). Por certo, através das duas sucessivas reformas eleitorais de 1867 e de 1884-1885, realiza-se uma considerável extensão do corpo eleitoral: mas ainda estamos bastante aquém do sufrágio universal (masculino), dado que, mesmo com a última reforma, pretendida por Gladstone, quem exerce o direito de voto são apenas os "cabeças de uma casa", enquanto continuam a subsistir "grandes desvantagens para a classe inferior de eleitores", os que são obrigados pelo próprio trabalho a "mudar frequentemente de lugar de residência" (Feuchtwanger, 1989, p. 210 e 214). Tal como, citando um autor alemão, Lenin observa no curso do primeiro conflito mundial, "o direito eleitoral [...] na Inglaterra 'é ainda bastante *limitado a ponto de excluir a camada inferior propriamente proletária*'" (Lenin, 1965a, p. 653). Por outro lado, sempre nesta mesma época, é o próprio Weber quem observa que, se se introduzisse na Alemanha o sistema eleitoral vigente na Inglaterra até a guerra (e até a Revolução de Outubro), cairia pela metade o número dos deputados social-democratas no *Reichstag*, em prejuízo, obviamente, das classes subalternas.

Mas mais importante ainda do que as persistentes restrições censitárias é o fato de que na Inglaterra continua a subsistir uma ideia de representação fundamentalmente pré-moderna. Pelo menos até a reforma de 1918, expoentes das classes privilegiadas consideram que "o número dos votos expressos por um homem deva ser proporcional às suas posses" (Pollard, 1938, p. 165). Com efeito, o voto plural continua a existir por mais algumas décadas na Grã-Bretanha, onde o difícil caminho para a democracia foi assim sintetizado por um historiador contemporâneo:

> O sistema eleitoral britânico alcançou uma democracia teórica só em abril de 1928 [...]. "Um adulto, um voto" tornou-se, enfim, uma realidade, com a exceção dos colégios eleitorais das universidades e dos centros de negócio, que, juntos, davam a cerca de meio milhão de pessoas (predominantemente homens) um segundo voto, até que foram abolidos em 1948. (Taylor, 1975, p. 326)

Bobbio observou (1989, p. 122 ss.): "O individualismo é a base filosófica da democracia: uma cabeça, um voto. Como tal, sempre se contrapôs, e sempre se contraporá, às concepções holistas da sociedade e da história, seja de onde vierem".

Se o respeitado filósofo liberal pretende levar a sério o princípio por ele aqui enunciado, deveria reescrever completamente a história do individualismo e da democracia que até agora emerge das suas páginas, para reconhecer que a uma coisa e à outra chegou com grave atraso precisamente o país clássico da tradição liberal por ele celebrada ou transfigurada, e para também reconhecer a contribuição fundamental dada à vitória do princípio democrático e individualista (uma cabeça, um voto) por uma tradição política bem diferente, que o Bobbio mais recente liquidou com excessiva rapidez. A esta última tradição presta objetivamente uma homenagem o historiador (inglês) do Parlamento inglês já várias vezes citado, que, escrevendo em 1920 a propósito do debate em curso no próprio país, observa: "Um longo caminho foi completado da teoria feudal até a ideia do sufrágio universal. O socialismo moderno tende a fazer do Estado a única forma de sociedade e a enfraquecer qualquer outra relação associativa; e o Parlamento, em vez de representar comunidades e famílias, está prestes a representar nada mais do que indivíduos" (Pollard, 1938, p. 165).

Falar de socialismo nesse momento também significa falar da Revolução de Outubro e das reivindicações e agitações que dela partiram e que influenciam e condicionam o movimento operário no seu conjunto.

13. As três etapas da conquista do sufrágio universal

Com efeito, se bem olharmos, são três as etapas fundamentais que assinalam a conquista do sufrágio universal igualitário: 10 de agosto de 1792, Revolução de Fevereiro de 1848, agitações revolucionárias na Rússia de 1917. Todas estas três datas são estranhas à tradição liberal, que, antes, observa-as com desconfiança ou com aberta hostilidade. Em relação à primeira, deve-se notar que os teóricos da restrição censitária na França do tempo evocaram diretamente o exemplo da Inglaterra liberal: observa-o Robespierre, o qual, sem se deixar impressionar pelo modelo agitado pelos seus adversários, faz a aproximação entre a exclusão dos direitos políticos e a condição do escravo na antiguidade clássica (Robespierre, 1958, v. 1, p. 75 e 69).

Em relação à segunda etapa, é interessante reler as declarações feitas, nos anos que precedem a eclosão da revolução, por respeitados expoentes liberais. Sim – observa Thiers, polemizando contra o movimento de reivindicação de extensão do sufrágio –, é verdade, "32 milhões de homens são governados pelo voto de 240 mil. Existem 240 mil homens que comandam e 32 milhões que obedecem". Pode parecer e talvez "seja uma desproporção espantosa", mas, na realidade, na concessão dos direitos políticos, já se avançou demais, aliás, caminhou-se demais para baixo, dado que "já se alcançou uma classe que não tem suficiente tempo livre, cultura e propriedade para se interessar pelas questões políticas" (Thiers, 1879, p. 484 ss.). Ainda em 1847, Guizot declara: "Nunca surgirá a alvorada do sufrágio universal, não amanhecerá o dia em que todas as criaturas humanas, sem distinção, possam ser chamadas a exercer os direitos políticos" (Huard, 1991, p. 19). Não casualmente, Tocqueville vê apreensivamente 1848 como uma revolução "feita exclusivamente", já a partir de fevereiro, "fora da burguesia e além dela", como uma revolução cuja "filosofia" é inspirada por "teorias socialistas" e da qual os "burgueses" constituem os "verdadeiros e únicos derrotados" (Tocqueville, 1951, v. 12, p. 92 e 94 ss.). É uma revolução denunciada nos nossos dias por Hayek como o infausto prólogo da "democracia 'social' ou totalitária" (cf. infra, cap. 7, § 5), a sancionar o sufrágio universal (masculino), que, por outro lado, como vimos, logo é pisoteado e suprimido pela burguesia liberal, assim que esta última se sente segura e protegida contra as pressões da praça popular e plebeia.

Cheguemos, enfim, à terceira etapa. Poder-se-ia objetar que o sufrágio universal (masculino) fora conseguido já antes da Revolução de Outubro num país, como a Itália, que, no entanto, não conheceu o jacobinismo e não passou através da experiência de um processo revolucionário tão radical como aquele verificado na França. Mas, independentemente do fato de que, também em tal caso, não se pode prescindir da influência e da pressão exercidas pelo movimento operário e socialista, deve-se notar que, contrariamente ao mito corrente, na realidade a reforma eleitoral de 1912 não sancionou o sufrágio universal, nem mesmo masculino, dado que para uma classe importante da população, aquela compreendida entre 21 e 30 anos, continua a existir o nexo entre "censo" (ou "títulos de cultura e de honra"), por uma parte, e "capacidade eleitoral", por outra (Siotto

Pintor, 1932, p. 781; Corso, 1932, p. 785). A própria imprensa do tempo fala de "sufrágio ampliado" (Lucatelli, 1919, p. 125). Tem razão Lenin (1955, v. 21, p. 330, nota), ao precisar, não sem ironia, que a reforma de Giolitti "'quase' realizou o sufrágio universal".

De resto, mesmo admitindo que a Câmara fosse eleita sem qualquer discriminação censitária, não se deve perder de vista o fato de que ela estava neutralizada por um Senado assim composto: "Nele tinham assento os príncipes da Casa de Savoia, os quais, na sua qualidade de membros de direito, conferiam a esta assembleia sua régia marca". Não só se tratava de uma assembleia monopolizada pelas classes altas, mas também "vergada sob o peso de um elemento feudal de dimensões conspícuas". Neste ponto, pode-se fazer uma consideração de caráter mais geral: "O Senado italiano apresentava inúmeras semelhanças de família" com todas as outras câmaras altas europeias, que, com exceção da francesa, não eram eletivas e se caracterizavam por "uma mistura de hereditariedade e nomeação régia". Até no que se refere ao Senado da Terceira República, que, não obstante, tinha atrás de si uma série ininterrupta de agitações revolucionárias culminadas na Comuna, deve-se notar que ele era constituído de modo a "garantir uma acentuada sobrerrepresentação das aldeias e dos pequenos centros em face de Paris e das maiores cidades", em total benefício, portanto, dos "grandes agricultores" e dos "pequenos camponeses" (Mayer, 1982, p. 141 e 148 ss.). Este historiador viu a Europa de 1914 ainda dominada, em medida considerável, pelo Antigo Regime, que, porém, foi claramente varrido pelo conflito mundial mas também pela Revolução de Outubro. Um ano depois, eclodem as revoluções que, na Alemanha e na Áustria, marcam o fim das dinastias dos Hohenzollerns e dos Habsburgos, bem como, junto com elas, das câmaras altas como apanágio da burguesia e de uma nobreza de algum modo ainda ligada ao Antigo Regime. Impõe-se na ordem política geral o sufrágio universal em base igualitária, que, no entanto, ainda se fará esperar por muito tempo na Grã-Bretanha e nos Estados Unidos.

Até agora falamos do sufrágio universal masculino, deixando de lado as mulheres, excluídas na prática dos direitos políticos em todo o mundo, às vésperas do primeiro conflito mundial. É só em 1920 que passa a fazer parte da Constituição americana a emenda que veta, em nível federal, a discriminação do direito de voto com base na "diferença de sexo". A obtenção deste importante objetivo por obra das mulheres não pode ser compreendida sem levar em conta, por um lado, sua maciça entrada no processo produtivo no curso da Primeira Guerra Mundial e, por outro, a influência profunda das transformações verificadas na Rússia. Quando, falando da emenda constitucional que acabamos de mencionar, um ilustre historiador americano explica a rapidez com que são superadas as resistências conservadoras com o fato de que "os países europeus estavam alcançando e superando neste campo os Estados Unidos, e ele [Wilson] considerava que a democrática América não podia ficar para trás" (Schlesinger sr., 1967, p. 439), é claro que, esteja ou não consciente, também se refere à Rússia revolucionária, o país que abrira o caminho para o cancelamento total da discriminação sexual no gozo dos direitos políticos e que, precisamente por isso, exercia uma forte atração sobre o movimento feminista na França (Huard, 1991, p.223) e em outros países. Deve-se acrescentar que, enquanto a Revolução de Outubro assinala o início de uma campanha em nível mundial para a plena emancipação política e social das mulheres, no Ocidente atua uma tradição de pensamento que por certo afirma a necessidade do sufrágio feminino, mas em primeiro lugar como contrapeso conservador à crescente influência de grupos sociais e étnicos que se pretende conter e que, nos Estados Unidos, no final do século XIX, são excluídos da cidadania política precisamente quando as mulheres começam a ter acesso a ela (cf. infra, cap. 6, § 3). E é provável que traços de tal atitude conservadora também estejam presentes no esforço a favor do sufrágio feminino mostrado, a partir da Primeira Guerra Mundial, pelo presidente americano Wilson, o qual, de resto, impõe nas repartições civis federais a segregação dos negros, inclusive nos refeitórios e banheiros, e se revela cheio de preconceitos raciais diante dos imigrados provenientes da Europa Oriental (Gosset, 1965, p. 279 e 284).

Naturalmente, a advertência feita a propósito da jornada de 10 de agosto de 1792 e do movimento jacobino vale também para a Revolução de Outubro: num caso e noutro, estamos na presença de um princípio proclamado, com maior ou menor coerência ou radicalidade, enquanto vigora implacavelmente um estado de exceção, e um estado de exceção do qual os dirigentes políticos do momento não conseguem sair, seja por cáusa da extrema dificuldade da situação objetiva, seja por causa das suas graves carências políticas e teóricas, que os levam a perseguir ideais (a comunidade antiga, no caso dos jacobinos, ou a extinção do Estado, no dos bolcheviques) não suscetíveis de realização alguma e, portanto, capazes apenas de dificultar o retorno à normalidade (cf. infra, cap. 8, § 10). Mas isto não diminui em nada a importância histórica da afirmação do direito de cada indivíduo participar da vida política sem qualquer discriminação de classe, de raça ou sexo, e participar dela em uma base igualitária (uma cabeça, um voto).

2. EM BUSCA DE UM NOVO TUTOR PARA A MULTIDÃO "CRIANÇA"

1. Sufrágio universal e bonapartismo

Luís Napoleão restabelece o sufrágio universal cancelado pelo golpe de mão da burguesia liberal. Com esta última, a propaganda bonapartista compartilha o ódio e o desprezo por aqueles que define e tacha como "demagogos", "igualitários", "detestáveis sonhadores da doutrina especulativa" (Bluche, 1980, p. 357). A extensão dos direitos políticos é ligada não a um projeto de emancipação social, mas a uma precisa preocupação política. Já antes do golpe de Estado de 2 de dezembro, ao explicar sua tomada de posição contrária à lei de 31 de maio de 1850, o príncipe-presidente observa:

> Perguntei-me se, na presença do delírio das paixões, da confusão das doutrinas, da divisão dos partidos, quando tudo parece reunir-se para subtrair todo prestígio à moral, à justiça, à autoridade, era mesmo necessário abalar ou corroer o único princípio que a Providência manteve de pé para nos unir. Uma vez que o sufrágio universal reconstruiu o edifício social pelo fato mesmo de ter substituído um fato revolucionário por um direito, será talvez sábio restringir mais uma vez a base? Enfim, perguntei-me se isto não significaria comprometer antecipadamente os novos poderes chamados a dirigir os destinos do país, dando o pretexto para pôr em discussão sua origem e desconhecer sua legitimidade. (Napoleão III, 1861, v. 3, p. 259 ss.)

Não há dúvida, Luís Napoleão revela uma inteligência política superior à dos seus adversários liberais: sobretudo na França, mas progressivamente também nos outros países, é o sufrágio universal que já constitui o princípio de legitimidade. Sua violação alimenta e exaspera a oposição e, longe de consolidar a ordem social existente, termina por fazê-la correr graves perigos.

Mas, mesmo prescindindo das reações populares, as medidas de des-emancipação decididas pela burguesia liberal se revelam contraproducentes até num plano meramente técnico:

Na sua aplicação, a lei de 31 de maio foi além do objetivo que se propunha alcançar; ninguém previa o cancelamento de 3 milhões de eleitores, dos quais dois terços são constituídos por pacíficos habitantes do campo. Qual é o resultado? Esta imensa exclusão serviu de pretexto ao partido anárquico, que camufla seus planos detestáveis referindo-se a um direito violado e a ser reconquistado. (Napoleão III, 1861, v. 3, p. 261)

Inviável ou catastrófica se apresenta a via da des-emancipação explícita, a qual pretende excluir novamente da cidadania política aqueles que a ela tinham sido admitidos. Ao contrário, é preciso decidir-se a percorrer outros caminhos, levando em conta de uma vez por todas que, como "a opinião pública [é] a rainha do universo" (Napoleão III, 1861, v. 1, p. 370), o sufrágio universal constitui o novo princípio de legitimidade, em relação ao qual não é sábio e prudente retroceder. O programa enunciado pelo presidente golpista é claro: trata-se de estabelecer um regime político "que deverá ser forte pelo fato de ser popular" (Geywitz, 1965, p. 258). Inadmissível é a discriminação censitária: "Hoje, o reino das castas terminou, só se pode governar com as massas"; "é necessário que a massa seja [...] a força constante da qual emanam todos os poderes" (Napoleão III, 1861, v. 2, p. 122, e v. 1, p. 381). Se, no momento da supressão do sufrágio universal, Thiers expressa, como vimos, todo o seu desprezo pela "multidão vil", e se os liberais ou liberal-conservadores continuam a manifestar seu aristocrático desgosto em face do "populacho" *(populace)* ou da "canalha" *(canaille)*, Luís Napoleão fala sempre de "povo" ou de "massa", sem atribuir uma conotação negativa nem mesmo a este último termo (Geywitz, 1965, p. 261 ss.). Em sentido pejorativo, no entanto, fala das "paixões da multidão" (Napoleão III, 1861, v. 1, p. 9).

Mas qual é o povo cujo apoio se quer obter? Não, certamente, aquele organizado autonomamente em partidos ou sindicatos. Luís Napoleão se apresenta não como "o representante de um partido", mas como o intérprete da nação e das suas melhores tradições, como aquele que pretende "governar no interesse das massas e não no interesse de um partido" (Napoleão III, 1961, v. 3, p. 140 ss. e 37). Já a partir de 1848, a propaganda bonapartista insiste no fato de que "entre o povo e seu soberano não deve haver intermediário que se arrogue o direito de substituir um e outro" (Geywitz, 1965, p. 261). As vésperas do golpe de Estado, um opúsculo, de cuja redação parece ter participado Luís Napoleão em pessoa, ataca a Constituição existente pelo fato de que ela estabelece "como modo de eleição o voto em lista, um modo enganador que, subtraindo ao povo toda liberdade e toda escolha, transfere aos jornais e aos comitês o poder eleitoral" (Granier de Cassagnac, 1851, p. 6). Os partidos e os grupos políticos organizados, e os órgãos de imprensa a eles ligados, são denunciados como instrumentos de coerção e de sufocamento da espontaneidade do eleitorado, o qual deve ser "libertado" de tudo isto para se entregar à relação direta, e subalterna, com o líder local e, em nível nacional, com o líder carismático e indiscutido da nação.

No apelo ao povo lançado logo depois do dia 2 de dezembro de 1851, o presidente golpista volta a vociferar contra o "voto em lista", mais uma vez condenado como instrumento de corrupção e de falsificação da livre vontade popular. Tal juízo é reiterado e solenemente consagrado no preâmbulo da Constituição e na própria Constituição de 1852: "Escolhendo isoladamente os candidatos, o povo pode avaliar mais facilmente os méritos de cada um deles" (Napoleão III, 1861, v. 3, p. 274, 292 e 308). Assim se reintroduziu o colégio uninominal que fora suprimido pela Revolução de 1848 (Villey, 1900, p. 113). Nesta altura, as razões da preferência por este sistema eleitoral são claríssimas. Examinando a situação imediatamente anterior ao golpe de Estado, Marx observa que a Constituição então ainda em vigor termina por

> destruir-se por si mesma, fazendo com que o presidente seja eleito por todos os franceses, por sufrágio direto. Enquanto os votos da França se espalham pelos 750 membros da Assembleia Nacional, aqui, ao contrário, concentram-se num só indivíduo. Enquanto cada representante do povo representa somente este ou aquele partido, esta ou aquela cidade, esta ou aquela cabeça de ponte, ou mesmo simplesmente a necessidade de eleger qualquer um dos 750, sem considerar muito seriamente nem a causa nem o homem, ele é o eleito da nação, e o ato da sua eleição é a carta que o povo soberano joga uma vez a cada quatro anos. A Assembleia Nacional eleita está unida à nação por uma relação metafísica, o presidente eleito está unido à nação por uma relação pessoal. (Marx e Engels, 1955, v. 8, p. 128)

Se havia algo que podia fazer sombra a um presidente decidido a se comportar como único intérprete direto da nação e como líder carismático claramente acima dos mesquinhos conflitos e rivalidades pessoais que dividiam os deputados e aspirantes a uma cadeira parlamentar, se havia algo que podia dificultar tal projeto, isto era constituído pela existência de partidos organizados nacionalmente e capazes de se dirigirem ao povo para convidá-lo a votar não nesta ou naquela pessoa mas numa precisa plataforma programática, colocada no centro de um debate que fosse bastante além de cada colégio eleitoral, rompendo assim o monopólio presidencial do apelo ao povo. Assim, o sucesso e a consolidação do projeto bonapartista pressupunham a dissolução e a marginalização dos partidos, bem como a liquidação de um sistema eleitoral que se baseava neles e introduzia um incômodo diafragma entre presidente, por um lado, e investidura e aclamação popular, por outro.

Em pleno século XX, um grande politólogo observou que "o voto uninominal torna possível uma relação pessoal do eleitor com um líder reconhecido" e "aclamado pela eleição", enquanto o voto em lista, ainda mais se proporcional, "abole a relação pessoal" reforçando "o poder da organização de partido" (Schmitt, 1984, p. 430). Mas este reforço, precisamente, é inconciliável com a natureza e as modalidades de funcionamento do regime bonapartista, o qual, uma vez que se sinta seguro, pode bem admitir um certo espaço de liberdade individual, mas em nenhum caso pode tolerar organizações políticas e sociais autônomas e autonomamente organizadas. Deste ponto de vista, o colégio uninominal apresenta três vantagens: 1) personalizando a luta eleitoral, dissolve os partidos em indivíduos; 2) reproduz, em cada colégio, a relação entre líder carismático, por um lado, e massa amorfa e desarticulada, por outro; 3) precisamente porque faz de cada deputado o representante não da nação, ou o expoente de um programa político que pretende ter um significado nacional, mas só o representante de um colégio local ou dos interesses nele predominantes, permite ao presidente-imperador, ao líder propriamente dito, destacar-se nitidamente acima de todos como único intérprete da nação, que só a ela responde.

A esta mesma lógica corresponde a atitude assumida por Napoleão III em relação ao movimento sindical. Certamente, no período de crise revolucionária ou de fraqueza inicial das novas instituições, o poder bonapartista o reprime duramente, colocando-se, de resto, numa linha de continuidade com a política seguida anteriormente pela burguesia liberal (Sewell jr., 1987, p. 457). Mas na sua fase "liberal", quando se sente suficientemente sólido e seguro, o novo regime não hesita em legalizar a greve: em vista de um protesto ou de uma reivindicação econômica isolada, os operários podem organizar sua ação, mas continua a ser severamente proibida uma relação associativa permanente (Boon, 1936, p. 150).

À luz de tais considerações, podemos reler a afirmação já vista segundo a qual "o reino das castas terminou, só se pode governar com as massas". Luís Napoleão assim prossegue: "Portanto, é preciso organizá-las para que elas possam formular sua vontade, disciplina-las para que possam ser dirigidas e iluminadas sobre seus verdadeiros interesses" (Napoleão III, 1861, v. 2, p. 122). Em relação à tradição liberal precedente, a multidão não mais é "vil", mas continua a ser "criança", não é capaz de articular um discurso e uma representação política autônoma. Nela, "o coração sente antes que a mente possa conceber", "os sentimentos precedem [...] a razão" e desenvolvem um papel claramente superior a esta última. Daí que multidão, ou seja, as "massas" e os "povos" podem ser arrastados e guiados pela "influência de um grande gênio, [que], nisto semelhante à influência da Divindade, é um fluido que se expande como a eletricidade, exalta as imaginações, faz palpitar os corações e arrebata, porque toca a alma antes de persuadir"! Uma tal influência é um elemento de estabilização, serve "não mais para abalar a sociedade, mas, ao contrário, para reordená-la e reorganizá-la": as "massas" são como que subjugadas e domesticadas por uma personalidade e um fascínio superiores (Napoleão III, 1861, v. 1, p. 12 ss.).

Claramente, a tarefa de tutor da multidão "criança" é assumida agora não mais pelos proprietários e notáveis, mas pelo representante único e supremo da nação, que, precisamente por se colocar nitidamente acima das classes e do conflito social, pode bem escutar e acolher – ou pode bem assumir ares de quem é o único disposto e é capaz de escutar e acolher – as vozes e as exigências até das camadas mais humildes da população. Por isso, segundo Luís Napoleão, "a aristocracia não tem necessidade de um líder, enquanto a natureza da democracia é a de personificar-se num homem"; "num governo cuja base é democrática, só o líder tem o poder *(puissance)* governativo" e responde por este poder à nação, dado que "tudo remonta diretamente a ele, seja o ódio, seja o amor" (Napoleão III, 1861, v. 1, p. 37, nota, e 56). No "apelo ao povo" lançado logo depois do 2 de dezembro de 1851, o presidente golpista pede a investidura em nome da "grande missão", que lhe compete, de "fechar a era das revoluções, satisfazendo as necessidades legítimas do povo e protegendo-o contra as paixões subversivas". Trata-se de uma missão que não tem uma dimensão só nacional. Já muitos anos antes, Luís Napoleão tinha afirmado, a propósito do grande tio, que "sua missão, no início meramente francesa, alcançou em seguida toda a humanidade", visando a iluminar "as nações" e a nelas difundir as conquistas já realizadas pela França (Napoleão III, 1861, v. 3, p. 273, e v. 1, p. 368 e 329). Nas vésperas do golpe de Estado, a imprensa bonapartista insiste num ponto central:

> O presidente da República não só é o homem da nossa simpatia mas é também o homem que, a nosso ver, representa uma grande ideia, precisamente a ideia mais poderosa no corpo da nossa civilização, a ideia de força, de ordem, de entusiasmo, de iniciativa e de probidade governativa.

E é uma ideia que pode ser apontada ainda mais facilmente como modelo e exportada para o mundo pelo fato de que quem a encarna é, ao mesmo tempo, o herdeiro do "esplendor militar" da França (Bluche, 1980, p. 358). Está claro: estamos na presença de um novo modelo de controle político e social das massas, no âmbito do qual o sufrágio universal é neutralizado pela posição absolutamente eminente do presidente da República ou do chefe do Executivo, que, por um lado, busca as boas graças das classes consideradas perigosas mediante algumas concessões limitadas (realização de obras públicas, tabelamento dos aluguéis nas grandes cidades etc.), e, por outro, busca canalizar e desviar o descontentamento para o exterior, erguendo o estandarte da missão da França no mundo. Já num libelo de juventude, Luís Napoleão tinha apelado à unidade de "todos os bons franceses", sem distinção de partido ou de outro tipo, de modo a apresentar

> à Europa o espetáculo imponente de um grande povo que se constitui sem excessos e caminha na liberdade sem desordem. Se as potências que querem repartir a França

entre si nos fizessem a guerra, elas veriam, então, um povo livre erguer-se unido como um gigante em meio aos pigmeus que pretendessem atacá-lo. (Napoleão III, 1861, v. 1, p. 386 ss.)

A novidade do regime político parece desorientar a tradicional elite liberal. Quem se escandaliza com o intervencionismo econômico é Tocqueville, que, mesmo reconhecendo o peso da "miséria" que se abate sobre as "classes inferiores", condena as medidas de Napoleão III como "socialismo puro e simples" e até mais radical do que aquele de Ledru-Rollin. E, a tal propósito, o teórico liberal acrescenta ter visto na casa de um camponês, um diante do outro, os retratos do revolucionário e do imperador, e daí deduz a confirmação da substancial identidade de jacobinismo-socialismo, por uma parte, e bonapartismo, por outra (Tocqueville, 1951, v. 15, II, p. 182). A desmentir tal ilação seria o próprio Napoleão III, que, já firme no poder, ao aprovar três anos depois uma anistia amplíssima, quase geral, estabelece uma única exceção, relativa, precisamente, a Ledru-Rollin (Cobban, 1971, p. 105). Na realidade, bem mais do que da tradição jacobina, o novo regime político é o herdeiro, crítico, da tradição liberal: nas novas condições, trata-se sempre de garantir a segurança da propriedade e da esfera privada contra a intrusão de um poder político prevaricador, que se nutre do *pathos* do *citoyen* e das reivindicações sociais das classes populares.

2. *A multidão "criança" e o líder carismático*

A linha de continuidade aqui sugerida fica mais evidente se deslocamos a atenção da França para outros países onde não se verificou uma revolução tão radical e tão radicalmente democrática e plebeia e onde, todavia, se manifesta igualmente um processo de personalização do poder. Na Inglaterra, às vésperas da segunda reforma eleitoral, Bagehot celebra o sistema político do seu país por ser baseado não sobre a divisão dos poderes e sobre a "teoria dos pesos e contrapesos", como comumente se crê, mas sobre a concentração e a indivisibilidade do poder soberano nas mãos do primeiro-ministro: "O segredo da eficácia da Constituição inglesa pode ser definido como união íntima, como fusão quase completa entre poder executivo e legislativo" (Bagehot, 1974a, p. 344-66 e 210). Tal personalização se revela ainda mais necessária depois da notável extensão do sufrágio que se verifica em 1867. Que uso fará dos direitos políticos uma massa de ignorantes que "não tem tempo para melhorar a si mesma porque deve trabalhar o dia todo" e é absolutamente carente de guia? (Bagehot, 1974b, p. 169 ss.) O tema, que já conhecemos, da "multidão sempre criança" é retomado claramente pelo liberal inglês da era vitoriana: também ele recorre à metáfora do "menino", em cujo comportamento faz pensar o comportamento dos "operários" de Leeds, que, durante uma mesma assembleia, aplaudem calorosamente, um depois do outro, o orador conservador e o radical enfurecido, propensos como são a se deixarem arrastar por um discurso brilhante, "sem pensar sobre ele" (Bagehot, 1973, p. 91 ss.). O fato é que "a mente das pessoas comuns" é incapaz de perceber as "questões políticas" (Bagehot, 1974b, p. 172). Bagehot, igualmente, também se coloca numa linha de continuidade com a tradição liberal anterior, quando espera que a multidão continue a se deixar guiar "pelos seus superiores" e a se entregar, como no passado, "à riqueza e ao *status*, bem como às qualidades de que a riqueza e o *status* são os símbolos tangíveis e os atributos comuns" (Bagehot, 1974b, p. 170).

Neste sentido, a Coroa desempenha um papel fundamental: a veneração e o esplendor que a circundam e o papel "místico" que lhe é atribuído ajudam a controlar a "plebe" e fazem com que "criaturas miseráveis", mergulhadas numa vida de fadiga, se satisfaçam com sua condição e, diante de uma rainha, que só é rainha pela "graça de Deus", se inclinem com um sentimento feito de "reverência mística", de "obediência religiosa" e de submissão filial (Bagehot, 1974a, p. 370 ss., 379 ss. e 205). Até aqui estamos no âmbito de uma sociedade liberal – a Coroa não detém um poder efetivo ou detém um poder bastante limitado –, mas em que a ideologia, o costume, as classes dominantes do Antigo Regime continuam a exercer um peso considerável. De fácil solução se apresenta o problema do controle das classes inferiores, que parecem aceitar a própria sorte como um evento natural ou como um fato inserido em misterioso plano da Providência. À medida que se desenvolvem a mobilidade e a secularização próprias da sociedade industrial, o problema se torna mais complexo: num certo sentido, trata-se de fazer com que, de algum modo, também participem da aura sagrada e do carisma da Coroa aqueles que detêm e exercem o poder efetivo e, em virtude da extensão do sufrágio, acham-se em posição de primeira linha na relação com a "plebe".

Em relação à tradição liberal precedente, começa a despontar em Bagehot um elemento noyo, o culto aos *leading statesmen*, rodeados de uma auréola que, pelo menos aos olhos das massas, parece colocá-los numa esfera superior, o culto aos grandes estadistas que guiam a "humanidade" e, "com um ou dois grandes discursos, determinam o que será lido e escrito por muito tempo depois". Estes líderes, e não mais os notáveis tradicionais, é que são chamados a realizar "a tarefa de guiar os novos eleitores no exercício do sufrágio". E a guiá-los não recorrendo a "argumentos" e "muito menos a uma exposição formal dos argumentos", mas mediante "a formulação viril de conclusões claras", a serem expostas, possivelmente, com "ilustrações humorísticas" (Bagehot, 1974b, p. 171-173). Incapaz de examinar as questões políticas gerais relativas à "essência de uma Constituição, à atividade de uma assembleia, ao jogo dos partidos", a "massa dos homens" só pode se reconhecer na "ação de uma vontade individual" e no "comando de um só homem" (Bagehot, 1974a, p. 226). Continuando a envolver o poder numa aura sagrada, a Coroa torna a transição indolor, embora já esteja claro que a multidão permanece criança mas muda de tutor, dado que agora está confiada aos cuidados não mais dos notáveis e sim, cada vez mais, de um líder carismático dotado de "impulso oratório" e de uma "disposição natural para o público", que ele mais "excita" do que convence. Este líder não comunica conhecimentos: ele se mostra "seguro de que, se os outros soubessem o que ele sabe, sentiriam como ele sente e acreditariam como ele acredita; e, graças a isto, ele conquista" e chega a dispor de "um poder excepcional nas relações humanas", baseado na "fé", no "entusiasmo", na "confiança" que ele sabe transmitir (Bagehot, 1958, p. 402 ss.). A descrição calorosa e, algumas vezes, entusiasta, a que se lança o autor liberal inglês, tendo presente diante de si sobretudo o modelo de Gladstone, faz pensar na celebração do "grande gênio" capaz de subjugar e domesticar as massas, celebração à qual vimos abandonar-se Luís Napoleão em relação ao seu inigualável tio.

Naturalmente, para que tal resultado possa ser conseguido, as massas devem estar disponíveis para sentir o fascínio do gênio e, portanto, devem estar protegidas contra "questões metafísicas", contra "um espírito de doutrina que destrói todo germe vital", contra discussões políticas e sociais de princípio que poderiam agitá-las, desviando sua atenção para as lutas de partido e obscurecendo sua disposição de ânimo feita de confiante espera do líder cheio de fascínio chamado a guiá-las (Napoleão III, 1861, v.1, p. 10 e 375). Mas esta também é, em última análise, a opinião de Bagehot, para quem é preciso banir do debate político, ou melhor, da competição eleitoral, os "ismos", os temas suscetíveis de "excitar as classes inferiores" (cf. infra, cap. 6, § 1).

O líder carismático não só não comunica conhecimentos mas dir-se-ia que deve evitar comunicá-los: em todo caso, deve evitar "levantar questões que poderiam excitar as massas inferiores da humanidade" e levá-las a se unirem "como classe" em luta "contra o rico" (Bagehot, 1974b, p. 172). Entre os temas "metafísicos" e a serem banidos, não está certamente a ideia de "esplendor militar" e de glória nacional: foi o que vimos no caso de Luís Napoleão e é o que logo também veremos no caso do liberal inglês, o qual, antes, esclarece de modo explícito que tal ideia deve ser sistematicamente agitada com o objetivo de enfrentar a propaganda e a ação de quem pretendesse relacionar a miséria de massa à ordem social existente, para organizar autonomamente, com base em tal análise e denúncia, as classes inferiores da sociedade.

As classes dominantes podem anular tal perigo, dando prova de moderação e evitando que a competição entre indivíduo e indivíduo por este ou aquele cargo público se transforme numa luta política generalizada e numa contraposição frontal. Já Marx tinha observado, no *Manifesto*, que "os conflitos no seio da velha sociedade em geral favorecem de vários modos o processo de desenvolvimento do proletariado" (Marx e Engels, 1955, v. 4, p. 471). Esta é também a opinião do liberal inglês, o qual convida "aristocracia" e "plutocracia", que controlam respectivamente Câmara Alta e Câmara Baixa, a se absterem cuidadosamente de lutas e polêmicas internas que terminariam por minar a traditional atitude de deferência da multidão em relação às classes superiores e por favorecer a formação de uma "aliança política das classes inferiores como tais e em função dos objetivos que elas pretendem buscar". Se isto acontecesse, tratar-se-ia de "um mal de capital importância; a união permanente de tais classes as tornaria (agora que muitos dos seus membros conquistaram o sufrágio) a força dominante do país" (Bagehot, 1974b, p. 174-179). A tarefa de destruir a organização política autônoma das classes populares (que tinham obtido, ou começavam a obter, os direitos políticos), antes confiada aos notáveis, começa agora a ser requerida ao líder carismático.

Este líder tem necessidade de ter diante de si uma massa amorfa não organizada em sindicatos e partidos operários ou populares. A primeira lei de extensão do sufrágio além do círculo da aristocracia e da burguesia coincide significativamente com a introdução de severas limitações às liberdades sindicais; a magistratura chega a condenar como "restritivos ao comércio" alguns sindicatos, os quais, portanto, são privados de direitos de que tinham gozado desde 1825, isto é, desde o momento da legalização das coalizões operárias (Trevelyan, 1942, p. 482-484). Intervindo no debate que precede a aprovação da segunda *Reform Bill,* o grande crítico Leslie Stephen observa:

> Em que medida o remédio de excluir as classes trabalhadoras de qualquer possibilidade real de influência é sadio e satisfatório? O fato de excluí-las da influência no plano legislativo não as levaria talvez a pensar em outros meios? Nós constantemente fazemos soar nos nossos ouvidos as práticas tirânicas das *trade unions,* como se elas oferecessem uma razão definitiva contra a concessão do sufrágio aos trabalhadores. A mim o outro aspecto parece igualmente definitivo [...]. A exclusão dos trabalhadores do direito de voto tende, pelo menos, a difundir (as *trade unions)* mais rapidamente. (Hirschman, 1983, p. 125)

É verdade que, sucessivamente, esta legislação que golpeia as *trade unions* é superada e, no entanto, ela é um sintoma da tendência a associar emancipação política e des-emancipação sindical, uma vez que esta última é a condição necessária para atomizar a massa a ser entregue ao fascínio do líder carismático.

A mudança que se verificou no tradicional regime dos notáveis foi bem apreendida por Hannah Arendt (1989, p. 252): a partir deste momento, "os 'grandes homens', não os aristocratas, eram os verdadeiros representantes da nação, os indivíduos nos quais se encarnava o 'gênio da raça'"; e, de fato, Disraeli não se cansava de repetir que "o grande homem era 'a personificação da raça, seu melhor exemplar'": O grande adversário do primeiro-ministro *tory* é Gladstone, que, com a reforma de 1884-1885, amplia ainda mais o sufrágio mas não casualmente se torna o modelo para o qual Bagehot se volta especialmente, ao celebrar o líder dotado de "um poder excepcional nas relações humanas" graças às suas capacidades magnéticas em relação à massa. Delineia-se uma espécie de "cesarismo popular": o líder é agora "um general comandante em chefe de um exército. Só consulta seu estado-maior, o *front bench*, e mais frequentemente limita suas confidências ao círculo restrito *(inner circle)* de alguns lugares-tenentes. Todo o resto do exército simplesmente recebe as ordens de marcha" (Ostrogorski, 1991, p. 353 ss.).

Na França, ao condenar o voto em lista, a propaganda bonapartista reivindica a introdução do colégio uninominal. Mas este existe desde sempre na Inglaterra: os restos reduzidíssimos de sistema eleitoral alternativo são definitivamente cancelados por Gladstone em concomitância com a nova lei de extensão do sufrágio por ele aprovada (Laffitte, 1910, p. 221 e 259); e a vitória do colégio uninominal é ainda mais definitiva pelo fato de que ele termina por se ver em perfeita sintonia com a tese cara a Bagehot, mas que então faz escola, segundo a qual a multidão "criança", incapaz de analisar as questões políticas gerais, só pode expressar uma escolha entre duas pessoas concretas, uma das quais deve pensar por ela os problemas políticos que estão além do seu alcance. O liberal inglês continua a defender a tese cara à tradição liberal pela qual o *otium (leisure)* e a propriedade são pré-requisitos da participação na vida política, da qual, portanto, é natural que sejam propriamente excluídas as massas populares caracterizadas por "uma vida de trabalho, uma educação incompleta, uma ocupação monótona, uma atividade em cujo âmbito são exercitadas constantemente as mãos, não a inteligência" (Bagehot, 1974a, p. 380). Nas novas condições criadas pela extensão do sufrágio, esta tese tradicional é reinterpretada no sentido de que às "criaturas miseráveis", esgotadas pelo trabalho e pela fadiga, sempre às margens da vida política, concede-se, no entanto, que escolham em nível local ou nacional entre dois líderes, no âmbito de um sistema eleitoral baseado no colégio uninominal e no bipartidarismo ou, mais exatamente, na competição entre dois candidatos. Bagehot é decididamente um crítico da representação proporcional, que favorece o desenvolvimento de partidos programáticos propensos a agitar questões que devem absolutamente ser evitadas, se não se quer propiciar o processo de organização autônoma das classes inferiores da sociedade (cf. infra, cap. 6, § 1).

3. Personalização do poder e culto aos heróis

A personalização do poder e a celebração do líder carismático também encontram sua expressão no plano da filosofia da história, no âmbito da qual começa a se fazer sentir o culto ao herói solitário e ao gênio que se coloca bem acima da banalidade e da mediocridade comum e diante do qual as massas são como um material em estado bruto. Já está superada a heroicidade difusa e harmoniosa que não isola a individualidade excepcional do povo e do tempo que a alimentaram e que ela expressa. Esta é a heroicidade democrática – o outro aspecto da profissão de fé na democracia – que podemos ler em Robespierre. Ao ilustrar seu plano de instituição de feriados nacionais chamados a celebrar os heróis e, ao mesmo tempo, a consolidar a unidade do povo, o dirigente jacobino esboça um panteão ideal no qual existe amplo espaço para os personagens da vida cotidiana e também para muitos nomes "ainda envoltos na obscuridade" e, no entanto, "dignos de serem inscritos nas comemorações da história" (Robespierre, 1958, v. 3, p. 177). É esta heroicidade que, afinal, encontra seu intérprete de exceção em Michelet: "Sem negar a grande influência do gênio individual, não se pode duvidar que, na ação destes homens, a parte principal deve ser referida à ação geral do povo, do tempo, do país"; muito mais do que "aqueles oradores brilhantes e carismáticos que expressaram o pensamento das massas [...], o protagonista é o povo" (Michelet, 1981, v. 1, p. 231, e v. 4, p. 360). Esta visão, nascida da Revolução Francesa, resiste ainda na época napoleônica: a glória de Bonaparte – declara Talleyrand, ao festejar o general vitorioso que retorna da fulgurante campanha da Itália – "pertence à Revolução", às instituições que ela produziu, a todos aqueles que tornaram possível e depois defenderam com ardor esse colossal movimento histórico, "pertence àqueles valorosos soldados que a liberdade transformou em invencíveis heróis"; enfim, "a todos os franceses dignos de tal nome" (Mascilli Migliorini, 1984, p. 14 e 9 ss., nota). Em Hegel, admirador da Revolução Francesa e de Napoleão, encontramos a afirmação segundo a qual as grandes personalidades *"parecem* apoiar-se exclusivamente em si mesmas", *"parecem"* levar adiante uma obra que é só "deles": mas, na realidade, revelam-se grandes por saberem trazer à luz "a verdade do seu tempo e do seu mundo" (Hegel, 1969, v. 12, p. 46).

Em todo caso, no que diz respeito à filosofia da história, podemos medir a distância que agora separa o protagonista do golpe de Estado de 2 de dezembro de 1851, em busca de um regime político disposto a reconhecer os méritos superiores dos "gênios transcendentes" (Napoleão III, 1861, v. 1, p. 382), da Revolução Francesa, que, não casualmente, tinha sido posta sob acusação pela publicística conservadora e reacionária por se inspirar no ódio ao "gênio" e na falta de "respeito às grandes personalidades" (Gentz, 1837, p. 34). Até em Carlyle o culto ao herói se faz acompanhar de um mal-estar, que assume um significado cada vez mais explícita e virulentamente antidemocrático em relação às tendências igualitárias da modernidade. Depois de 1848, Engels tem plena consciência disso, quando, ao polemizar com o escritor inglês, ironiza uma ideologia que pretende transfigurar a classe dominante por ser "partícipe do gênio" e justificar a condição da classe oprimida por estar "excluída do gênio" (Marx e Engels, 1955, v. 7, p. 259 e 264 ss.). Discriminação censitária e culto ao gênio caminham *pari passu*. Mas já Mazzini percebera as implicações antidemocráticas da visão da história própria de Carlyle, ao se expressar assim em longa resenha a ele dedicada:

> Eu protesto contra aquelas ideias em nome das tendências democráticas do nosso tempo. A história não é a biografia dos intelectos mais raros e poderosos [...]. Os grandes talentos são apenas os marcos militares do caminho que a Humanidade segue [...]. Há sempre alguma coisa

que é maior e mais divinamente misteriosa do que os grandes indivíduos, e é a terra que os sustenta, a raça humana que os compreende em si, o pensamento de Deus que se agita neles e que só a obra coletiva de todos pode traduzir em fato político e norma de vida [...]. A inspiração do Gênio pertence pela metade ao Céu, pela outra metade à multidão dos mortais sobre cuja vida Ele se ergue. (Mascilii Migliorini, 1984, p. 147 ss.)

Depois de 1848, começa a emergir com clareza o conteúdo não só antidemocrático mas filobonapartista do culto ao herói: polemizando contra a revolução e o sufrágio universal por ela sancionado, Carlyle lamenta que a onda subversiva ponha em discussão e cancele qualquer *lordship* ou *leadership* ou, ainda, qualquer *Dux* ou *Duke*; cada vez mais se contrapõe às agitações subversivas não a velha sociedade de aristocratas e notáveis baseada nos "lordes" e nos "duques", mas um novo regime guiado por um "líder" ou por um "chefe"; tanto que o ensaio aqui citado se conclui com a invocação de um "Verdadeiro Capitão" *(Real Captain)*, que tome finalmente o lugar daquele "Capitão Fantasma", resultado da desastrada onda de "democracia universal" (Carlyle, 1983, p. 12 ss. e 31).

Significativamente, John Stuart Mill é um admirador do escritor antidemocrático e, ainda na sua *Autobiografia*, se jacta de ter logo tomado posição, antes que se fizessem ouvir os "críticos comuns", celebrando o "épico poema" de Carlyle sobre – ou melhor, contra – a Revolução Francesa como "uma daquelas produções de gênio acima de qualquer regra e dotadas do vigor de leis por si mesmas" (Mill, 1965, v. 20, p. 133; Mill, 1976, p. 169). Trata-se de uma admiração não limitada ao âmbito literário. Partindo de uma denúncia do mundo moderno bem como da sua tendência ao "predomínio da mediocridade" e ao poder abusivo das "massas" (Mill, 1981, p. 96), o filósofo liberal expressa uma filosofia da história não muito diferente da de Carlyle: "Tudo quanto é sábio e nobre é iniciado, e deve sê-lo, por indivíduos: geralmente, por um só. A honra e o mérito do homem médio consistem no fato de ser capaz de seguir esta iniciativa": É verdade que Mill se defende antecipadamente da acusação de proceder também ao "culto aos heróis", mas só para fornecer dele uma versão menos ameaçadora e mais edulcorada, uma versão que, excluindo o direito à violência, se limita a reivindicar para "o homem forte e de gênio [...] a liberdade de indicar o caminho" à massa (Mill, 1981, p. 97).

Ao contrário do escritor seu conterrâneo, o filósofo liberal se declara favorável, ainda que remetendo-o a um futuro vago e indeterminado, ao sufrágio universal: na realidade, na visão de filosofia da história de ambos emerge, embora com modalidades diferentes, um culto ao líder e ao herói que não pode ser separado da afirmação progressiva das tendências bonapartistas no campo político. Como é confirmado por Nietzsche, cuja "metafísica do gênio" caminha *pari passu* com a polêmica contra toda visão da história que "democratiza os direitos do gênio" (Nietzsche, 1980, v. 1, p. 700 e 666). O filósofo que, em polêmica contra os desdobramentos da modernidade, permanece irredutível na visão cara à antiguidade clássica e à tradição liberal, segundo a qual "a maioria" deve ser considerada simples "portadora, instrumento de transmissão" (Nietzsche, 1980, v. 12, p. 492), é um inimigo tão radical da democracia que chega a condenar, como excessivamente propensos "à mediocridade, à democracia e às 'ideias modernas'" Bismarck e o Segundo *Reich,* por causa do seu recurso, demagógico, ao instrumento da aprovação plebiscitária a partir de baixo (Nietzsche, 1980, v. 1, p. 20). Por outro lado, sobretudo na sua maturidade, o filósofo se dá conta de que o sufrágio universal pode ser voltado em sentido diverso e contraposto à democracia:

> Não há motivo para desânimo [...]. A manipulabilidade *(Dressierbarkeit)* dos homens se tornou muito grande nesta Europa democrática [...]. Quem é capaz de comandar encontra aqueles que devem obedecer: por exemplo, penso em Napoleão e Bismarck. (Nietzsche, 1980, v. 11, p. 269 ss.)

A experiência histórica já demonstrou que é possível controlar o sufrágio universal, tornando-o instrumento de controle e de domínio das massas pela ação de personalidades excepcionais. Neste sentido, "a democratização da Europa é, ao mesmo tempo, uma involuntária organização para a criação de *tiranos* – entendendo esta palavra em qualquer sentido, até mesmo naquele mais espiritual" (Nietzsche, 1981b, aforismo 242). Em autores tão diversos entre si, o culto ou a "metafísica do gênio" começa a assumir um conteúdo claramente filobonapartista.

4. Bonapartismo, liberalismo, bonapartismo liberal

Também no plano mais estritamente político, a emergência de tendências bonapartistas é um fenômeno que vai além da França: Engels chega a falar da guerra franco-prussiana como de um choque entre "dois Bonapartes" (Marx e Engels, 1955, v. 22, p. 516). Com efeito, não faltam semelhanças entre Napoleão III e Bismarck. Ambos chegam ao poder depois da derrota da Revolução de 1848 e se apoiam no conservadorismo agrário e camponês para bloquear e liquidar as tendências democrático-radicais surgidas no curso daquela revolução essencialmente urbana. Depois de uma ruptura inicial, o chanceler de ferro consegue se reconciliar plenamente, e a partir de posições de força, com a burguesia liberal ou nacional-liberal; é o que Napoleão III faz, ou tenta fazer, na última fase do seu Império. Parcialmente diversa é a situação da Inglaterra, que permaneceu imune à maré revolucionária de 1848. E, no entanto, Disraeli – que, pelo menos no tocante à política exterior, compara Bismarck a Bonaparte (Monypennye Buckle, 1914, v. 5, p. 421) – apresenta alguns traços comuns com o chanceler alemão e com o próprio Luís Napoleão: ignorando a burguesia liberal, todos os três se dirigem diretamente às massas, à qual concedem o sufrágio em medida mais ou menos ampla e da qual obtêm ou buscam obter o apoio, fazendo concessões no plano da política econômica e social, estimulando a excitação nacional e chauvinista e fomentando, nesta base, o culto ao líder carismático, acima das partes, intérprete e líder indiscutível da nação.

Certamente, ao contrário da França, nos outros países as tendências bonapartistas permanecem confinadas e limitadas ao âmbito de um regime mais ou menos liberal. E, no entanto, devemos evitar contraposições apressadas e excessivamente nítidas. De início, em 1799, o golpe de Estado de Napoleão Bonaparte foi organizado com a contribuição importante de Sieyès e com o apoio caloroso, pelo menos inicial, de Constant, Madame de Staël e dos ambientes liberais (Guillemin, 1958, p. 275-279), que saudaram o general elevado ao poder como o Washington francês (cf. infra, cap. 3, § 1). Mas é sobretudo interessante examinar a atitude assumida por Tocqueville depois da revolução ou das revoluções de 1848. Assim como, na condição de ministro das Relações Exteriores, envia as tropas francesas a Roma para "golpear com o terror o partido demagógico" (Tocqueville, 1951, v. 15, I, p. 323), numa carta de Frankfurt, de 18 de maio de 1849, espera na Alemanha "a vitória dos princípios" e do Exército prussiano, para também acabar com uma "descentralização excessiva" que favorece o pipocar de "focos revolucionários" (Tocqueville, 1951, v. 8, II, p. 133 ss.). Trata-se de uma atitude não muito diferente daquela assumida, neste mesmo período, por Bismarck, que, precisamente a partir da vitória invocada pelo liberal francês, pôde mais tarde construir seu edifício político. Quanto à França, depois de ter recomendado, por ocasião das jornadas de junho, o fuzilamento imediato de quem quer que fosse apanhado "em atitude de defesa" (Tocqueville, 1951, v. 12, p. 176), mais de um ano depois da revolta operária, quando a impiedosa repressão já parece ter esconjurado para sempre o perigo jacobino e socialista, Tocqueville ainda considera necessária a repressão contra o perigo proveniente da esquerda: não é possível contentar-se com "paliativos"; para liquidar não só a Montanha mas também "todas as colinas vizinhas", é preciso estar "corajosamente à frente de todos aqueles que querem restabelecer a ordem, independentemente do matiz que tiverem"; não se deve hesitar nem mesmo diante de "um remédio [...] heroico" (Tocqueville, 1951, v. 8, II, p. 53).

Indiretamente, sugere-se a necessidade de medidas excepcionais com a suspensão das liberdades constitucionais. No entanto, o bloco da ordem sólido e enérgico aqui invocado termina por ser afinal hegemonizado por Luís Bonaparte, protagonista de um golpe de Estado que também exclui a burguesia liberal. É o momento em que Tocqueville se aproxima dos legitimistas: qual é o regime que propõe na carta enviada ao Conde de Chambord, aspirante ao trono com o nome de Henrique V? Certamente, trata-se de estabelecer uma "monarquia constitucional e representativa", que saiba garantir a "liberdade individual" e uma "real liberdade de imprensa", mas, ao mesmo tempo, "depois da anarquia que se seguiu a 1848", caminhe neste plano com "grande prudência": "antes de mais nada, é preciso assegurar ao poder monárquico todos os direitos que são compatíveis com a liberdade e, nos primeiros tempos, só reconhecer à liberdade os direitos indispensáveis, sem os quais ela não poderia existir". Por exemplo,

> um Parlamento onde se discuta livremente e cujas discussões sejam públicas me parece uma condição *sine qua non* da monarquia constitucional, mas disso não decorre necessariamente que, inicialmente, o Parlamento não possa ser fortemente limitado nas suas atribuições e contido na duração dos seus trabalhos.

A liberdade de imprensa é indispensável, mas isto não significa que "não se possa ou não se deva tomar todo tipo de garantia contra os abusos desta temível liberdade" (Riais, 1987, p. 165). Tal programa será muito diferente daquele que depois o Segundo Império realizaria na sua última fase? A diferença mais relevante talvez resida no papel que o teórico liberal continua a atribuir aos notáveis tradicionais, pelo menos a julgar pela esperança, que expressa, de ver restabelecido o primado das "classes superiores e morais da nação". Nas vésperas da virada em sentido mais ou menos liberal de Napoleão III, numa carta de fevereiro de 1858 ao amigo Beaumont, Tocqueville expressa a opinião segundo a qual só a consolidação do regime existente poderia favorecer uma evolução política em sentido liberal do regime bonapartista: "Às vezes penso que a única possibilidade de ver renascer na França o gosto vivo da liberdade consiste no estabelecimento tranquilo, e aparentemente definitivo, do despotismo" (Tocqueville, 1951, v. 8, III, p. 544). A seu tempo, superada a fase de desilusão que sucedera às esperanças ou aos entusiasmos iniciais suscitados pelo suposto Washington francês, Constant havia terminado por se reconhecer no Primeiro Império. Tocqueville teria terminado por se reconhecer no Segundo Império liberal, assim como mais tarde nele se reconhece Laboulaye, seu fervoroso admirador? (Cf. infra, cap. 3, § 5)

Por outro lado, não se deve nem mesmo idealizar os regimes que, fora da França, também começam a se basear na personalização do poder. Tendo ficado imune à onda de agitações de 1848, a Inglaterra se precipita em reconhecer, antes de todos os países e com "pressa indecorosa", segundo o juízo de Marx (Marx e Engels, 1955, v. 17, p. 278), o golpe de Estado de Luís Napoleão, enquanto o governo

Palmerston não hesita em expressar sua simpatia e aprovação ao embaixador francês (Lecky, 1910, p. 255). Trata-se de uma posição também compartilhada por ilustres autores liberais. Mesmo continuando, obviamente, a celebrar a superioridade das instituições inglesas, Bagehot percebe nos acontecimentos verificados na França uma confirmação da sua teoria relativa à inevitável, e benéfica, tendência das massas à personalização do poder. A ser governado por uma assembleia o povo francês prefere Luís Napoleão, o líder individual cuja representação concreta é capaz de fazer (Bagehot, 1974a, p. 226). Além do mais, deve-se levar em conta que a França atravessa uma grave crise, e "a primeira obrigação da sociedade é a preservação da sociedade" (Bagehot, 1958, p. 419). Precisamente a partir "daquela fundamental lei natural e política", que é a preservação da sociedade, Locke havia justificado a "prerrogativa" do Executivo de exercer um "poder discricionário [...] sem prescrição da lei e, às vezes, até contra ela" (Locke, 1974, §§ 159 ss.). E na Grã-Bretanha – observou um ilustre constitucionalista, inglês e liberal, no início do século XX –, graças à prerrogativa, nos momentos de crise o Executivo está "hoje colocado na posição dos últimos Tudors e dos primeiros Stuarts", ou seja, dispõe do poder de um monarca absoluto (Bryce, 1901, p. 146) e, seja como for, não inferior àquele de que Luís Napoleão pode dispor depois do golpe de Estado.

Deve-se acrescentar que, mesmo prescindindo do estado de exceção, nem mesmo no cesarismo popular que começa a se impor fora da França está ausente o momento da coerção. Isto está imediatamente evidente no caso da Alemanha, onde Bismarck bem sabe conciliar a concessão do sufrágio universal com o duro tratamento dispensado a socialistas e católicos. E já os contemporâneos do chanceler de ferro comparam seu regime com o que, na Inglaterra, tem Disraeli como protagonista (Bauer, 1979). A propósito deste último, não faltou quem quisesse ver no seu governo uma antecipação de algumas características dos "regimes totalitários do século XX" (Barié, 1953, p. 145). Mais exatamente, a excitação chauvinista de massa exerce uma pressão e intimidação psicológica, e às vezes também física, sobre os dissidentes, isolados e desqualificados como traidores potenciais. Quando lemos os adversários de Disraeli denunciar o recurso à "canalha", que bloqueia "qualquer tentativa por parte dos inteligentes e dos honestos de fazer ouvir sua própria voz", enquanto a "autoridade" fica a olhar e até a aplaudir (Barié, 1953, p. 144), não podemos deixar de pensar no comportamento da Sociedade 10 de Dezembro, que Luís Napoleão recruta entre o subproletariado com a "função de improvisar-lhe um público, de exibir o entusiasmo público, de gritar *Vive l'Empereur,* de insultar e espancar os republicanos, naturalmente sob a proteção da polícia" (Marx e Engels, 1955, v. 8, p. 162).

Se analisamos a situação política existente na França, Alemanha e Inglaterra na segunda metade dos anos 1860, as analogias saltam aos olhos: em todos os três casos, estamos na presença de um regime político cujos traços mais ou menos liberais são contrabalançados pela presença de um forte poder executivo e em cujo âmbito a concessão da cidadania política a amplas camadas sociais é neutralizada por um cesarismo de face mais ou menos popular e que, de um modo ou de outro, se apoia na excitação chauvinista de massa.

5. *Personalização do poder, "missão" e exportação do conflito*

Mas concentremo-nos agora na Inglaterra. Pode parecer bastante singular o fato de que a primeira e considerável extensão do sufrágio para além do círculo da aristocracia e da burguesia ocorra por iniciativa não dos liberais, mas de Disraeli, que foi corretamente definido *a racial thinker,* um pensador racial ou racista, que, com efeito, não se cansa de repetir que a raça, enraizada no sangue, é "a chave da história", que "tudo é raça e não existe outra verdade" e que, portanto, o mundo está inevitavelmente dividido em raças superiores e dominantes, por um lado, e raças inferiores e subjugadas, ou por subjugar, por outro (Vincent, 1990, p. 27-30). Quem concede, pois, os direitos políticos a setores consistentes de massas populares é um "adepto devoto da 'raça'", que zomba do que considera "a perniciosa doutrina dos tempos modernos, a igualdade natural dos homens", é um estadista que, a partir de tais pressupostos, tenta desenvolver um *torysmo* popular, baseado no culto ao Império e à missão imperial do povo inglês, que constitui a "aristocracia da natureza". Sim, na imaginação do político inglês de origem judia, a Inglaterra é Israel, é o povo "eleito" (Arendt, 1989, p. 256, 98 e 104). O programa do primeiro-ministro é assim descrito por um estudioso:

> O partido conservador devia representar todos aqueles que tinham orgulho de pertencer a um grande país, a um "país imperial", que desejavam manter sua grandeza e viam nas antigas instituições inglesas a causa primeira da posição atual da Grã-Bretanha. As classes trabalhadoras deviam estar dignamente nele representadas: de fato, elas eram inglesas até o fundo da alma e repudiavam os princípios cosmopolitas e internacionalistas. (Barié, 1953, p. 139)

Tudo isto permite calar internamente qualquer voz dissidente como estranha ou hostil à nação e à alma inglesa, canalizando para o exterior a ação e as paixões das massas guiadas pelo líder e subjugadas pelo seu fascínio. Emancipação e des-emancipação se entrelaçam estreitamente: a admissão à cidadania de amplas camadas populares na Inglaterra caminha *pari passu* com uma expansão colonial que comporta a imposição de uma escravidão mais ou menos camuflada ou de formas de trabalho semisservil com o sacrifício das população subjugadas (Hobson, 1974, p. 214-235). As categorias e as metáforas por muito tempo utilizadas para designar certas camadas sociais dentro da metrópole capitalista agora são reservadas de modo exclusivo para as populações coloniais: a partir deste momento, estas é que são identificadas por John Stuart Mill com os "bárbaros" ou com as "raças menores de idade" (cf. supra, cap. 1, § 11); o liberal inglês vai mais adiante, ou seja, vai até o ponto de colocar certos povos primitivos só um pouco acima das espécies animais superiores (Mill, 1916, p. 39). A des-racialização das classes nas metrópoles capitalistas progressivamente admitidas à cidadania e, de qualquer modo, não mais consideradas simplesmente como máquinas de trabalho ou instrumentos vocais, caminha *pari passu* com uma configuração horripilante, e com a racialização das populações coloniais. Neste período de tempo, muitíssimo difundida é a visão cara a Kipling, segundo a qual os povos coloniais devem ser considerados metade crianças e metade diabos, ou seja, menores de idade necessitados de tutela e bárbaros, e até pior, quando vierem a recusar tal tutela. Correspondente do escritor inglês é o estadista americano Theodore Roosevelt, o qual também fala das "raças inferiores" como "crianças" (Roosevelt, 1951, v. 2, p. 620 e 1.401) ou como "selvagens" e "bárbaros" (Roosevelt, 1901, p. 292-294). Uma vez assim configuradas, é claro que as populações objeto do domínio europeu ou "ocidental" são totalmente privadas dos direitos políticos, ou porque ainda superaram o estágio da infância (e a liberdade – afirma Mill – "só vale para seres humanos na plenitude das suas faculdades"), ou porque estranhas à civilização (e, sempre segundo o liberal inglês, "o despotismo é uma forma legítima de governo quando temos de nos haver com bárbaros") (Mill, 1981, p. 33).

Vimos que, segundo Sieyès, "uma grande nação é necessariamente composta por *dois povos*" (cf. supra, cap. 1, § 11). Agora esta metáfora retorna em Disraeli, mas em sentido crítico. No romance juvenil que já no título faz referência a tal tema, é o agitador cartista quem fala da Inglaterra como dividida "em duas nações", isto é, "os ricos e os pobres" (Disraeli, 1988, p. 65 ss.). No entanto, tal visão é refutada pelo político conservador inglês, que a ela contrapõe a tese pela qual o "trabalho" é o "irmão gêmeo" da "propriedade". As classes sociais, antes divididas por um abismo de certa maneira racial, agora passam a fazer parte não só de uma mesma nação mas até de uma mesma família (Disraeli, 1904, p. 411). Mas, em vez de arrefecer, a racialização de que as classes populares eram tradicionalmente vítimas parece se deslocar para fora da Europa e do Ocidente. Não casualmente, aqueles mesmos romances de juventude, tão calorosos ao sublinhar o laço de "fraternidade" que já unifica "o privilegiado e próspero povo inglês" (Disraeli, 1988, p. 422), ao mesmo tempo, com o olhar voltado para fora da Inglaterra e do Ocidente, agitam obsessivamente o tema da raça.

Pode ser útil instituir aqui uma comparação entre o desenvolvimento da Inglaterra, por um lado, e dos Estados Unidos, por outro. Neste último país, pouco depois do fim da Guerra de Secessão, inicia-se um processo de des-emancipação que também atinge setores limitados de brancos pobres: na Inglaterra, a extensão do sufrágio, mesmo depois da terceira reforma eleitoral de 1884-1885, ainda deixa de fora alguns setores das classes populares, aqueles mais miseráveis sobre os quais ainda pesa de algum modo a racialização que, anteriormente, atingia os trabalhadores manuais como tais. No outro lado do Atlântico, a des-emancipação ou a exclusão dos direitos alcança sobretudo, e de modo particularmente pesado, os negros, submetidos, como sabemos, a formas de trabalho semisservil junto com certos imigrados não europeus, como os cules chineses; quanto à Inglaterra, porém, a força de trabalho semisservil reaparece nas colônias. Mas idêntica ou bastante semelhante é a ideologia que, nos dois países, discrimina racialmente os excluídos da cidadania, integrando ou buscando integrar, ao mesmo tempo, amplos setores dos trabalhadores manuais, des-racializados ou emancipados. Disraeli, que estende o sufrágio na Inglaterra, certamente não se oporia ao processo de des-emancipação em prejuízo dos negros nos Estados Unidos, dado que defendia a opinião pela qual, se os americanos se misturassem com os ex-escravos, "tornar-se-iam tão degenerados que seus estados terminariam provavelmente por ser reconquistados e reapropriados pelos aborígenes" (Vincent, 1990, p. 30).

A relação entre extensão da cidadania na metrópole capitalista e projeção externa do processo de racialização também se mostra evidente no caso da França: a expansão colonial atinge seu ponto culminante com a Terceira República, baseada no sufrágio universal masculino, que não hesita em conduzir uma política de extermínio contra "populações indefesas" (Lenin, 1955, v. 24, p. 412). Se os trabalhadores franceses celebram, com a admissão aos direitos políticos, sua elevação ao "patamar de homens" (cf. supra, cap. 1, § 11), para o Exército francês, que leva adiante a conquista da Argélia, "os árabes são como animais maléficos". Isto, pelo menos, segundo o juízo de Tocqueville (1951, v. 15, I, p. 224), que, por outro lado, convencido da impossibilidade de tratar os árabes "como se fossem nossos cidadãos e nossos iguais", apela a seus concidadãos no sentido de evitar semear "estupor e confusão" nos "povos semicivilizados", enchendo-os de "noções erradas e perigosas", como poderia ser a da igualdade (Tocqueville, 1951, v. 3, p. 324).

Finalmente, o fenômeno aqui objeto de investigação também pode ser verificado num outro país liberal. Na Itália, já em Orlando, um expoente de primeiro plano da classe dirigente liberal do tempo, é possível colher o reconhecimento da "coincidência por certo não casual entre tais memoráveis eventos (a conquista da Líbia) e a radical reforma democrática do nosso ordenamento", ou seja, a ampla extensão dos direitos políticos sancionada pela reforma de 1912: é o que observa ironicamente o socialista Turati, o qual, por sua vez, observa que o sufrágio universal foi concedido por Giolitti, antes seu adversário irredutível, com o objetivo de ampliar o consenso popular ao empreendimento colonial (Turati, 1979, p. 295-298). Mas quem efetua a análise mais aprofundada do "nexo entre a passagem da Itália ao imperialismo e a aceitação da reforma eleitoral por parte do governo" (aquela reforma que "'quase' realizou o sufrágio universal" e à qual o próprio Giolitti, antes da guerra líbica, "era decididamente contrário") é Lenin, que, para explicar a mudança verificada no estadista italiano, recorre a uma longa citação de Michels:

> Apesar da velha repugnância teórica pela política colonial, os operários da indústria e, mais ainda, os trabalhadores manuais se bateram contra os turcos com muita disciplina e docilidade, contrariamente a todas as previsões. Este comportamento devoto em face da política governamental merecia uma recompensa para estimular o proletariado a continuar por este caminho. No Parlamento, o presidente do conselho de ministros declarou que a classe operária italiana, com seu comportamento patriótico nos campos de batalha da Líbia, tinha demonstrado à pátria sua alta maturidade política. Quem é capaz de sacrificar a vida por um nobre objetivo também é capaz de defender os interesses da pátria na qualidade de eleitor e merece que o Estado o considere digno de assumir os plenos direitos políticos. (Lenin, 1955, v. 21, p. 330, nota)

Mas, enquanto na Itália as classes dominantes se reconciliam com as classes populares, então consideradas participantes da civilização e, portanto, merecedoras de serem admitidas à cidadania política, eis que a racialização dos bárbaros situados fora da metrópole capitalista se desenvolve até o ponto de estimular contra eles uma impiedosa guerra colonial de extermínio, que comporta o massacre de "famílias inteiras", inclusive "crianças e mulheres" (Lenin, 1955, v. 18, p. 322 ss.).

O nexo entre extensão do sufrágio e guerra externa é evidenciado pela própria reforma eleitoral de 1912, a qual prevê que os homens com menos de 30 anos e com mais de 21 possam obter os direitos políticos em virtude do censo ou de "títulos de cultura e de honra", certamente, mas também em virtude da prestação do serviço militar (Siotto Pintor, 1932, p. 781; Corso, 1932, p. 785). Análogo significado tem, na Inglaterra do primeiro pós-guerra, a exclusão do direito de voto, por cinco anos, de quem faz objeção de consciência (Taylor, 1965, p. 145).

Mas voltemos à Inglaterra vitoriana. Contemporâneo de Disraeli e da prodigiosa expansão colonial e imperial da Inglaterra e admirador dos grandes líderes que guiam tal empreendimento, capturando o consenso e a admiração de toda a nação, é Bagehot, que insiste no fato de que a multidão "criança" é, por certo, incapaz de compreender a "atividade de governo" mas, se adequadamente tratada, pode bem se entusiasmar por grandes e fascinantes iniciativas:

> Não é verdade que as classes inferiores sejam completamente tomadas pela ideia de utilidade; elas, ao contrário, não são atraídas por algo tão medíocre. Nenhum orador jamais causou impressão falando aos homens das suas necessidades físicas mais comuns, a não ser quando indicava como responsável por tal condição a tirania de alguém. Mas milhares de oradores suscitaram a maior emoção, apelando a algum vago sonho de glória, ao império ou à nacionalidade. As classes mais rudes da humanidade, isto é, a humanidade num certo nível de rudeza, sacrificarão todas as suas esperanças, tudo quanto tiverem e até a si mesmas, em nome daquilo que é chamado de um ideal, em nome de algo sugestivo que pareça transcender a realidade, que aspire a erguer os homens mediante um interesse mais nobre, mais profundo, mais elevado do que o da vida ordinária. (Bagehot, 1974a, p. 208 ss.)

Trata-se, pois, de desviar a atenção da massa dos seus problemas materiais, evitando o perigo de que a insatisfação, habilmente explorada por eventuais demagogos, ponha em discussão a ordem político-social existente; o resultado pode ser conseguido mediante algumas aventuras de política colonial: milhares de oradores e demagogos – em tal caso bem-aceitos e benéficos – cuidarão sabiamente de suscitar as emoções adequadas. O sucesso de tal política de exportação do conflito, com o desaparecimento, "numa nação que explora o mundo", até da oposição da classe operária, conquistada pelo fascínio e pelas vantagens da política colonial, tudo isto também é constatado por Engels em algumas cartas que chamam a atenção de Lenin (1965a, p. 654) durante a Primeira Guerra Mundial, no trágico momento em que, para citar Bagehot, a busca de "algum vago sonho de glória" conduz as multidões "criança" dos países envolvidos no conflito a sacrificar "todas as suas esperanças, tudo quanto tiverem e até a si mesmas", isto é, a morrer em sangrentas trincheiras contrapostas.

6. Da multidão "criança" à "psicologia das multidões"

No final do século XIX, enquanto a extensão do sufrágio se generaliza, o tema da multidão "criança" sofre uma importante modificação. Gustave Le Bon realiza uma implacável peça de acusação contra as "multidões", que vê estagnadas "em formas inferiores da evolução, como o selvagem e a criança" (Le Bon, 1980, p. 59). Apesar da linguagem e do clima cultural consideravelmente diferentes, ressurgem as categorias da eterna "criança" e do "estrangeiro" (membro de uma raça considerada mais ou menos explicitamente inferior), com base nas quais a tradição liberal excluiu dos direitos políticos os trabalhadores assalariados. Até a afirmação segundo a qual "as multidões são [...] femininas" (Le Bon, 1980, p. 63) ecoa um argumento derivado daquela mesma tradição, a qual, a partir do dado de fato, considerado óbvio e pacífico, da exclusão das mulheres da esfera da cidadania política; também pretende excluir os trabalhadores assalariados, cujo nível de amadurecimento certamente não pode ser considerado superior.

A psicologia das multidões – vimos o termo aparecer em sentido pejorativo já em Luís Napoleão –, que surge no final do século XIX, num momento em que o sufrágio universal se impôs ou está se impondo, é herdeira direta da psicologia da multidão "criança" que se desenvolve e afirma num período histórico no qual ainda dominava a discriminação censitária.

Le Bon se ocupa explicitamente do processo em curso de extensão dos direitos políticos:

Falarei primeiramente dos inconvenientes do sufrágio universal, que são tão evidentemente visíveis que não podem ser ignorados. Não se pode negar que as civilizações foram obra de uma pequena minoria de espíritos superiores, comparáveis à ponta de uma pirâmide [...]. A grandeza de uma civilização não pode absolutamente depender do sufrágio dos elementos inferiores, que têm somente a força do número. O sufrágio das multidões é frequentemente perigoso. (Le Bon, 1980, p. 223 ss.)

Assim como a tradição liberal, a cujos representantes (Tocqueville, Macaulay, Spencer) se refere muitas vezes, Le Bon relaciona a extensão do sufrágio com a difusão das ideias socialistas, que, violando as "leis econômicas", pretendem "regular as condições do emprego e do salário", difundindo a "confiança supersticiosa no Estado providencial" e a expectativa da solução de uma suposta questão social mediante a intervenção legislativa nas relações de propriedade. Tudo isto já teve e ainda pode ter efeitos ruinosos: "Com certeza, as fantasias de soberania popular nos custarão ainda mais caro" (Le Bon, 1980, p. 34, 125 e 224). Deve-se, então, voltar à discriminação censitária ou promover uma distribuição dos direitos políticos capaz de privilegiar as classes cultas? Escrevendo na França, no país que, antes de qualquer outro, a partir do período que prepara ideologicamente a eclosão da revolução, viu emergir a figura do intelectual *engagé*, Le Bon não compartilha as ilusões de Mill sobre os efeitos positivos que poderiam advir do privilégio concedido, no plano eleitoral, às camadas com nível mais alto de instrução:

> Será talvez crível que um sufrágio limitado (limitado aos mais capazes, se se quiser) consiga melhorar o voto das multidões? Não posso admiti-lo nem por um instante, sendo conhecidos os motivos de inferioridade mental de todas as coletividades, qualquer que seja sua composição. Quando pertencem a uma multidão, repito, os homens sempre se equivalem e, diante dos problemas de caráter geral, o voto de quarenta acadêmicos não é melhor do que o de quarenta aguadeiros [...]. Se, portanto, algumas pessoas entupidas de ciência compusessem, apenas elas, o corpo eleitoral, os resultados não seriam melhores do que os atuais. As dificuldades que nos afligem permaneceriam

as mesmas e, ainda por cima, teríamos seguramente a pesada tirania das castas. (Le Bon, 1980, p. 225 ss.)

Constant também excluíra dos direitos políticos, junto com os trabalhadores assalariados, os intelectuais sem propriedade, os quais, seguindo "teorias quiméricas" e subversivas, são levados a "desdenhar as conclusões tiradas dos fatos e a desprezar o mundo real e sensível, a raciocinar como fanáticos sobre o estado social" (Constant, 1837, p. 106 ss.). No Taine por ele extraordinariamente admirado, Le Bon (1980, p. 127 ss.) pode ter lido o libelo contra os intelectuais à Rousseau, "o homem do rancor" e da incitação das massas. E, naqueles anos, analogamente se expressa Nietzsche (Losurdo, 1992a, cap. 8, § 3), que dedica um capítulo de *Assim falou Zaratustra* à denúncia daquelas "tarântulas" venenosas que são os intelectuais revolucionários ou subversivos. Por sua vez, o sociólogo francês lamenta o fato de que o sistema escolar do seu país, tão pouco atento à formação prática e profissional, produz "anarquistas" em série, "um imenso exército de descontentes pronto a seguir todas as sugestões dos utopistas e dos retóricos" (Le Bon, 1980, p. 132).

Não tem sentido, pois, voltar atrás no caminho que conduziu ao sufrágio de massa ou universal. Ainda mais que ele "por muito tempo teve limitada influência e no início foi tão facilmente dirigido". Tornou-se ingovernável a partir da difusão das ideias socialistas e da organização das "multidões" em sindicatos e partidos, com base precisamente naquelas ideias (Le Bon, 1980; p. 33 ss.). E, no âmbito do movimento sindical ou socialista, um papel relevante foi desempenhado exatamente pelos intelectuais. E então? A solução que é preciso explorar é diferente. As multidões são incapazes de argumentar logicamente, mas este fato, que na aparência é um inconveniente, constitui na realidade o pressuposto da solução do problema: "O tipo do herói caro às multidões terá sempre a estrutura de um César. Seu penacho seduz. Sua autoridade se faz respeitar e sua espada suscita medo" (Le Bon, 1980, p. 80).

Mas de que modo o herói ou o César deve tentar agir sobre as multidões? Não com base em argumentos racionais. O sociólogo do final do século XIX compartilha plenamente a desconfiança expressa alguns anos antes por Luís Napoleão diante das "questões metafísicas" e pelo liberal Bagehot diante das ideologias e dos "ismos". Não faz sentido querer usar os instrumentos próprios daqueles intelectuais que exerceram e exercem uma influência tão ruinosa sobre as massas. Aqueles instrumentos correm o risco de ser contraproducentes; terminariam por suscitar o interesse político nas massas, as quais então poderiam ser levadas a dar razão aos demagogos, que debitam à política a miséria das classes inferiores da sociedade. Em vez disso, é uma superstição "a ideia de que as instituições possam remediar os defeitos da sociedade e o progresso dos povos dependa do aperfeiçoamento das Constituições e dos governos". Na denúncia desta "perigosa quimera", que surgiu a partir da Revolução Francesa e "cujo absurdo, em vão, filósofos e historiadores tentaram demonstrar" (Le Bon, 1980, p. 117 ss.), o psicólogo das multidões está de acordo com Tocqueville (cf. supra, cap. 1, § 2), por ele várias vezes citado. Só que o remédio sugerido se configura de modo bem diferente e agora deve ser buscado não no sistema eleitoral de segundo grau ou em qualquer outro expediente para limitar ou conter o sufrágio universal direto. Ao contrário, este último deve ser implementado para que o líder, sem ser obstaculizado por barreiras e anteparos, possa agir sobre as massas recorrendo a instrumentos de persuasão que são assim descritos:

> A afirmação pura e simples, desvinculada de todo raciocínio e de toda prova, constitui um meio seguro para fazer penetrar uma ideia no espírito das multidões. Quanto mais a afirmação for concisa, destituída de provas e de demonstrações, tanto maior é sua autoridade. Os textos sagrados e os códigos de qualquer época sempre procederam por afirmações. Os homens de Estado chamados a defender uma causa política qualquer, os industriais que difundem os produtos com a publicidade conhecem o valor da afirmação.
> Todavia, esta última só adquire uma influência real se for repetida continuamente, o mais possível, e sempre nos mesmos termos. Napoleão dizia que só existe uma figura retórica séria, a repetição. O que se afirma termina, graças à repetição, por penetrar nas mentes a ponto de ser aceito como verdade demonstrada. (Le Bon, 1980, p. 139)

Por um lado, o sociólogo e psicólogo das multidões se refere a César ou Napoleão, aos seus "penachos" e aos sonhos de glória imperial a que Bagehot também se referira; por outro, Le Bon já pensa, segundo o modelo da publicidade comercial, na propaganda, que considera adequada ao regime cesarista ou bonapartista por ele formulado:

> Assim se explica a força extraordinária da publicidade. Quando lemos cem vezes que o melhor chocolate é o chocolate "x" [...], imaginamos tê-lo ouvido muitas vezes e terminamos por ter a certeza disto [...]. Por força de ver repetido num mesmo jornal que A é um verdadeiro patife e B um homem honesto, terminamos por nos convencer disto, desde que, naturalmente, não leiamos muitas vezes um outro jornal de opinião contrária, no qual tais definições são invertidas. (Le Bon, 1980, p. 160)

Na origem do regime político baseado numa personalização mais ou menos acentuada do poder, vimos seus teóricos celebrar as qualidades magnéticas do líder carismático, sua capacidade de encantar as massas independentemente de um programa político concreto. O sociólogo e psicólogo das multidões continua a nutrir desconfiança em relação às ideologias e às teorias "abstratas", aos partidos organizados e programáticos, à representação política autônoma das classes subalternas, aos corpos intermediários que podem atrapalhar a relação direta entre massas atomizadas e líder. Mas, ao lado destes elementos de continuidade, emerge, evidente, uma novidade: ao carisma pessoal sucede agora a persuasão oculta própria da publicidade comercial; aos "milhares de oradores" chamados por Bagehot a acender a paixão chauvinista das massas sucede um aparato publicitário centralizado, com uma capacidade de penetração bem superior e bem mais capilar.

Permanecem firmes os elementos de continuidade. Do ponto de vista da sociedade e da civilização no seu conjunto, a incapacidade das multidões "criança" de raciocinar e argumentar racionalmente não constitui, para Bagehot, um elemento negativo: só graças a tal dado de fato é que ela pode ser seduzida pelo carisma religioso da rainha ou pelo carisma heroico do líder nacionalista que agita o "vago sonho de glória", e só assim ela pode perder sua potencial periculosidade e aceitar docilmente o lugar que lhe é próprio e é requerido pelo interesse da sociedade (e da classe dominante). A atitude de Le

Bon não é muito diferente: "Devemos, pois, lamentar que a razão não guie as multidões? Não ousaria dizê-lo". Na realidade, é um fato benéfico que elas "possam arder de entusiasmo por causa da glória e da honra". Sim, "as multidões muitas vezes são criminosas, certamente, mas também muitas vezes heroicas"; só elas são capazes daqueles "heroísmos evidentemente um pouco inconscientes", sem os quais não "se faz história". E, "se somente se colocassem entre as realizações dos povos as grandes ações friamente pensadas, os anais do mundo registrariam muito poucas de tais ações" (Le Bon, 1980, p. 148 e 57).

O aparato propagandístico e publicitário chamado a encher de entusiasmo a multidão "criança" ou as multidões para a "glória" (a que se referem seja o politólogo inglês, seja o sociólogo e psicólogo francês, além de Luís Napoleão em pessoa) revelaria toda a sua impressionante força a partir sobretudo da Primeira Guerra Mundial, e é em tal ocasião que, depois de um longo período de gestação, o regime bonapartista enfrenta e supera brilhantemente o batismo de fogo (cf. infra, cap. 5). Mas, antes de analisar sua marcha triunfal, convém determo-nos ainda na gênese e no desenvolvimento histórico do que parece ser o regime político do nosso tempo.

3. UMA ALTERNATIVA À DISCRIMINAÇÃO CENSITÁRIA: AS ORIGENS DO BONAPARTISMO ENTRE AMÉRICA E FRANÇA

1. *Bonapartismo francês e modelo americano*

Já vimos que é redutivo querer limitar a emergência e o desenvolvimento de tendências bonapartistas no século XIX exclusivamente à França. Deve-se acrescentar que, neste país, os protagonistas e os ideólogos do bonapartismo frequentemente gostam de se referir ao exemplo dos Estados Unidos. No momento da realização do golpe de Estado, Napoleão é saudado pelos ambientes liberais como uma espécie de "novo Washington". Poucos meses depois, em 9 de fevereiro de 1800, é o próprio Primeiro Cônsul quem preside, nos Inválidos, uma grande cerimônia em honra do primeiro presidente dos Estados Unidos, cuja morte mal acabara de se tornar conhecida; Napoleão decreta o luto nacional e envia às suas tropas uma mensagem que contém uma homenagem vibrante ao estadista desaparecido: "Washington morreu. Este grande homem se bateu contra a tirania. Ele consolidou a liberdade da sua pátria" (Bredin, 1988, p. 464 e 496). Hábil e interessada propaganda política? Sem dúvida. Mas talvez haja um outro aspecto que seria equivocado deixar de lado. No exílio de Santa Helena, Napoleão volta ao tema:

> Ao chegar ao poder, quiseram que eu fosse um Washington [...]. Se estivesse na América, seria de bom grado um Washington e teria poucos méritos porque não vejo como, razoavelmente, poderia agir de outro modo. Mas, se ele estivesse na França, diante da dissolução interna e da invasão externa, iria desafiá-lo a ser o que foi, e, se ele quisesse ser, só se revelaria um simplório e prolongaria grandes desventuras. Quanto a mim, não podia ser nada além de um *Washington coroado*. (Bluche, 1980, p. 354)

Por ora, sem mais discussões, limitemo-nos a tomar ciência da tese formulada no memorial de Santa Helena por Napoleão, que se compara ao primeiro presidente dos Estados Unidos no tocante ao reforço do poder executivo, embora acrescentasse que este não podia deixar de assumir formas políticas e institucionais diferentes, por causa da diferente situação dos dois países.

Em Luís Napoleão, apresenta-se com ênfase ainda maior a referência ao modelo constituído pelos Estados Unidos, onde passa alguns meses em 1837, forçado ao exílio pela Monarquia de Julho no rastro de uma tentativa insurrecional fracassada. Não sabemos se ele, graças "ao seu conhecimento das instituições dos diferentes países europeus", está verdadeiramente "preparado de modo admirável para observar e estudar a fundo os Estados Unidos e seu governo" e se verdadeiramente "realiza mais tarde na França algumas das ideias de que tomou conhecimento nos Estados Unidos" (Boon, 1936, p. 15 ss.). O certo é que, poucos anos antes, Tocqueville visitara a república do outro lado do Atlântico, no momento em que o general Jackson, colocando-se em rota de colisão com os velhos notáveis, por um lado fazia cair amplamente a discriminação censitária dentro da comunidade branca e, por outro, estimulava a missão de expansão no *Far West*, no âmbito de uma política que, seja como for, comporta um nítido reforço dos poderes presidenciais.

E Luís Napoleão se refere à missão que "a Providência atribuiu aos Estados Unidos da América [...] de povoar e conquistar para a civilização todo aquele imenso território que se estende do Atlântico ao mar do Sul e do Polo Norte ao Equador". Ao lado da Rússia, a América é um dos dois países que, ao contrário do "velho centro europeu", avança "sem hesitar para o aperfeiçoamento"; só que a Rússia o faz "mediante a vontade de um só, a outra mediante a liberdade", ou seja, "colocando em prática o velho adágio *laissez faire, laisser passer*, para favorecer o instinto irreversível que empurra os povos da América para o Oeste". É um trecho que claramente ecoa um juízo de Tocqueville, em outra ocasião explicitamente citado (Napoleão III, 1861, v. 1, p. 24 ss. e 98). Em *Democracia na América* podemos ler:

> Existem hoje na terra dois grandes povos que, saídos de pontos diferentes, parecem avançar em busca do mesmo escopo: são os russos e os anglo-americanos. Um combate o deserto e a barbárie, o outro a civilização munido de todas as suas armas; assim, as conquistas do americano

se fazem com a charrua do agricultor, as do russo com a espada do soldado. Para alcançar seu escopo, o primeiro se baseia no interesse pessoal e deixa agir, sem dirigi-las, a força e a razão dos indivíduos. De algum modo, o segundo concentra num só homem todo o poder da sociedade. Um tem como principal meio de ação a liberdade; o outro, a servidão. (Tocqueville, 1968, p. 483 ss.)

Talvez Luís Napoleão ou algum dos seus ideólogos tenham lido, na obra de Tocqueville, que o presidente americano, "único e solitário representante do poder executivo da União", tem "prerrogativas quase reais" (Tocqueville, 1968, p. 148 e 153). O certo é que a propaganda bonapartista pela revisão da Constituição, que precede o golpe de Estado, refere-se explícita e repetidamente ao modelo americano, no qual declara querer se inspirar quanto à "posição do chefe de Estado". A Constituição francesa sofre uma grave contradição pelo fato de que, enquanto determina a eleição do presidente por sufrágio universal, considerando-o, pois, de certa maneira, como o representante da nação, coloca-o em seguida numa "posição subalterna" em relação ao Legislativo (Granier de Cassagnac, 1851, p. 25 e 8). E, no entanto, também na França o chefe do Executivo deve dispor "de um poder real, sério, eficaz". Sintetiza-se assim novo quadro institucional, aqui reivindicado:

> Por um lado, um governo empenhado em agir, e não falar, em administrar, e não legiferar, pode consagrar ao bem público todo o seu tempo, todas as suas forças, em vez de usá-las em agitações e lutas mesquinhas. Por outro lado, o poder legislativo, estando só empenhado em fazer leis, e não fazer e desfazer governos, finalmente se acha nas condições comuns de calma, de sabedoria e de patriotismo que são adequadas a um órgão deliberativo. (Granier de Cassagnac, 1851, p. 23 e 40 ss.)

O poder legislativo deve deixar de ir além das suas tarefas: ele "examina, discute, controla, modera, mas não dirige" (Granier de Cassagnac, 1851, p. 46). Quem dirige e governa, quem assegura a obediência às leis e também representa a unidade da nação é o presidente da República, que escolhe de modo autônomo os ministros que são seus "agentes necessários": "Depositários do seu pensamento e órgãos da sua vontade, é indispensável que dele dependam e a ele sejam devotados" (Granier de Cassagnac, 1851, p. 25).

2. O "golpe de Estado" dos federalistas americanos

O modelo americano é aqui seguido bastante de perto, como também se deduz do fato de que o alvo principal da polêmica é "o regime parlamentar, seu predomínio e o esquecimento do papel do poder executivo" (Granier de Cassagnac, 1851, p. 8). Não era este o inimigo dos protagonistas da Convenção de Filadélfia, da qual nasce a Constituição americana? Dado que, ao sublinhar a necessidade de um poder executivo forte, na França, pelo menos a partir do golpe de Estado de 1799, faz-se referência ao exemplo dos Estados Unidos e da sua Constituição, convém fazer um exame desta última e da sua gênese histórica. O acontecimento decisivo que a antecede é a revolta que, em 1786-1787, se desenvolve no Massachusetts por obra de camponeses pobres e endividados, os quais, liderados por Daniel Shays, coronel reformado do Exército continental que tinha derrotado a Inglaterra, se rebelam contra a venda em leilão, e a baixo preço, das suas terras e dos seus bens e contra a condenação ao cárcere dos devedores. Neste ponto, a legislação americana é dura e impiedosa. Algumas décadas mais tarde, Tocqueville observaria que nos Estados Unidos os pobres terminavam na prisão até por dívidas absolutamente insignificantes: podia-se calcular que, na Pensilvânia, o número dos indivíduos anualmente detidos por dívida elevava-se a sete mil; se a esta cifra se acrescentasse a dos condenados por delitos mais graves, resultava aproximadamente que, de 144 habitantes, um terminava na prisão todo ano (Tocqueville, 1951, v. 4, p. 323 ss.).

Mas voltemos aos desdobramentos da revolução americana. Mesmo reprimidas duramente com a intervenção da milícia, a agitação e a revolta dos camponeses pobres lançam o pânico entre as classes proprietárias: a "catástrofe" que se delineia torna John Jay "mais inquieto e mais preocupado do que durante a guerra" contra os ingleses; Jay (firmatário do tratado de paz e rebento de uma rica família de comerciantes nova-iorquinos) comunica suas preocupações a George Washington. O então general reformado é destinatário da carta de um outro interlocutor, o qual traça uma alternativa dramática: ou ocorre a rendição ao "terror da anarquia e da ilegalidade", promovidas pela "camada inferior" da população e por uma "classe cuja situação desesperada só pode ser melhorada mediante a ruína da sociedade", ou se liquida de uma vez para sempre os "governos fracos e indecisos". Trata-se, então, de proceder à imediata imposição de um "governo estável e capaz de agir" e dotado do "poder que é absolutamente necessário para punir o vício e premiar a virtude": este o quadro traçado por Henry Lee, delegado da Virgínia, numa carta sempre endereçada a Washington (Adams e Adams, 1987, p. 309 ss.). A este último também se dirige o general Knox, recém-chegado de Massachusetts, aonde tinha sido enviado pelo Congresso precisamente com o objetivo de reprimir a revolta na qual tinha tomado parte – diz alarmado – uma "massa entre 12 e 15 mil homens, desesperados e destituídos de caráter", mas recrutados "fundamentalmente na parte jovem e ativa da população", tomados por ideias, estranhas e absurdas, de redistribuição da terra, de "leis agrárias" e até de "propriedade comum".

O general Washington, por sua vez, comunica a Madison as "sombrias notícias" recebidas do general Knox, junto com a conclusão que delas extraiu: para escapar da "anarquia e do caos", impõem-se "uma Constituição liberal e enérgica" e decididas mudanças em relação às "convicções políticas" anteriores (Departamento de Estado, 1905, v. 4, p. 34 ss.). É preciso abandonar – observa Washington já na carta de resposta a Jay – uma "visão demasiado benevolente da natureza humana" e desconhecedora da necessidade de um forte poder central que freie o vício e a inclinação para o mal. O sentido da virada política que se delineia na América é bem captado pelo enviado francês, que assim escreve a Paris: trata-se de estabelecer em bases sólidas "o claro predomínio dos ricos e dos grandes proprietários de terra". Para conseguir tal objetivo, é preciso liquidar definitivamente as aspirações à "democracia perfeita", à "liberdade absoluta", à "abolição do Senado", às medidas em favor dos camponeses pobres e endividados, reivindicadas pelo povo ou pelo "povo miúdo"; para neutralizar e, eventualmente, domar este último, agora se invoca um forte "poder executivo" (Morison, 1953, p. 220-225). Seu fortalecimento é invocado não só ou não tanto para superar os limites de uma confederação continuamente exposta ao risco da desagregação e da desintegração, quanto para afastar a temida ameaça popular e plebeia: o grande objetivo da construção de um Estado nacional em base federativa é assim colocado sob o signo de uma hegemonia claramente conservadora.

Com efeito, por causa do clima político já visto, a Convenção convocada para a Filadélfia é quase exclusivamente composta "de homens extremamente conservadores", os quais, trabalhando em rigoroso segredo e indo muito além do mandato recebido, que prevê apenas uma obra de reforma dos "Artigos" da Confederação, elaboram um texto constitucional totalmente novo, reforçando enormemente o poder central: "realizado por Napoleão, chamar-se-ia um *coup d'État*" (Nevins e Commager, 1960, p. 133-136). Em tal caso, quem estabelece uma comparação entre Washington e o Napoleão protagonista do Brumário não é este último e sim a obra de dois historiadores americanos contemporâneos. É um juízo que se mostra implicitamente avalizado pela análise desenvolvida antes deles por um historiador que, depois, ascenderia à presidência dos Estados Unidos. Sob um ponto de vista legal – observa Woodrow Wilson –, a Constituição original só poderia ser modificada com base no "consenso unânime" dos estados signatários; mesmo que, abolindo a legalidade, se procedesse a uma "contagem dos eleitores em escala nacional, ter-se-ia indiscutivelmente verificado uma maioria contrária à [nova] Constituição"; no entanto, os protagonistas da Convenção da Filadélfia se preocupavam não em "agradar o país, mas salvá-lo" (Wilson, 1918, v. 5, p. 76, 82 e 71). Isto é: a virada político--constitucional não estava legitimada nem pela ordem jurídica existente nem pelo apelo à soberania popular, mas pela absoluta necessidade de poupar ao país os ataques à propriedade, a caos e a anarquia que sobre ele pendiam ameaçadoramente.

É o princípio de legitimidade que habitualmente preside os golpes de Estado; e o espectro do golpe de Estado ou do seu perigo já é significativamente evocado pelos opositores contemporâneos da nova Constituição (Adams e Adams, 1987, p. 361). Os protagonistas da virada estão dominados pela preocupação de estabelecer os instrumentos mais eficazes para a repressão de eventuais agitações populares. Folheemos as páginas de *The Federalist*: recorrente é a referência à revolta de Shays e à "guerra civil" de Massachusetts, bem como à necessidade de constituir um poder capaz de "barrar e controlar a violência das facções" (n. 10, 1980, p. 90) e "a anarquia que nos ameça de perto" (n. 15, 1980, p. 126). O perigo de "guerras e revoluções" ronda constantemente e, para "proteger o Estado destes dois males mortais da sociedade", é preciso dispor de eficientes "forças armadas" (n. 34, 1980, p. 258 ss.), que são necessárias em primeiro lugar por causa da ameaça que provém de dentro do país, como o demonstram o caso bem conhecido de Massachusetts e também o da Pensilvânia, onde até os mais hesitantes se convenceram da necessidade de um Exército permanente, pelo menos "enquanto persistir a menor aparência de perigo para a ordem pública" (n. 25, 1980, p. 205).

Com o objetivo de estar preparado para qualquer acontecimento, é absolutamente necessário um governo dotado de "energia" (n. 37, 1980, p. 281), um "Executivo forte" (n. 70, 1980, p. 532), que saiba eventualmente até mesmo enfrentar o "desfavor" do "povo" e "seja capaz de impor a própria opinião com decisão e energia" (n. 71, 1980, p. 539 ss.), um Executivo capaz de dispor, centralizadamente, de todos os corpos armados, inclusive, em caso de necessidade, "da Milícia de cada estado" (n. 69, 1980, p. 519). Compreende-se, então, a tese daqueles que quiseram ver na Convenção da Filadélfia não só um *"coup d'État* pacífico" – tal interpretação é bastante difundida –, mas um golpe de Estado que, seguindo o "modelo do Estado-Leviatã", representa "a vitória de Hobbes sobre Locke" (Wehler, 1984, p. 58).

3. *França e América: como sair da revolução*

Trata-se de um juízo exagerado e, como veremos, até enganoso. Convém preliminarmente refletir sobre as características do regime político batizado pela nova Constituição, partindo de uma comparação com as vicissitudes que se concluem na França com o triunfo de Napoleão Bonaparte. Algumas vezes, falou-se das turbulências que se manifestaram, no final do século XVIII, na América e na Europa, como de uma única "revolução ocidental ou, mais exatamente, atlântica" (Godechot, 1962, p. 6). Mas, se tal definição é correta, surge imediatamente o problema de comparar não só o início e o modo de desenvolvimento mas também a conclusão das diferentes revoluções: se a francesa termina, ainda que provisoriamente, em 1799, a americana se conclui definitivamente em 1788-1789, com a aprovação da nova Constituição. Em ambos os países, a aguda crise social desemboca na subida ao poder de um general coberto de glória. No plano interno, num caso e no outro, trata-se de reabsorver ou cortar as tendências radicais surgidas no curso das agitações anteriores. "A revolução acabou", proclama Napoleão, ao apresentar o projeto de nova Constituição logo depois do golpe de Estado. E de modo análogo se expressa *The Federalist*, ao ilustrar os resultados da Convenção da Filadélfia: "Era difícil esperar que, no curso de uma revolução popular, os espíritos dos homens soubessem deter-se no justo meio" (n. 26,1980, p. 206 ss.); é hora de fechar uma época (feita de "entusiasmo universal pelas formas de governo revolucionárias e novas") que imprimiu sua marca em "todas as Constituições vigentes" em cada um dos estados americanos (n. 49, 1980, p. 388). Com a lucidez habitual, e com maior franqueza, o enviado francês assim sintetiza as conclusões a que chegaram os "patriotas mais iluminados" no rastro do "desagradável acontecimento" constituído pela revolta de Shays: "Ficou claro para eles que, no tempo em que surgiram as Constituições, quando tinham urgente necessidade de apoio do povo miúdo, tiveram de fazer a este último mais concessões do que as compatíveis com a estabilidade da ordem pública, a segurança do cidadão e a agilidade de funcionamento do governo"; trata-se, agora, de enfatizar não mais a liberdade e a participação, mas a "tranquilidade e a ordem pública" (Morison, 1953, p. 221).

O mesmo problema, em termos ainda mais dramáticos, se apresenta na França, onde o peso das massas populares se fez sentir bem mais fortemente e onde o Termidor, primeiro, e depois o Brumário são saudados até pelos ambientes liberais como o momento de afastar a ameaça do "populacho" ou da plebe, que agora, finalmente, pode ser neutralizada no plano militar e político. E compreende-se, então, a violenta polêmica desencadeada por Sieyès e pela publicística próxima dele, logo depois do golpe de Estado de 1799, contra a "democracia irracional", e o respectivo esclarecimento de que o regime representativo consiste simplesmente na delegação da plenitude de poderes a uma "elite representativa" ou a uma "classe de representantes", que, uma vez instalada no poder, não é lícito ao povo perturbar nem mesmo mediante petições (Bredin, 1988, p. 468 e 475, nota). Mas também na América *The Federalist* se apressa em esclarecer que "a república" se diferencia das democracias (as quais "sempre ofereceram espetáculo de turbulência e de conflitos") pelo fato de que a primeira, baseada no "sistema de representação", consiste na "delegação da ação governativa a um pequeno número de cidadãos eleitos pelos outros", também neste caso com a exclusão substancial de qualquer capacidade de iniciativa popular autônoma (n. 10, 1980, p. 95 ss.). A fase preparatória e os trabalhos da Convenção da Filadélfia são dominados pela preocupação, sempre em relação à "rebelião" verificada em Massachusetts, de terminar com a "anarquia", com "os excessos da democracia" e com a agitação dos demagogos ou "pretensos patriotas" (Farrand, 1966, v. 1, p. 18 ss. e 48).

Por sua vez, a oposição denuncia a nova Constituição como o instrumento indireto para estabelecer o monopólio político das classes altas, que se consideram "a aristocracia natural do país": também por causa do número bastante reduzido de deputados e senadores previsto, dificilmente os expoentes das camadas sociais mais modestas e mais pobres conseguiriam se eleger (Adams e Adams, 1987, p. 362 e 381 ss.). É interessante ver de que modo estas críticas são rebatidas pelos protagonistas da virada: *The Federalist* responde ser natural que os "órgãos representativos" sejam exclusivamente "compostos de proprietários de terras, de comerciantes, de representantes das profissões liberais. E onde é que está o perigo de que estes indivíduos não saibam compreender ou não possam cuidar dos interesses de qualquer outra categoria de cidadãos?" No entanto, está claro que o "rico latifundiário", preocupando-se com o destino da agricultura no seu todo, também saberá ser intérprete do "modesto proprietário", enquanto "os artesãos e aqueles que trabalham nas manufaturas" *(manufacturers)*, isto é, os operários, têm como "representantes naturais" os comerciantes ricos, obviamente interessados em promover e garantir o bom andamento das atividades econômicas das quais depende sua própria riqueza. E, além disso, por que os artesãos e operários deveriam eleger outros artesãos e operários, como se entre eles não houvesse nenhum motivo de concorrência? É mais provável e mais lógico que se façam representar por um comerciante. Os expoentes das profissões liberais, desfrutando de uma posição de "neutralidade diante da rivalidade existente entre os vários ramos da indústria", constituem, por fim, uma garantia adicional de respeito aos "interesses comuns de toda a sociedade" *(The Federalist,* n. 35, 1980, p. 265-268, *passim).*

Os críticos radicalizantes da nova Constituição se opõem ao monopólio político dos órgãos representativos por parte daqueles que detêm o privilégio do *otium,* mas ignoram ou estão distantes das "preocupações comuns do povo" (Adams e Adams, 1987, p. 383). Hamilton rebate que, conscientes do fato de ser destituídos, por causa do "seu costume de vida" feito de trabalho duro, dos "dotes" necessários para figurar dignamente numa assembleia representativa, os membros das classes inferiores se entregam com plena confiança, e apropriadamente, aos conhecimentos superiores das classes altas *(The Federalist,* n. 35, 1980, p. 266). Intervindo depois na Assembleia de Nova York para a ratificação da nova Constituição, o dirigente federalista vai ainda mais adiante com a observação de que, também no plano moral, além do intelectual, "a vantagem está do lado dos ricos. Provavelmente, seus vícios são mais vantajosos para a prosperidade do Estado do que aqueles dos carentes. E, entre os primeiros, existe menor depravação moral" (Hamilton, 1962, p. 43).

Na América e na França, o *otium* continua a ser considerado a condição indispensável para a aquisição dos conhecimentos e da probidade necessária para poder participar da direção política da comunidade, enquanto é rejeitada como o cúmulo do absurdo a ideia de uma representação e de uma iniciativa política autônoma das classes populares. Nos dois lados do Atlântico, com o intervalo aproximado de uma década, os dois golpes de Estado, com ou sem aspas, realizados como conclusão de duas revoluções, visam a neutralizar os impulsos radicais e plebeus: trata-se, para citar o general Washington, de varrer "anarquia e caos" e garantir a "vida, liberdade e propriedade" dos cidadãos no âmbito de uma "Constituição liberal e enérgica"; ou, para usar desta vez as palavras das duas proclamações já vistas do general Bonaparte, trata-se de levar a cabo a "dispersão dos facciosos" e pôr de pé um "governo representativo", dotado de poderes "fortes e estáveis" e, portanto, capaz de defender "os sagrados direitos da propriedade, da igualdade, da liberdade". Preocupações sociais e políticas análogas fermentam numa parte e na outra do Atlântico: se a Convenção da Filadélfia tranquiliza os credores atemorizados pela agitação dos camponeses endividados, Napoleão abole o imposto de renda progressivo, denunciado pelos proprietários como uma forma de roubo (Cobban, 1971, p. 87). Se se faz abstração da situação religiosa, os federalistas americanos expressam posições muito próximas daquelas da "burguesia francesa tornada conservadora e de Sieyès, seu intérprete extremado" (Lefebvre, 1987, p. 679).

Até a linguagem é bastante semelhante: tal como a *Proclamation du général en chef Bonaparte* de 19 Brumário associa ideias "conservadoras" e "liberais", assim também, às vésperas da Convenção da Filadélfia, o general Washington cunha uma espécie de *slogan* publicitário *(liberal & energetic)* (Departamento de Estado, 1905, v. 4, p. 34 ss.) para ilustrar e propagandear a Constituição chamada a barrar de uma vez por todas o perigo da subversão social. Num caso e no outro, liberal é sinônimo de· conservador, ao se contrapor ao já inquieto e preocupante mundo do trabalho mecânico, servil e distante das artes liberais. Alguns anos antes, Sieyès, não casualmente um dos inspiradores do golpe de Estado de Napoleão, celebrou aquelas classes que, graças à sua "prosperidade", estão em condições de "receber uma educação liberal" (Sieyès, 1985, p. 133). Analogamente, em Washington, aqueles que têm alguma familiaridade com as "artes liberais" são contrapostos aos "mecânicos" *(mechanics)* (Washington, 1988, p. 397 e 455). Por ocasião do Brumário, Madame de Staël espera a consolidação definitiva do poder da gente de bem e endinheirada, da *gens de biens* ou *honnêtes gens* (Guillemin, 1958, p. 182 ss.); na América, vimos Hamilton ou John Adams falar da elite dominante como "rica e bem-nascida", em contraposição à massa do povo, composta de "mecânicos" e gente privada de cultura e de educação "liberal" (c., supra, cap. 1, § 11).

Logo depois da revolta de Shays, Washington relata a Jay que mesmo personalidades influentes são a favor de uma "forma monárquica de governo" (Departamento de Estado, 1905, v. 4, p. 20). São conhecidas as simpatias monárquicas de Hamilton, também compartilhadas por outros delegados, como Dickinson (proveniente de Delaware), o qual, no entanto, está bem consciente da pouca viabilidade de um tal projeto desgraçadamente estranho ao "espírito dos tempos" (Tansill, 1927, p. 142 ss.). Com efeito, a opção britânica deveria enfrentar uma impopularidade muito grande e talvez insuperável num momento em que ainda está viva a lembrança da guerra contra a Inglaterra de Jorge III, pintado na Declaração da Independência como um tirano cujo comportamento "não tem paralelo nos tempos mais bárbaros e é inteiramente indigno do líder de uma Nação Civilizada". E, no entanto, continua-se a buscar inspiração na exmãe pátria para fins de controle da pressão popular e das tensões sociais. Em janeiro de 1788, Washington recebe uma carta de Knox, o qual, ao informá-lo de que em Massachusetts as classes altas estão maciçamente a favor do projeto de nova Constituição aprovado na Filadélfia, acrescenta, porém, que muitos expoentes "prefeririam uma Constituição mais parecida com a inglesa" (Departamento de Estado, 1905, v. 4, p. 442). Na Convenção da Filadélfia, o já mencionado Dickinson se pronuncia explicitamente pela instituição de uma Câmara dos Pares, em cuja direção também tende Hamilton, para quem um Senado constituído de membros vitalícios é necessário para proteger "os poucos", isto é, "os ricos e bem-nascidos", contra a inveja e o possível ataque dos "muitos" (Morison, 1953, p. 244 e 259). Mas até a introdução de uma Câmara Alta segundo o modelo inglês se mostra problemática num país que, destituído ou quase de tradição feudal anterior, não pode facilmente inventar pares vitalícios, hereditários e dotados de um prestígio secular.

A França deve enfrentar dificuldades análogas: certamente, não obstante ter a nobreza saído dizimada das colossais agitações políticas e da guerra civil, é possível instituir uma Câmara dos Pares, ainda que esta, por causa da cesura representada pela revolução, não possa contar com o prestígio derivado de uma tradição ininterrupta, como na Inglaterra. Deixando de lado a desacreditada dinastia dos Bourbons, pode-se até proceder à busca de uma nova: mas, como demonstra em seguida a breve experiência da Monarquia de Julho, mesmo uma tal solução apresenta graves inconvenientes pelo fato de que, enquanto não acomoda a oposição republicana, divide a própria frente monárquica e, deste modo, não pode mais contar com a aura sagrada com a qual, segundo Bagehot, a Coroa tem o mérito de envolver o poder.

4. *A sombra da ditadura da antiga Roma*

Em conclusão, os dois golpes de Estado dos dois lados do Atlântico visam a restabelecer o tradicional monopólio político detido pela riqueza e pelo *otium;* mas, por causa também do peso da situação objetiva, o regime político chamado a alcançar tal objetivo termina por apresentar características novas que vão além da consciência e das intenções dos protagonistas dos acontecimentos e se tornam progressivamente evidentes no curso do sucessivo desenvolvimento histórico. Podemos partir novamente da carta já citada de janeiro de 1788, em que Knox informa Washington de que as classes altas de Massachusetts prefeririam uma Constituição à inglesa, mas em todo caso são a favor do "governo mais forte possível" *(mostvigorous government)* (Departamento de Estado, 1905, v. 4, p. 442). Na realidade, alguns vão ainda mais além: logo depois da revolta dos endividados, Jay observa, em junho de 1786, que "a parte melhor do povo" (isto é, as famílias mais ricas) começa a ficar inteiramente indiferente ao "fascínio da liberdade", enquanto está pronta para qualquer remédio que dê fim à "insegurança da propriedade", garantindo "tranquilidade e segurança" (Morison, 1953, p. 215). Ou seja, não faltam setores da classe dominante atraídos pela ideia de uma ditadura mais ou menos aberta. Mas, como a solução monárquica, também esta última solução se apresenta bastante problemática num país que acaba de sair de uma revolução que agitou a palavra de ordem da liberdade e, nesta base, conseguiu suscitar o entusiasmo necessário para derrotar as tropas britânicas.

Em vez disso, a Convenção da Filadélfia opta por um Executivo forte. Mas qual deve ser sua configuração? Ao contrário do que ocorre na França, a consciência de que tal poder deve se encarnar numa só pessoa está difundida e clara nos círculos dirigentes americanos desde o início: deve-se absolutamente evitar que no seu interior se manifestem discórdias ou incertezas paralisantes. *The Federalist* observa que, "na condução de uma guerra, enquanto um Executivo forte representaria, de modo particularíssimo, o baluarte da segurança do país, poder-se-ia temer qualquer coisa se ele fosse formado por mais de uma pessoa". O argumento decisivo é o da guerra, civil ou externa (n. 70,1980, p. 532). Os poderes conferidos ao presidente são tão amplos que este termina por parecer, aos olhos dos adversários da nova Constituição, não dessemelhante às cabeças coroadas da velha Europa. Dadas as paixões ainda vivas suscitadas pela luta contra o "tirano" Jorge III, um sinal infamante ameaça pesar sobre a magistratura suprema e, então, *The Federalist* acusa de "deliberada impostura e de fraude aqueles que pretendem grosseiramente traçar uma analogia entre a figura do rei da Grã-Bretanha e a do supremo Magistrado dos Estados Unidos" (n. 67,1980, p. 508).

As diferenças são indiscutíveis. Mas é o próprio autor do artigo aqui citado, Hamilton, que, como demonstração da plena harmonia do "Executivo forte [...] com o espírito da Constituição republicana", evoca num artigo sucessivo uma instituição bastante significativa:

> Todo aquele que conhece, mesmo superficialmente, a história romana sabe como aquela República foi muitas vezes obrigada a buscar a salvação no poder absoluto de um só indivíduo, que assumia o formidável título de ditador, para defender-se assim das intrigas dos ambiciosos que aspiravam à tirania, das rebeliões de classes inteiras da comunidade, cuja conduta insidiava a própria existência do Estado, e das invasões de inimigos externos, que ameaçavam conquistar e destruir Roma. (n. 70, 1980, p. 527 ss.)

É evidente a simpatia ou, pelo menos, o espírito de compreensão que caracteriza tal descrição: não fique esquecido que, para *The Federalist,* a antiga Roma republicana é sinônimo de liberdade (n. 41, 1980, p. 317). O que é digno de imitação, no entanto, não é a instituição do consulado, que, por causa da divisão do poder executivo, trouxe ao país tantas "desgraças", das quais é possível e necessário extrair uma lição em negativo:

> Não pode ser discutido o fato de que a unidade representa um elemento que garante *energia*. As ações de um

único indivíduo serão geralmente caracterizadas por maior *decisão, eficiência, sigilo* e *rapidez* do que as de um número maior de pessoas. (n: 70, 1980, p. 529 ss.)

Reflita-se sobre os substantivos aqui usados e por mim sublinhados, bem como sobre o fato de ser o sujeito de tal desejada ação enérgica, decidida, eficiente, secreta e rápida uma pessoa sozinha, que não deve dividir o poder com um colega ou um colaborador: claramente, tem-se em mente o estado de exceção, derivado do conflito interno ou internacional, e a figura do presidente é sempre suscetível de se transformar naquela do ditador da Roma republicana. Já os contemporâneos da Convenção da Filadélfia expressam profunda preocupação pelo fato de que a nova Constituição prevê explicitamente a suspensão do "privilégio do *habeas corpus* [...], quando, em caso de rebelião ou invasão, a segurança pública o exija" (art. 1, seção 9). De Paris, Jefferson protesta porque pretenderia ver sancionada "a eterna e incessante validade das leis do *habeas corpus*" e a absoluta inviolabilidade de uma série de "direitos fundamentais", que a Constituição deveria relacionar minuciosamente (Departamento de Estado, 1905, v. 4, p. 412); protestos análogos surgem na Pensilvânia e em outras partes, logo rebatidos pelo federalista Noah Webster, que pergunta numa atitude irônica e desafiadora: "Querem realmente afirmar que nunca é lícito suspender" o *habeas corpus* e os direitos de liberdade? (Adams e Adams, 1987, p. 366). Na realidade, em situações de emergência, os poderes concedidos à autoridade federal

> *deverão ser ilimitados (without limitation),* pois é absolutamente impossível prever ou definir qual possa ser a dimensão ou a diversidade das exigências nacionais, ou a respectiva dimensão e diversidade de meios necessários para satisfazê-las; as circunstâncias que podem comprometer seriamente a situação de um determinado país são infinitas e, precisamente por esta razão, em termos lógicos, *não se pode impor obstáculos constitucionais (constitutional shakles)* de nenhuma espécie à autoridade a quem se atribui a salvaguarda de tal segurança. [...] *Não se pode configurar limites (limitation) à autoridade chamada a proteger e a defender a comunidade,* em todas aquelas funções que são determinantes para sua existência.

E esta espécie de ditadura aqui teorizada é lícita e obrigatória toda vez que estiver em perigo "a manutenção da paz pública", seja ela ameaçada por "ataques externos", seja por "possíveis revoltas internas" *(The Federalist,* n. 23, 1980, p. 187). É verdade que a Constituição não atribui a faculdade de suspender o *habeas corpus* exclusivamente ao presidente, mas, dado que lhe compete "preservar", "proteger" e "defender" a própria Constituição, dirigir todas as forças armadas e controlar a "plena observância das leis" (art. 2, seções 2 e 3), é claro que ele, como a história subsequente dos Estados Unidos o demonstraria, encontra-se numa situação absolutamente privilegiada para decretar o estado de emergência e assumir a plenitude dos poderes. Um regime político novo está nascendo e, por certo, ele tem pouco a ver com a monarquia – aqui Hamilton tem perfeitamente razão – e também pouco a ver com o tradicional domínio dos *gentlemen* e dos bem-nascidos caro ao próprio Hamilton e a John Adams, bem como a não poucos dos artífices e defensores da nova Constituição. A extraordinária amplitude dos poderes daquele que é definido o "supremo Magistrado dos Estados Unidos" não está em contradição com a investidura popular. *The Federalist* procede a uma descrição bastante significativa de uma célebre figura da antiga Grécia: "Segundo Plutarco, Sólon foi, de certo modo, obrigado pelo sufrágio universal dos seus concidadãos a assumir o poder único e absoluto de reformar a Constituição" (n. 38, 1980, p. 287). Ainda que com discurso referido ao passado, aqui se descreve o funcionamento de um regime tendencialmente bonapartista, que, por um lado, comporta uma investidura de baixo bastante ampla e, por outro, um exercício do poder bastante extenso e até, em situações de emergência, absoluto.

5. *Tradição liberal, estado de exceção e Constituição americana*

No entanto, é também enganoso afirmar que a Convenção da Filadélfia constitui a vitória de Hobbes sobre Locke. De início, deve-se observar que a reflexão sobre o estado de exceção e sobre a ditadura acompanha todo o pensamento moderno e está presente, por exemplo, em Rousseau (1966, livro 4, cap. 6), que também prevê, em situações de crise particularmente aguda, e sempre com referência à Roma antiga, o recurso a uma ditadura de duração "brevíssima", cujos termos em nenhum caso poderiam ser prolongados. A reflexão sobre este tema tem um papel relevante na tradição liberal. Montesquieu (1949-1951, livro 12, cap. 19) não tem dúvida sobre o fato de que, segundo o "costume dos povos mais livres que jamais estiveram na face da terra", cabe "colocar, por um momento, um véu sobre a liberdade, assim como se escondem as estátuas dos deuses". Para Locke, o estado de exceção provocado por um ataque contra a propriedade privada, como quer que se configure e seja qual for sua proveniência, justifica o recurso não só a medidas excepcionais mas a uma espécie de guerra total, tanto que seus responsáveis merecem ser tratados "como qualquer animal feroz ou bruto nocivo com o qual o gênero humano não pode ter relações de sociedade e segurança" (Locke, 1974, §§171 ss.).

A peculiaridade da tradição liberal reside no fato de que o estado de exceção interno é pensado com referência aos atentados que podem advir para a ordem político-social existente não só e não tanto da Coroa ou do Executivo, mas também, e sobretudo, do Legislativo (Locke, 1974, §§ 201 e 226). É o que Montesquieu esclarece inequivocamente quando, depois de ter denunciado o "delírio da liberdade" que levou os plebeus da antiga Roma a despojar os patrícios da sua "participação no poder legislativo" e a submetê-los ao "poder legislativo de um outro corpo do Estado", celebra aquela admirável instituição que foi a ditadura, graças à qual o povo soberano era forçado a "baixar a cabeça e as leis mais populares restavam no silêncio" (Montesquieu, 1949-1951, livro 11, cap. 16). Na raiz desta advertência contra as possíveis prevaricações do Legislativo está a experiência histórica da primeira revolução inglesa e do movimento igualitário. E a lição dos dois filósofos liberais, mediada pela angústia provocada pela revolta de Shays e a manifestação, também na América, daquilo que Madison chama "espírito igualitário" *(leveling spirit)*, age em profundidade na Convenção da Filadélfia. Em tal ocasião, são inúmeros os delegados que concordam com James Wilson sobre o fato de que se trata de enfrentar, em primeiro lugar, o perigo constituído pelo "despotismo legislativo" (Farrand, 1966, v. 1, p. 261);

que concordam com a tese de Gouverneur Morris, segundo o qual "as usurpações do Legislativo fazem a liberdade pública correr um perigo mais grave do que qualquer outra fonte": é preciso temer medidas como "emissão de papel-moeda, subvenções em favor do povo, perdão das dívidas". A proclamação do perigo de aprovação, sobretudo em cada estado, de "leis injustas e perniciosas" e de "medidas perniciosas" retorna de modo obsessivo em toda uma série de intervenções (Tansill, 1927, p. 425, 427 e 450; Aquarone, 1959, p. 29-43).

Portanto, não é só no estado de exceção provocado por uma guerra ou por uma insurreição popular violenta que pensam os inspiradores e os autores da Constituição americana. Se, nas colunas de *The Federalist,* Madison faz referência em primeiro lugar à possibilidade de uma vitoriosa revolta popular num só estado, nos debates sigilosos da Filadélfia ele expressa a opinião pela qual a "emergência" pode acontecer até com a simples constituição de uma maioria parlamentar que imponha "leis injustas", graças às quais "os devedores fraudem os credores" – ainda a sombra de Shays; e este perigo é ainda mais concreto pelo fato de que, com o incremento demográfico, está fadado a aumentar também na América o número dos "pobres", ou seja, "daqueles que trabalham, padecendo todas as asperezas da vida, e que secretamente aspiram a uma distribuição mais igualitária das suas remunerações" (Tansill, 1927, p. 163 e 280). Até mesmo uma moderada redistribuição da renda pela via legislativa deve ser considerada um ataque à propriedade que provoca, ou pode provocar, o estado de exceção.

Presente em nível latente nos órgãos representativos, para os proprietários e para os "poucos" o perigo de ficar isolados ou em minoria é ainda mais grave na sociedade. Por certo, a revolta de Shays foi minoritária, mas o que aconteceria se uma nova insurreição popular arrebanhasse "uma maioria de pessoas, com o acréscimo de residentes estrangeiros, de uma afluência casual de aventureiros ou daqueles a quem a Constituição do Estado não concedeu o direito de sufrágio"? Para não falar dos negros, isto é, "daquela parte infeliz da população, numerosíssima em alguns estados, a qual, nos períodos de paz civil, vive aquém do nível humano, mas no cenário tempestuoso de violência civil pode ressurgir, afirmar sua personalidade humana e conferir superioridade a qualquer partido com o qual ela se associar". Portanto, se se leva em conta esta potencial mistura explosiva constituída de americanos pobres, imigrados e escravos negros, deve-se concluir que a subversão social até poderia vencer num determinado estado, e uma das "vantagens" mais importantes da união federal – observa Madison citando Montesquieu – reside no fato de que, "se acontecesse uma insurreição popular num dos estados, os outros poderiam *controlá-la*"(*The Federalist*, n. 43,1980, p. 340 ss.).

Como se vê, ao lado de Locke está um outro autor liberal que ajuda a pensar o estado de exceção, ao qual não pode deixar de se dedicar particular atenção num país como os Estados Unidos, cuja população se desenvolveu através de ondas sucessivas de importação de escravos negros ou de semiescravos brancos. Sobretudo quanto aos primeiros, a revolta é sempre (ou é sempre considerada) iminente, e todo conflito internacional desencadeia o medo de que se abra uma frente interna, alimentada pela cumplicidade ou pelo complô dos inimigos da América: nem mesmo é possível ou fácil distinguir entre inimigo interno e inimigo externo, entre guerra civil e guerra propriamente dita, pelo fato de que uma massa considerável de "estrangeiros" já vive dentro da mãe pátria.

A Constituição derivada da Convenção da Filadélfia herda e radicaliza ainda mais a atenção ao estado de exceção reservada pela tradição liberal, com o olhar voltado para os temidos abusos do Legislativo. Mas o remédio não é mais apontado numa Câmara hereditária dos Pares com direito de veto em face do ramo mais ou menos popular do Parlamento, como em Locke e em Montesquieu (cf. supra, cap. 1, § 8), mas num forte Executivo concentrado nas mãos de uma única pessoa, isto é, de um presidente em condições de se tornar, a qualquer momento, um ditador no sentido romano do termo.

6. *A França entre presidência imperial e Império presidencial*

Nas duas margens do Atlântico, a revolução termina por gerar tendências bonapartistas. Mas existe um motivo adicional para não isolar o Brumário do seu contexto internacional: se a revolução é "ocidental" ou "atlântica", também o é a luta contra ela ou, pelo menos, contra suas tendências radicais e plebeias. Um ano antes do golpe de Estado de Napoleão, são aprovados nos Estados Unidos os *Alien and Sedition Acts,* que comportam graves restrições às liberdades constitucionais e atingem de modo particular os seguidores das ideias revolucionárias francesas em terra americana (cf. infra, cap. 3, § 11). Ainda alguns anos antes, em 1794, a Inglaterra suspende o *habeas corpus:*

> as tropas ocupam a maior parte das zonas industriais como se se tratasse de terras de conquista [...]. Pitt, apoiado por uma ampla parte da opinião pública, persegue inexoravelmente todos aqueles que se mostram favoráveis às ideias liberais ou que, de um modo ou de outro, inclinam-se pelas ideias francesas. (Poursin e Dupuy, 1972, p. 61-64)

Existe uma relação entre estes acontecimentos e, em particular, entre os acontecimentos que se verificam nos dois países egressos de duas grandes revoluções? Como sabemos, Napoleão evoca Washington: o aspecto propagandístico deste gesto é evidente e foi muitas vezes sublinhado. E, no entanto, é oportuno perguntar se, neste momento, os poderes do Primeiro Cônsul são realmente mais extensos do que os do presidente dos Estados Unidos, que agora pode contar com amplíssima margem de arbítrio conferida pelos *Alien and Sedition Acts,* emanados também com o consenso de Washington, que, aliás, deve dirigir o poderoso Exército nesse meio tempo organizado com o foco mais voltado para o inimigo interno do que para o externo (Bailyn e Wood, 1987, p. 358). O apoio a "tais leis extraordinárias" concedido pelo velho general e estadista americano pode ser explicado com o fato de que ele – observaria mais tarde Woodrow Wilson – "ama apaixonadamente a ordem, odeia a facção e teme pela salvação da sociedade" (Wilson, 1918, v. 6, p. 39). Mas tal motivação não valeria também para a França? Neste país, o perigo do jacobinismo e da "anarquia" seria menos agudo do que na América?

É verdade que, enquanto Washington se retira da vida pública no fim do seu mandato, Napoleão se torna, em 1802, cônsul vitalício. Mas não esqueçamos que, também no âmbito da Convenção da Filadélfia, emergem vozes a favor de uma presidência ou de uma magistratura suprema vitalícia e o próprio Hamilton inclina-se por esta solução (Wilson, 1918, v. 5, p. 74). Até a instauração do império hereditário é justificada em Napoleão por uma preocupação ideológica e por uma convicção comum a autores como Burke, Necker e à cultura "monárquica, mesmo liberal", segundo a qual "o poder deve ser inseparável de um imponente aparato de majestade que explicite seu poder sobre a imaginação dos povos (Furet, 1988, p. 250). Na realidade, estamos em presença de um debate que ainda se prolonga em pleno século XIX. Bagehot explica a grandeza e a estabilidade das instituições com o fato de que, enquanto o poder efetivo compete à unidade de Executivo e Legislativo, que se realiza no gabinete e na pessoa do primeiro-ministro, a Coroa, mesmo distante da ação concreta de governo e de direção do país, desenvolve igualmente uma função decisiva porque, ao envolver o poder numa aura sagrada, não só estimula a submissão filial das classes inferiores (cf. supra, cap. 2, § 2), mas legitima, transfigura e consagra a força armada necessária para a manutenção da ordem, os "Exércitos" dirigidos e empregados por outros. A dois órgãos diferentes, portanto, são atribuídas duas diferentes funções, uma por assim dizer sacerdotal-ideológica, outra propriamente político-militar (Bagehot, 1974a, p. 206 ss.).

Problemas e preocupações análogas também emergem por ocasião do debate que se desenvolve do outro lado do Atlântico às vésperas da Convenção da Filadélfia e no curso do seu desenvolvimento. Descrevendo os humores dos círculos americanos mais influentes, o enviado francês na América observa que não se trata só de reforçar drasticamente o "poder executivo", mas também de lhe conferir uma imagem diferente e uma capacidade maior de influência sobre as massas; é preciso abandonar o "modo modesto de apresentação dos dirigentes políticos diante da multidão", o que os torna "desprezíveis" aos seus olhos, dado que ela "só julga com base nos seus sentidos"; e, assim, para que os governantes gozem do "respeito" necessário, é preciso que eles também estejam dotados da "pompa [exterior] do poder, das armas e dos soldados" (Morison, 1953, p. 221). Amplamente difundida nos ambientes e entre as personalidades mais influentes dos Estados Unidos é a opinião pela qual o poder central deve saber evitar os tons modestos e humildes, para exibir, em vez disso, sua "dignidade imperial" *(imperial dignity)*: é o que diz Washington (Departamento de Estado, 1905, v. 4, p. 19 ss.), que parece compartilhar tal convicção e, em 1791, realiza uma "longa viagem [triunfal] pela nação, à maneira de um rei, para sacramentar o fim da crise e o novo início dos Estados Unidos, com seu forte poder central guiado pelo general-presidente (Bailyn e Wood, 1987, p. 346). Na ausência de uma tradição monárquica e de um rei (ou uma rainha), que também é o chefe da Igreja Anglicana, os papéis que a Constituição inglesa mantém separados e atribui a órgãos diversos tendem, nos Estados Unidos, a se unificar na figura do presidente, que também concentra em si, além da função propriamente político-militar, aquela sacerdotal-ideológica, que lhe compete como líder e intérprete de uma nação investida de uma missão religiosa e constituída, segundo a ideologia puritana, pelos eleitos de Deus.

O modelo inglês, tal como é descrito por Bagehot, não é mais factível na França, onde, depois da ruptura revolucionária, não existe uma dinastia incontestável e capaz de envolver o poder numa aura sagrada. Além disso, também se mostra inviável a solução americana, dada a diferente tradição religiosa subjacente: no mundo católico, o sagrado se encarna na Igreja e na sua hierarquia e só pode legitimar e transfigurar o poder político na medida em que este for consagrado pela Igreja. Na França, é inimaginável a identificação da função sacerdotal-ideológica e da político-militar; e, se ocorre, ela requer a mediação de uma Igreja (e de uma hierarquia) que tradicionalmente consagrou as velhas dinastias monárquicas e agora, depois de um difícil compromisso com a nova França, consagra a nova dinastia fundada por Napoleão também por estas razões.

Se Washington sacramenta a nova Constituição e a entrada em funcionamento de uma presidência colocada em posição absolutamente eminente com uma viagem triunfal à maneira de um rei, na França, ao contrário, a instauração do Império é que é sacramentada por uma "última homenagem republicana", isto é, por um plebiscito ainda mais maciço do que aquele que havia consagrado o golpe de Estado do Brumário (Furet, 1988, p. 250).

Depois de um longo parêntese, o bonapartismo se reapresenta na França por ocasião da crise revolucionária de 1848. Tal como depois do Brumário, também agora a burguesia é chamada a lutar em duas ou mais frentes, não só a enfrentar a agitação operária. Sem prejuízo da necessidade, percebida tanto na França de 1799 quanto na América entre a revolta de Shays e a Convenção da Filadélfia, de reforçar o poder executivo, trata-se inicialmente de escolher entre república e monarquia. Vimos Tocqueville acolher por um momento, depois da consumação do golpe de Estado, a ideia de uma restauração burbônica sob o signo de um legitimismo timidamente liberal. Mas, logo após o colapso da Monarquia de Julho, a burguesia liberal acredita poder considerar o general Cavaignac como o Washington francês, com sua fama de herói republicano por ter "salvo" a república da revolta operária de junho e do perigo vermelho. A nova Constituição observa claramente o outro lado do Atlântico: mesmo renunciando à ficção do colégio eleitoral, prevê um presidente eleito pelo povo e, precisamente por isto, investido de uma legitimidade autônoma em relação à Assembleia Legislativa e, portanto, se for o caso, capaz de resistir a uma Câmara que, como a Convenção jacobina, se mostrasse excessivamente permeável às pressões populares e plebeias (Furet, 1988, p. 404-407).

Mas Cavaignac é derrotado por Luís Napoleão, o qual, pelo menos inicialmente, também agita o modelo americano. Voltemos ao opúsculo difundido imediatamente antes do golpe de Estado. Granier de Cassagnac parte de uma premissa que tem uma lógica precisa: a situação da França não pode ser comparada à da Inglaterra, onde a aristocracia, bem longe de ter sido liquidada, continua a desempenhar uma função de primeiro plano. Naquele país, mais do que representar indivíduos ou partidos abstratamente políticos, o regime parlamentar expressa forças sociais consistentes, "o clero, a nobreza, os comuns", "três ordens reunidas em assembleias soberanas", às quais "o poder soberano se acha claramente submetido" (Granier de Cassagnac, 1851, p. 12 ss.). As duas Câmaras, portanto, exercem uma função análoga à dos Estados Gerais na França, onde, nesse meio tempo, a situação tinha mudado radicalmente por causa da ação antiaristocrática desempenhada pela revolução e, antes ainda, pela monarquia absoluta. A estabilidade e a solidez do regime parlamentar são garantidas, na Inglaterra, pela presença de "três grandes corpos tão antigos, tão nacionais, tão fortes, tão inteligentes, tão unidos, tão conservadores, tão liberais"; mas, "em um país como a

França, onde todos os grandes corpos foram fragmentados ou aniquilados", onde não há mais espaço para "os grandes interesses tradicionais e permanentes", as maiorias parlamentares flutuam no vazio, precárias e continuamente expostas aos caprichos e às ambições de indivíduos e grupos (Granier de Cassagnac, 1851, p. 16-19). Em tais condições, o único contrapeso possível à democracia, bem como à instabilidade e aos abusos do poder legislativo pode ser constituído por um forte poder executivo, exatamente como acontece na república do outro lado do Atlântico.

E, assim, os ministros devem depender" exclusivamente do Executivo, do qual são os "agentes necessários": graças a tal ordenamento,

> elegendo um presidente por quatro anos, os Estados Unidos sabem antecipadamente qual sistema levam ao poder e, em seguida, têm a certeza de que tal sistema será lealmente seguido e experimentado por quatro anos, sem que nenhum obstáculo seja interposto pelos próprios ministros encarregados de aplicá-lo, e aplicá-lo, de resto, seja qual for este sistema, a paz ou a guerra, ou os bancos, a liberdade ou a escravidão, ou a anexação de um novo Estado.

E não se deve temer que, deste modo, o presidente chegue a dispor de um poder demasiadamente extenso, dado que "a representação nacional, armada com seus imensos direitos, tendo nas suas mãos o orçamento, tem sempre condições de moderar, de conter este sistema e de impor uma barreira às suas invasões, se ele se torna contrário aos interesses reais e evidentes do país"; tudo, mais uma vez, segundo o modelo americano (Granier de Cassagnac, 1851, p. 25 ss.).

A propaganda bonapartista não hesita em evocar O *espírito das leis*, "o livro francês moderno mais conhecido na América" (Palmer, 1971, p. 73), e Montesquieu, o autor particularmente caro a *The Federalist* e sem o qual – já se disse – nem se poderia imaginar a configuração assumida pela Constituição americana (Maine, 1976, p. 218). Pois bem – observa o opúsculo várias vezes citado –, "é a divisão e a independência dos poderes que Montesquieu chama de o próprio princípio da liberdade. E acrescenta que, se numa sociedade qualquer, o homem, a assembleia ou a casta que faz as leis também tem o poder de executá-la, então temos o despotismo, a desordem e a anarquia". Deve-se, pois, "separar completamente o poder executivo do poder legislativo": e basta mencionar que o princípio da separação dos poderes aqui invocado é perfeitamente funcional à afirmação de um "poder central elevado, livre e forte", e não paralisado pelo Legislativo, pela "onipotência parlamentar" (Granier de Cassagnac, 1851, p. 31, 37 ss. e 47). Mas não é esta também a orientação da Constituição dos Estados Unidos?

Vimos Bagehot celebrar a unidade de Executivo e Legislativo (cf. supra, cap. 2, § 2): em vez disso, os federalistas americanos, tal como depois a propaganda bonapartista francesa, insistem na independência do Executivo. Mas, apesar da diversidade da linguagem, o que conta é a preocupação com os graves riscos que um poder legislativo forte e fortemente influenciado pelas massas populares faz correr a propriedade e as relações econômicas existentes. O contrapeso àquilo que respeitados delegados à Convenção da Filadélfia condenam como "despotismo legislativo" e o ideólogo de Luís Napoleão tacha de "onipotência parlamentar" é constituído, tanto na Inglaterra quanto na América e na França, pela drástica personalização do poder, a ser confiado a um líder capaz de neutralizar politicamente a multidão. Nesta direção a burguesia liberal já começa a se mover logo depois da Revolução de Fevereiro, mas de modo oscilante: a fim de diminuir a importância do Legislativo e exorcizar o espectro da Convenção jacobina, faz eleger o presidente diretamente pelo povo com base no sufrágio universal (masculino), que, no entanto, abole depois para dar lugar a uma discriminação censitária, mal camuflada, chamada agora a desempenhar a função de fiadora da propriedade. De tudo isto se aproveita habilmente a propaganda bonapartista, que não só utiliza as frustrações das camadas sociais desemancipadas, mas também aponta as contradições em que o bloco liberal-moderado se debate: fazendo eleger o presidente pelo povo, mas tornando seus ministros responsáveis perante o Legislativo, Tocqueville demonstra não ter aprendido muito do estudo da América, não ter assimilado "o sentimento daquele arranjo tão simples e tão sensato" que caracteriza a Constituição daquele país (Granier de Cassagnac, 1851, p. 27).

Como se vê, quem se apresenta na França com um programa de reformas à americana é o partido de Luís Napoleão, o qual, no apelo lançado logo depois do golpe de Estado, assim se dirige ao povo:

> Convencido de que a instabilidade do poder e a preponderância de uma só Assembleia são causas permanentes de desordem e de discórdia, submeto ao seu voto as seguintes bases fundamentais de uma nova Constituição, que as Assembleias desenvolverão em seguida:
> 1) Um líder responsável eleito por dez anos;
> 2) Ministros que só dependam do poder executivo [...];
> 4) Um corpo legislativo que discuta e vote as leis, eleito por sufrágio universal, sem voto em lista que falsifique as eleições. (Napoleão III, 1861, v. 3, p. 273 ss.)

A duração do mandato presidencial surpreende de imediato, mas não se deve esquecer que, na Convenção da Filadélfia, levantaram-se vozes respeitadas que iam nesta mesma direção e previam até mesmo um mandato vitalício.

É verdade, a presidência imperial evocada na França pelo partido bonapartista depois se transforma num império hereditário. Granier de Cassagnac já tinha deixado uma porta aberta neste sentido, ao escrever que, "nos países democráticos, qualquer que seja o nome dado ao chefe do Executivo, o espírito de obediência só pode derivar do próprio líder, dado que em torno dele tudo é móvel, variável, transitório" (Granier de Cassagnac, 1851, p. 24). Mas, por outro lado, o próprio Tocqueville é quem, ao se propor precisar "em que a posição do presidente dos Estados Unidos difere daquela do rei constitucional na França", havia estabelecido uma significativa premissa metodológica: "Nesta comparação, darei pouca importância aos sinais exteriores do poder: eles mais enganam do que guiam o olho do observador" (Tocqueville, 1968, p. 149). De resto, num escrito juvenil de 1832, Luís Napoleão havia formulado um projeto de reformas políticas e institucionais, baseado em "princípios [...] inteiramente republicanos", mas em cujo âmbito o que representa o povo são as duas Câmaras e o Imperador, cuja subida ao poder deve ser, em todo caso, mesmo no momento da sucessão, submetida à "sanção do povo" (Napoleão III, 1861, v. 1, p. 382-385). É verdade que depois Napoleão III abandonaria este ponto, mas resta o fato de que, no texto que acabamos de examinar, temos o projeto de uma espécie de Império presidencial: ele repousa nos princípios do regime "representativo" e se submete, quanto à escolha do soberano, a uma espécie de referendo ou plebiscito. Dir-se-ia, antes, que foram tomados como modelo, obviamente adaptado às condições da França e às ambições do príncipe, os Estados Unidos de Jackson, naquele momento empenhados em cancelar, dentro da comunidade branca, as discriminações censitárias. No Estado acalentado pelo jovem Luís Napoleão, "não haverá mais distinção nem de *status* nem de fortuna; cada cidadão concorrerá de modo igual à eleição de deputado". Se a Câmara Baixa é eleita diretamente pelo povo, a Câmara Alta é, como o Senado americano, o resultado de eleições de segundo grau, com "colégios eleitorais" que, num país como a França, destituído de estrutura federal, designam os cidadãos que se distinguiram no plano nacional pelos seus serviços à pátria. Nos Estados Unidos, se não conseguir expressar a maioria qualificada requerida pela Constituição, o colégio eleitoral, que deveria normalmente eleger o presidente, cede lugar à Câmara dos Representantes; no projeto juvenil de Luís Napoleão, as duas Câmaras "proporão um novo soberano", se aquele por elas anteriormente designado não tiver obtido a necessária aprovação popular (Napoleão III, 1861, v. 1, p. 384 ss.).

Deve-se acrescentar que, mais tarde, um respeitado expoente e teórico liberal, francês e admirador da América, depois de condenar a Revolução de 1848 como culpada de querer "humilhar o poder executivo" e de esquecer que "uma autoridade enérgica [...] é a primeira garantia da liberdade" (Laboulaye, 1863b, p. 45), assim se expressa sobre o regime em que termina por se reconhecer, ainda que com distância crítica:

> A Constituição de 1852 conservou o sufrágio universal: é o princípio mesmo do nosso governo. O Império é uma democracia, com um líder hereditário e instituições representativas. Trata-se de um novo sistema político, que não tem precedente nenhum na história [...]. A novidade de uma forma de governo não me parece, em absoluto, uma objeção contra ela; e talvez a aliança de um poder enérgico e de garantias representativas corresponda muito bem ao caráter e ao temperamento dos franceses. (Laboulaye, 1863a, p. 150)

7. América e França: analogias e diferenças

Naturalmente, não se pretende aqui negar as diferenças entre França e América, que são inúmeras e evidentes; mas, se não quisermos nos contentar com a fácil e ociosa explicação de tipo antropológico (cara, de resto, a uma ampla imprensa liberal, pelo menos a partir de Tocqueville), segundo a qual uma espécie de maldição original pesaria sobre a tradição política, francesa, incuravelmente doente de estatismo e despotismo, é preciso problematizar e colocar em discussão certas contraposições estereotipadas. Nos dois países, análoga é a aspiração a controlar ou liquidar os impulsos radicais surgidos no curso da revolução. Trata-se de uma tarefa nitidamente mais fácil num país como a América, "intensamente rural" e com uma densidade demográfica "muito rarefeita": só cinco cidades alcançam 8 mil habitantes e, nelas, mal vivem 2% ou 3% de toda a população (Jameson, 1960, p. 31 ss.); ao contrário, a França se caracteriza pela presença de aglomerados urbanos com forte densidade e alto potencial explosivo. No primeiro caso, trata-se de controlar, no momento da ratificação da Constituição, cerca de 160 mil votantes em cerca de 3,5 milhões de habitantes (cf. supra, 1, § 3); no segundo, o problema se apresenta mais grave e complexo já pelas dimensões nitidamente maiores do corpo eleitoral.

Além disso, o país europeu não tem à disposição um *Far West* como válvula de escape para a agitação das classes mais pobres e para os conflitos sociais. Estes se mostram menos ásperos do outro lado do Atlântico até por uma razão apontada por Hegel com grande lucidez:

> A América ainda não caminha para esta tensão [característica da França e da Europa em geral], porque para ela está aberto, ininterruptamente e em ampla medida, o expediente da colonização, e um grande número de pessoas acorre continuamente às planícies do Mississipi. Por este meio desaparece a fonte principal de descontentamento e garante-se a persistência da moderna organização civil.

Portanto, não tem sentido a contraposição meramente ideológica entre França e Estados Unidos, prescindindo da diversidade das condições materiais de vida: "A América do Norte só poderia ser comparada com a Europa quando o imenso território deste Estado estivesse ocupado por inteiro e a sociedade civil, refluindo sobre si mesma, se concentrasse e aglomerasse em si." Por isto, Hegel chega a afirmar que, "se as florestas germânicas ainda existissem, a Revolução Francesa certamente não teria acontecido", ou, pelo menos, ela não teria apresentado o radicalismo e as sucessivas ondas e dilacerações que a caracterizaram (Hegel, 1963, p. 230-232). Por sua vez, Engels observa que "na América do Norte [...] os conflitos de classe se desenvolveram de modo incompleto; em cada oportunidade, os choques de classe são camuflados mediante a emigração da população proletária excedente para o Oeste" (Marx e Engels, 1955, v. 7, p. 288).

É uma análise indiretamente confirmada pelos próprios protagonistas da revolução americana. A Jefferson, que, surpreendido pelo espetáculo de miséria em Paris, expressa a opinião de que o remédio poderia ser encontrado numa distribuição em favor dos pobres de terras incultas ou deixadas incultas pela nobreza, Madison objeta que se trataria, fosse como fosse, de uma medida incapaz de resolver o problema: "uma certa concentração de miséria parece inseparável de uma concentração elevada de população" (Morgan, 1972, p. 11 ss.). E é o próprio Madison quem convida a Convenção da Filadélfia a não esquecer que, "no curso do tempo", também na América, já como nos "Estados e reinos europeus", "o número dos proprietários de terra será relativamente reduzido". Naquela mesma ocasião, Gouverneur Morris observa que, "atualmente, nove décimos da população são proprietários de terra", mas virá o tempo em que "este país terá abundância de mecânicos e operários *(manufacturers)*, os quais receberão o pão dos empregadores" e inevitavelmente constituirão um desafio para a estabilidade e o funcionamento ordenado das instituições (Morison, 1953, p. 264 e 276). Os diversos delegados discutem, e eventualmente se dividem, sobre as medidas a ser tomadas no presente para enfrentar o temido futuro, mas de qualquer forma concordam com o fato de que se trata de erigir uma barreira política e institucional contra o ataque dos "muitos" e dos pobres, e tal barreira, depois de muitas discussões, finalmente identificada com os amplíssimos poderes concedidos ao Executivo e ao presidente. Se a França é chamada a construir e experimentar o novo regime político no curso de uma tempestade social já em curso, os Estados Unidos têm a vantagem de poder seguir numa situação de relativa tranquilidade, uma vez que, reprimida a revolta de Shays, trata-se de olhar para um futuro que constitui, ao contrário, o presente da França.

Aqui, a dureza do choque social se entrelaça com a complexidade das contradições políticas. Depois da Revolução de 1848, não só, como já ocorrera por ocasião do Brumário, o desafio à ordem constituída provém de duas direções contrapostas (radicalismo plebeu e agitação monárquica), mas a própria frente monárquica se apresenta, por sua vez, dividida entre adeptos dos Bourbons e dos Orléans, para não falar dos bonapartistas. Este último problema não existe na América: obrigados a fugir, os legalistas fiéis à Coroa britânica se refugiam no Canadá e até na Inglaterra (Trevelyan, 1965, p. 506), de onde não voltam, contribuindo assim, em medida considerável, para a estabilização do país de origem (Palmer, 1971, p. 212 ss.). Os poucos legalistas que ficaram nos Estados Unidos ou que para lá voltaram, ainda que "lamentem a separação" da ex-mãe pátria, resignados à situação de fato, alinham-se a favor da nova Constituição federal, que fornece sólidas garantias do "governo centralizado e eficiente" que lhes é caro (Wilson, 1918, v. 5, p. 80).

Deve-se ter presente, finalmente, a radical diversidade do contexto internacional. É o próprio Tocqueville quem observa que, enquanto os americanos, no curso da Guerra da Independência, são favorecidos pelo fato de estar "separados por 1.300 léguas marítimas dos seus inimigos", a França, ao contrário, está "exposta aos ataques da Europa inteira, sem dinheiro, sem crédito, sem aliados", estando obrigada, além disso, a enfrentar "o incêndio" que a devora por dentro. Mas em seguida, ao celebrar a Constituição federal e a democracia americana no seu conjunto, o autor liberal assim procede:

> O que é novo na história das nações é ver um grande povo que, advertido pelos seus legisladores de que as engrenagens do governo estão parando, *volta sem pressa e sem medo* o olhar para si mesmo, mede a profundidade do mal, *refreia-se por dois anos inteiros* para descobrir pacificamente o remédio. (Tocqueville, 1968, p. 138 ss.)

Deixemos de lado o tom panegírico que caracteriza esta descrição dos acontecimentos: nem mesmo uma vez é citado aquele

Shays, que, no entanto, domina o debate da Convenção da Filadélfia! Sob este ponto de vista, deve-se concordar com a tese segundo a qual a *Democracia na América* "não é tanto um estudo político quanto uma obra de edificação" (Bryce, 1901, p. 325); e, neste sentido, deve ser posta ao lado do ensaio que glorifica a revolução americana e os Pais Fundadores, escrito por Hannah Arendt, que também ignora a revolta dos camponeses e dos devedores de Massachusetts (Losurdo, 1987). Mas, voltando à França, evidente que, por causa da situação objetiva descrita por Tocqueville, ela não pode de modo algum se permitir o comportamento que sublinhei e o autor liberal considera como glória exclusiva da democracia americana, felizmente não atacada pelo vírus jacobino.

Nos anos e nas décadas subsequentes, enquanto os Estados Unidos podem perseguir no hemisfério ocidental sua missão imperial (elemento essencial do bonapartismo) sem excessivas dificuldades, espraiando-se nos territórios arrancados aos pobres peles-vermelhas e, na metade do século XIX, a um país fraco como o México, no período que vai da Revolução à Restauração a França se vê às voltas com as grandes potências europeias e mundiais e empenhada num processo de militarização que não pode deixar de se fazer sentir no plano mais diretamente político. Neste sentido podemos ler a observação de Marx segundo a qual "o Primeiro Império [...] foi o produto das guerras de coalizão da velha Europa semifeudal contra a França moderna" (Marx e Engels, 1955, v. 17, p. 336). Mas a militarização também é o resultado dos explosivos conflitos políticos e sociais internos. E aqui ainda podemos acolher uma indicação de Marx, o qual observa como o aparelho militar desenvolvido pela burguesia em função antioperária termina por engolir a sociedade no seu conjunto e a própria classe dominante: com a repressão da revolta operária de junho, o general Cavaignac (caro à burguesia liberal) exerce "a ditadura da burguesia mediante a espada", que, no entanto, termina por se transformar "na ditadura da espada sobre a,sociedade civil" (Marx e Engels, 1955, v. 7, p. 40). Obcecadas pelo perigo operário e vermelho, as classes dominantes foram levadas

> não só a atribuir ao Executivo poderes de repressão cada vez mais amplos, mas, ao mesmo tempo, a despojar sua

própria fortaleza parlamentar – a Assembleia Nacional de todos os seus meios de defesa contra o Executivo, um depois do outro. O Executivo, na pessoa de Luís Bonaparte, deixou-as do lado de fora. O fruto natural da república do "partido da ordem" foi o Segundo Império (Marx e Engels, 1955, v. 17, p. 337).

O Washington francês, primeiro buscado e individualizado na figura do general Cavaignac, termina por assumir uma configuração mais incômoda, a de Napoleão III.

Portanto, as diferenças entre América e França são evidentes mas elas não devem nos fazer esquecer os pontos de contato. A preocupação de conter as reivindicações populares e plebeias desemboca, num caso e no outro, não na reproposição do regime de notáveis e sim, indo inclusive além e fora das aspirações e das intenções subjetivas dos protagonistas dos acontecimentos, num regime político novo, no âmbito do qual o Executivo forte ou fortíssimo encontra sua legitimação numa investidura popular que se expressa mediante o plebiscito ou mediante um sufrágio eleitoral bastante amplo e, seja como for, sensivelmente mais abrangente do que no passado. Tal regime político novo se revela na América ainda mais eficiente pelo fato de que sabe associar a rapidez, a força e a unidade do centro decisório à competição e à alternância entre líderes diferentes, bem como, em condições de desenvolvimento normal, ao gozo dos direitos de liberdade por parte dos cidadãos; neste sentido, trata-se de um bonapartismo *soft*, o qual, no entanto, quando uma situação de crise o requeira ou pareça requerê-lo, pode se transformar de modo indolor num bonapartismo duro e de guerra, capaz de impor a repressão. No entanto, é só sob esta última forma que o bonapartismo faz sua aparição na França, revelando-se assim incapaz de gerar um regime estável e baseado numa sucessão ordenada e pacífica.

8. *O bonapartismo como alternativa à discriminação censitária*

Se na França Luís Napoleão reintroduz o sufrágio universal, vemos que na América todo desenvolvimento na direção do bonapartismo é acompanhado ou precedido de um debate que termina por se concluir com a derrota das tendências ou aspirações, amadurecidas nos ambientes conservadores e mais tradicionalistas por ocasião de crises mais ou menos agudas, a restringir o sufrágio ou a contê-lo o mais possível. É o que se verifica já na Convenção da Filadélfia: neste momento, a discriminação censitária está amplamente presente e, no entanto, o horror provocado nas classes altas pela revolta de Shays leva os setores de direita a pedir um novo aperto. É neste sentido que se expressa Gouverneur Morris, o qual considera que, no plano federal, os direitos políticos devam ser explicitamente limitados aos proprietários, aos *freeholders,* de modo a barrar o perigo que no futuro poderia advir para a ordem social do crescimento inevitável, mesmo em terra americana, dos "mecânicos" e do mundo turbulento da indústria e da cidade. O acolhimento desta proposta comportaria uma restrição do sufrágio pelo menos naqueles estados em que se havia verificado sua extensão além do círculo dos proprietários; e uma adicional des--emancipação de fato teria surgido do prolongamento do período de residência, sempre requerido por Gouverneur Morris, para a concessão da naturalização aos imigrados. Mas estas medidas de des-emancipação suscitariam – observam diversos delegados à Convenção da Filadélfia – um descontentamento popular, ainda mais forte – observa Franklin – pelo fato de que atingiriam até pessoas que participaram ativamente da Guerra da Independência e, certamente, não gostariam de ser privadas dos direitos políticos, mesmo tendo dado uma grande prova de patriotismo e de fidelidade à causa comum. Tudo isto tornaria difícil e problemática a aprovação da nova Constituição (Morison, 1953, p. 274-279). Deixando inalteradas as discriminações censitárias existentes no plano dos estados e demandando destes últimos a legislação relativa aos requisitos necessários para a obtenção do sufrágio, a Convenção da Filadélfia decide, finalmente, enfrentar os novos perigos evidenciados pela revolta de Shays não com medidas explícitas de des-emancipação, mas com um reforço drástico do Executivo no plano federal.

Um novo e aceso debate sobre o sufrágio caracteriza as vésperas da extensão dos direitos políticos, que se verifica com o advento de Jackson à presidência dos Estados Unidos. Alguns anos antes, em 1820, o liberal-conservador Daniel Webster declara:

Não há experimento mais perigoso do que colocar a propriedade nas mãos de uma classe e o poder político nas mãos de outra [...]. Se a propriedade não pode dispor do poder político, o poder político porá as mãos sobre a propriedade. (Schlesinger jr., 1948, p. 269)

Particularmente significativo é o fato de que, no ano seguinte, quem se pronuncia pela manutenção do nexo entre propriedade e direitos políticos, de modo a bloquear o acesso "ao santuário mais sagrado da Constituição" por parte de "uma multidão ou quadrilha violenta e desorganizadora, como os jacobinos franceses", é Van Buren, isto é, aquele que depois se torna o artífice da vitória eleitoral de Jackson (Calise, 1989, p. 89 ss.). Este, chegado à presidência, na realidade concede os direitos políticos a praticamente todos os americanos, desde que homens e brancos: mas o outro lado da medalha é o decidido passo adiante no reforço dos poderes do Executivo e do papel missionário e carismático da figura do presidente.

No curso da guerra civil que levaria à abolição da escravidão e, num primeiro momento, à extensão da cidadania política aos negros, assiste-se a uma discrepância sintomática do sistema político no Norte e no Sul: ainda que com base num texto constitucional elaborado sempre a partir do modelo legado pelos Pais Fundadores e vigente na União, o presidente da Confederação secessionista, Jefferson Davis, dispõe de poderes muito mais limitados do que seu antagonista: "Não se pode excluir que o sistema confederado se aproximaria do parlamentar, se lhe tivessem permitido durar por mais tempo" (Beyme, 1986, p. 53 ss.). A instituição da escravidão, com o controle da força de trabalho exercido pelos grandes proprietários nos lugares de produção e, na prática, sem limites legais, torna possível uma vida democrática mais rica para a classe dominante, que, mesmo assim, recorre a precauções suplementares, entre as quais, em primeiro lugar, o reforço do Executivo para controlar as classes sociais inferiores; estas se tornam "perigosas" à medida que as cadeias da escravidão se rompem ou desgastam;

Assiste-se na União do pós-guerra a uma diminuição dos poderes do Executivo e da presidência e à afirmação do "governo do Congresso", durante os anos em que, não casualmente, desenvolve-se um processo geral de des-emancipação em prejuízo não só dos negros, mas também dos imigrados e dos próprios brancos pobres. Em consonância com tais tendências está o jovem Woodrow Wilson, que, numa página de diário de 1876, cem anos depois da proclamação da independência dos Estados Unidos, anota: "Na minha opinião, a república americana não celebrará um outro centenário. Pelo menos, não com a Constituição e as leis atuais. O sufrágio universal é o fundamento de todo e qualquer mal neste país" (Wilson, 1966, p. 143). E um ensaio publicado três anos depois reitera que "o sufrágio universal é um constante elemento de fraqueza e nos expõe a muitos perigos que, de outro modo, poderiam ser evitados". Mas qual é o remédio? Setores cada vez mais amplos de opinião pública exigem uma depuração dos órgãos representativos dos "seus elementos ignorantes" (Wilson, 1966, p. 494). E esta é também a opinião expressa por Wilson numa intervenção pública de 1880 (Wilson, 1966, p. 481). Neste mesmo contexto deve se inserir a carta enviada ao futuro presidente dos Estados Unidos, em abril de 1879, pelo seu pai, Joseph Ruggles Wilson, que formula assim o dilema diante do qual o país se encontra:

> Ou uma limitação do sufrágio, ou a anarquia em 25 anos e mesmo antes. Não me refiro mais aos negros do que aos eleitores ignorantes do Norte. O verdadeiro princípio, sem dúvida, é aquele pelo qual os proprietários de um país deveriam ser seus governantes. E, portanto, é necessário em primeiro lugar introduzir requisitos de propriedade, porque, *geralmente,* propriedade e inteligência caminham *pari passu.* O estadista que conseguir um remédio eficaz e ao mesmo tempo pacífico para o sufrágio universal será o líder mais importante dos Estados Unidos (Wilson, 1966, p. 477).

À primeira vista, o autor da carta fala como Constant ou os outros expoentes do liberalismo clássico, isto é, expressa a opinião pela qual a representação política não pode deixar de ser monopólio dos proprietários. Mas nas entrelinhas surge uma preocupação nova: pode ser arriscado contestar abertamente o princípio do sufrágio universal, o qual, portanto, mais do que cancelado, deve ser esvaziado e neutralizado. A favor de tal solução fala também a experiência histórica: a lei de 31 de março de 1850, que na França des-emancipaum terço do eleitorado anterior, evita reintroduzir abertamente a discriminação censitária vetada pela Constituição e já malquista e odiada pela consciência popular; prefere, antes, basear-se nos requisitos de residência. No final do século XIX, o processo de des--emancipação se desenvolve nos Estados Unidos de modo análogo: se a exclusão dos negros é tão óbvia e pacífica que pode ser declarada mais ou menos abertamente e imposta até fora de qualquer legalidade, os imigrados se veem privados dos direitos políticos ao se tornarem "estrangeiros" e os americanos brancos pobres ao serem obrigados a passar pela humilhação das provas de alfabetização e das leis sobre o registro. Será este o "remédio eficaz e ao mesmo tempo pacífico" sugerido pela carta? Na realidade, já no ensaio de Wilson de 1879 começa a despontar uma alternativa diferente: sim, o sufrágio universal desempenha um papel nefasto, mas não é o único responsável pelos males do país; no banco dos réus deve também ser colocada a onipotência do Legislativo e a correspondente fraqueza do Executivo (Wilson, 1966, p. 494). E, assim, o político americano que começa defendendo uma restrição do sufrágio terminará por concedê-lo também às mulheres, mas no âmbito de um regime político que revela aspectos cada vez mais claramente bonapartistas (cf. infra, cap. 5, §§ 1-3).

É interessante observar a continuidade entre a ideologia com que a tradição liberal justifica excluir a multidão "criança" dos direitos políticos e os argumentos a que Wilson recorre para sublinhar a absoluta necessidade da concentração e personalização do poder: se é que é capaz de pensar, uma "classe muito numerosa de pessoas", aliás, "a maioria da nação" só o é "de forma concreta" e tendo diante de si indivíduos de carne e osso, enquanto permanece em todo caso incapaz de se alçar a "generalizações" e, portanto, de escolher entre ideias e programas políticos (Wilson, 1959, p. 57). É um tema que já vimos em Bagehot (cf. supra, cap. 2, § 2), de quem o futuro presidente americano é leitor e admirador. De Constant a Wilson, passando pelo liberal inglês da era vitoriana, o qual já aponta o Executivo forte, guiado por um líder carismático, como antídoto à extensão do sufrágio universal, a multidão continua a ser "criança"; não seria sábio e prudente lhe negar ou tirar os direitos políticos, mas convém limitar seu exercício à faculdade de escolha entre indivíduos dotados de amplíssimos poderes e que se colocam numa esfera nitidamente superior. Aquilo que, nos nossos dias, foi chamado de "presidência imperial" (Schlesinger jr., 1973 b) é a verdadeira alternativa a uma des-emancipação, que, conduzida de modo excessivamente aberto, poderia provocar reações vivas e até violentas.

9. Bonapartismo e missão imperial

Os dois generais vitoriosos que, como desfecho de um período de perturbações revolucionárias, assumem o poder na América e na França, respectivamente em 1789 e em 1799, são encarregados não só de manter a ordem interna mas também de assegurar e desenvolver o poder e a glória dos seus países no mundo. No momento de propor à aprovação popular a nova Constituição, os protagonistas do Brumário colocam sob acusação o regime anterior, em primeiro lugar por causa das "incertezas" que ele fez pesar "sobre as relações externas e na situação interna e militar da República". Por outro lado, *The Federalist* denuncia o fato de que, na falta de um forte poder central, a América "quase chegou ao último estágio da degradação nacional", não sendo capaz de recuperar "territórios" e "posições estratégicas importantes" que, apesar disso, a ela pertenceriam de direito (n. 15, 1980, p. 127). O forte poder executivo que é invocado torna-se necessário seja para "proteger a propriedade", seja para "proteger a comunidade contra ataques do exterior" (n. 70, 1980, p. 527). Deve-se ter presente que a Convenção da Filadélfia é constituída, certamente, como se viu, por "homens extremamente conservadores" mas também "muito 'nacionais'" (Nevins e Commager, 1960, p. 133). Eles se propõem, em primeiro lugar, assegurar a expansão comercial e mercantilista da nação (Wehler, 1984, p. 57 ss.). Mas como se poderá defender "nosso comércio" e "com qual direito" – pergunta-se James Wilson – "podemos esperar que se respeite nossa bandeira, se não somos capazes de disparar nem mesmo um tiro de canhão em nossa defesa?" (Adams e Adams, 1987, p. 354) A tal propósito, *The Federalist* não hesita em formular uma profecia: "Ouvimos falar muito da frota inglesa e há de vir o tempo, se formos sábios, em que a frota americana despertará a atenção" (n. 4, 1980, p. 54). Um forte poder executivo é ainda mais necessário – é o que reitera o já citado James Wilson – no caso de um país destinado a conquistar uma posição de liderança pelo menos no plano cultural (Adams e Adams, 1987, p. 355), no caso de um país – observaria Hamilton em 1795 – que é, "em embrião, um grande império" (Bairati, 1975, p. 100) e, mais precisamente, no momento da sua fundação e antes ainda de conseguir a independência, gosta de se apresentar e celebrar como "um novo império", o qual – observa em 1776 William Henry Drayton, filho de uma família de ricos fazendeiros e mais tarde delegado ao Congresso continental da Filadélfia –, "com a bênção do Senhor, promete ser o mais glorioso de todos os tempos", aquele que dá "início à época mais importante da história, não de uma nação mas do mundo" (Bairati, 1975, p. 77).

É parte integrante do bonapartismo não só a consciência imperial, mas uma consciência imperial ideologicamente transfigurada em termos de missão religiosa, moral ou política. Deste modo, o sentimento de pertencer a uma determinada comunidade é poderosamente reforçado, a atenção é desviada dos conflitos internos e a divergência marginalizada ou calada e criminalizada. Sabe-se como a Grande Revolução fez surgir ou, ligando-se a uma tradição anterior, modificou e reforçou ainda mais uma espécie de consciência missionária no país que foi seu protagonista. Carlyle ironiza os franceses, que se consideram "os 'soldados da liberdade' eleitos" e "um povo cujas baionetas são sagradas, uma espécie de Povo Messias que salva um mundo cego e recalcitrante e recolhe para si uma grande glória terrestre e até celeste" (Carlyle, 1983, p. 8). Mas, mesmo fora das suas fronteiras, a França é celebrada, por obra de liberais ou democratas entusiastas, como o país ou "o povo eleito da nova religião" da liberdade, a "combatente de vanguarda" da causa da liberdade, o país ou o povo fora do qual e contra o qual não há salvação *(nulla salus)* (Losurdo, 1983, p. 93 ss.)! Este motivo ideológico é sabiamente explorado pela propaganda bonapartista (de Napoleão I a Napoleão III), que apresenta a expansão da França, realizada ou só esperada, como uma contribuição à causa da civilização e do progresso da humanidade e que, nestes termos, convoca todos os franceses a se unirem em torno de um líder e um guia rodeado de prestígio e de glória até pela tarefa de certo modo salvadora que é chamado a realizar no plano internacional.

Um papel bem mais importante, contudo desempenha na América a consciência da missão imperial, vivida, de resto, em termos desta vez explicitamente religiosos. Já é impossível, segundo *The Federalist*, compreender o sucesso da revolução americana sem ter presente "aquela Mão divina que tão frequentemente e com tanta evidência" interveio a favor dos colonos empenhados na luta pela independência (n. 37, 1980, p. 285). John Adams não tem nenhuma dúvida de que seu país está fadado "a iluminar e emancipar em cada canto da terra a parte da humanidade reduzida à escravidão" (Laski, 1977, p. 8). Não se trata de uma voz isolada: inúmeras personalidades e autores não se cansam de repetir que a nova república, intrépida porta-bandeira da causa da liberdade, está destinada a exercer e a "estender" sua "benéfica influência sobre as nações selvagens e vítimas da escravidão e do obscurantismo" e que, portanto, a América representa o povo eleito e até a "raça eleita" *(chosen race)*, investida de um papel providencial (Weinberg, 1963, p. 18 e 39 ss.). Se a consciência da missão imperial é um elemento constitutivo do bonapartismo, como se viu em Disraeli e Bismarck, além dos dois Napoleões, é bom ter presente que tal consciência desempenha na América um papel sem igual de unificação da nação e de superação ou ocultamento das divergências políticas: Jefferson é um adversário dos federalistas e, no entanto, compartilha com eles a opinião segundo a qual os Estados Unidos, também mediante a eventual anexação de Cuba e do Canadá, estão fadados a "possuir um império para a liberdade, tal como nunca se viu da Criação até hoje" (Bairati, 1975, p. 104 ss.).

Talvez também com uma pitada de autoironia, Heine celebra a França surgida da revolução como a "nova Jerusalém" (Losurdo, 1983, p. 93 ss.); Jefferson propõe, com toda a seriedade, que o brasão dos Estados Unidos represente os filhos de Israel guiados por um feixe de luz (Weinberg, 1963, p. 18 e 39 ss.). Um autor do século XIX enuncia depois a tese segundo a qual a "raça *anglicana*" (em primeiro lugar, aquela que se implantou nos Estados Unidos) tem a tarefa de estender, como um "missionário", "os princípios e a liberdade *anglicana* em todo o globo" (Lieber, 1859, p. 21). Convém que nos detenhamos por um momento sobre o adjetivo aqui repetidamente usado – por um autor ainda hoje caro, nos Estados Unidos, a importantes círculos culturais e políticos (cf. infra, cap. 7, § 5) – e por mim sublinhado: assistimos a uma fusão plena entre raça, comunidade nacional e religião, ao surgimento de uma espécie de religião nacional, que legitima e transfigura a missão imperial e envolve numa aura declaradamente sagrada o homem chamado a guiá-la, o presidente dos Estados Unidos, que de alguma maneira vem a ser um líder político e religioso ao mesmo tempo, um líder carismático no sentido pleno do termo. Se a ideia de missão imperial contém, geralmente, um elemento religioso, ainda que secularizado, dir-se-ia, ao contrário, que ela se configura na tradição política americana como uma religião explicitamente declarada e professada.

10. O presidente dos Estados Unidos como intérprete da "missão" do seu povo

A consciência da missão que, na França, surge ou se consolida a partir de 1789 tem um limite interno precisamente no fato de que a Grande Revolução representa um momento de grave dilaceramento difícil de cicatrizar. Ainda por cima, tal consciência sofre um primeiro abalo sério em Waterloo e, depois, uma decisiva interrupção em Sedan e na derrota sofrida na guerra com a Prússia. A história dos Estados Unidos é diferente: profundamente enraizada na consciência religiosa, e até seu elemento constitutivo, a ideia de missão parece invencível e se consolida cada vez mais, à medida que, com uma marcha irresistível, a expansão imperial se desenvolve; e reforçam-se *pari passu* as tendências para um regime de bonapartismo *soft*. Trata-se de um fenômeno que podemos observar até no momento de aprovação da nova Constituição, chamada a superar as fraquezas da velha Confederação, que "não conseguia encontrar meios suficientes para fazer face às tribos indígenas" (Tocqueville, 1968, p. 138); e não casualmente o primeiro presidente dos Estados Unidos é não só um general (Washington), mas um general que investiu "um grande capital líquido [...] nas terras do Oeste", contando com sua "valorização após a constituição de um governo estável e o avanço da 'fronteira'" (Beard,

1959, p. 123). Como já vimos, elemento constitutivo do bonapartismo é a exportação do conflito (cf. supra, cap. 2, § 5), que prossegue tão mais facilmente quanto mais se faz acompanhar de uma expansão que reforça a consciência da peculiar missão do próprio país; pois bem, este entrelaçamento caracteriza de modo absolutamente singular a história dos Estados Unidos, em cujo âmbito a expansão é, desde o início, um elemento constitutivo, ainda mais facilmente suscetível de transfiguração ideológica pelo fato de que pode assumir a aparência pacífica de um progressivo avanço da "fronteira", em cumprimento de uma missão de liberdade e de civilização. Os protagonistas desta missão, aqueles que guiam tal avanço da fronteira da liberdade e da civilização, terminam por ser envolvidos numa auréola que não é só militar: "para um americano, é natural, então, que um general de sucesso, como Jackson ou Taylor, Harrison ou Grant, ascenda à Casa Branca" (Laski, 1977, p. 12).

Protagonista da primeira ampliação consistente dos poderes presidenciais é Andrew Jackson, um general que conquista o cargo máximo em 1828 graças à sua "fama militar" (Schlesinger Jr., 1948, p. 36): é um "veterano das guerras contra os índios", também elevado à "dignidade de herói nacional" por ter conseguido o único sucesso americano no curso da guerra contra a Inglaterra em 1812-1815 (Nevins e Commager, 1960, p. 175). Não é só no campo de batalha que este combatente "pela supremacia militar dos Estados Unidos" dá prova da sua energia: não hesitara em mandar enforcar "intrigantes ingleses na Flórida espanhola" e em ordenar "a execução de um soldado [americano] insubordinado de menos de vinte anos" (Davis e Donald, 1987, p. 144). Jackson é um democrata que declara querer evitar a formação de "uma aristocracia financeira contrária às liberdades do país" (Schlesinger Jr., 1948, p. 36). Mas o desenvolvimento da democracia não alcança nem os peles-vermelhas nem os negros: o presidente, que é "um rico proprietário de escravos", também se torna um herói popular e conquista um consenso de massa ao se fazer "intérprete da demanda de expansão territorial para o Oeste, entendida como meio para assegurar as oportunidades econômicas dos indivíduos" (Davis e Donald, 1987, p. 144 e 140). O conflito social potencial é canalizado e dirigido para fora, se não dos Estados Unidos, pelo menos da comunidade branca; o presidente democrata fornece até "apoio aos cidadãos da Georgia na sua campanha de extermínio do povo cherokee" (Carroll e Noble, 1991, p. 213). O novo general elevado à mais alta magistratura revela-se "o presidente mais enérgico e empreendedor desde os tempos de Washington", exerce "seu controle sobre o Congresso com um uso sem precedentes de vetos" e trata "seu ministério como comandante de um Exército", apoiando-se num grupo de conselheiros informais, que escolhe ou demite com total arbítrio. A extensão dos poderes do presidente Jackson chega a tal ponto que um adversário, Daniel Webster, ataca o "Rei Andrew" como "uma reencarnação de Luís XIV" (Davis e Donald, 1987, p. 141 e 153). Enquanto a "velha aristocracia" adverte contra o novo César, "as massas recém-admitidas aos direitos políticos e chauvinistas veem com selvagem entusiasmo o herói", o qual, assim, pode tornar "a presidência mais poderosa do que jamais fora antes" (Schlesinger Jr., 1948, p. 38 e 276).

O reforço dos poderes presidenciais se revela com particular evidência na política exterior e por ocasião das etapas mais importantes do processo expansionista. Convém aqui evocar a reconstrução de um historiador de exceção, que, elevado ao cargo máximo dos Estados Unidos, daria grande impulso, por sua vez, ao desenvolvimento da presidência imperial. Quando, em 1836, os agricultores americanos, que por décadas haviam penetrado na província do Texas, declaram a independência daquela província, abandonando as anteriores promessas de lealdade ao governo mexicano, o presidente Jackson procede a um pronto reconhecimento e toma esta decisão, suscetível de provocar uma guerra com o México e talvez também com a Inglaterra, sem consultar "nem o Congresso nem ninguém mais, exceto os amigos do próprio Texas". Depois, em 1844; ao decidir a anexação deste território, o presidente Tyler encontra a oposição do Senado (desconfiado e hostil por motivos de política interna); mas o Texas "está ligado tão vitalmente ao domínio do continente, é uma questão que tão claramente constitui o cerne dos planos no Oeste que não pode ser posto de lado por um voto do Senado". A anexação é formalmente sancionada em dezembro de 1845, e o presidente democrata Polk ordena ao general Taylor que avance para o Rio

Grande, ameaçando a cidade de Matamoros. Os mexicanos pedem a retirada das tropas americanas, obtendo uma recusa completa. Daí derivam choques de fronteira: "O México – diz o presidente ao Congresso – ultrapassou as fronteiras dos Estados Unidos [...] e derramou sangue americano no solo americano. A guerra é um fato, por causa do comportamento do México". Mas o presidente Polk, "antes de ordenar ao general Taylor o avanço para o Rio Grande, não consultou o Congresso", que, no entanto, estava reunido. Wilson comenta: "É verdade, a guerra era um fato, mas o Congresso não tinha mais a liberdade de investigar o comportamento [presidencial]" (Wilson, 1918, v. 7, p. 107,102 e 117 ss.).

Os presidentes americanos podem proceder de modo ainda mais desenvolto e arbitrário pelo fato de estar em sintonia com aquilo que um jornalista democrata, John L. O'Sullivan, define como *Manifest Destiny,* o destino manifesto que chama os Estados Unidos "a ocupar todo o continente, escolhido pela Providência para o livre desenvolvimento dos nossos milhões de habitantes que anualmente se multiplicam" (Weinberg, 1963, p. 112). Esta consciência missionária deveria entrar em crise com a Guerra de Secessão, que chama a atenção sobre a terrível realidade da escravidão. Ainda mais que Lincoln, também egresso das guerras contra os peles-vermelhas, que comportaram o massacre "impiedoso" de "homens, mulheres e crianças" (Nevins e Commager, 1960, p. 203), é bastante reticente sobre a questão dos negros. Antes de chegar à presidência, em 1858, declara não querer absolutamente conceder-lhes os direitos políticos, o acesso aos cargos públicos, e ser também contrário aos matrimônios mistos: "Há uma diferença física entre a raça branca e a negra", que impede que possam viver juntos num plano de "igualdade social e política"; então, é natural que a superioridade seja reconhecida à raça branca (Lincoln, 1953, v. 3, p. 145 ss.); mesmo depois da emancipação dos escravos, o presidente acalenta a ideia da sua deportação para a Libéria ou a América Latina (Gosset, 1965, p. 255). E, no entanto, o sangue derramado na luta para esmagar a secessão escravista é interpretado como a confirmação definitiva de que os Estados Unidos constituem efetivamente o "país favorecido" por Deus e por ele apontado para representar eternamente na terra a causa da liberdade e do "governo do povo, pelo povo e para o povo" (Lincoln, 1953, v. 4, p. 271; v. 7, p. 20 ss.).

Mesmo quando não é um general que ascende à Casa Branca, não poucas vezes é uma personalidade que pode ostentar, entre suas qualidades, méritos militares e patrióticos. Theodore Roosevelt (1968a, p. XII) evoca o exemplo de Jackson, ao celebrar nele o "gênio militar", o "general valoroso" que soube "enfrentar o Exército regular inglês, as mais formidáveis tropas combatentes do mundo (Roosevelt, 1968b, p. 349 ss.). E Roosevelt, transformado por sua vez em "herói popular por causa da coragem desesperada com que se bateu na guerra espanhola" (Hofstadter, 1960, p. 212), imprime um impulso adicional às tendências bonapartistas. Não casualmente, gosta de se vangloriar da amplíssima autonomia por ele desfrutada em política externa: "Resolvi sem consultar ninguém os problemas mais importantes, como a paz de Portsmouth, a aquisição do Panamá e o envio da frota para este ou aquele canto do mundo, pois é melhor que, nas questões de importância capital, seja somente um a decidir" (Roosevelt, 1951, v. 6, p. 1.498). O presidente é chamado a ser "um homem verdadeiramente forte", capaz de usar "sem hesitação" o poder que lhe deriva de uma "função decididamente poderosa" e que é superior à exercida pela magistratura "em qualquer outra grande república ou monarquia constitucional dos tempos modernos" (Roosevelt, 1951, v. 6, p. 1.086 e 1.136).

Com esta sua interpretação enérgica do papel de presidente, Roosevelt (1920, p. 362 ss.) declara repetidamente querer se colocar na linha Jackson-Lincoln. Mas, ao lado dos elementos de continuidade, não faltam os de novidade. O presidente agora é o "guia do povo" *(steward of the people)*, o "guia de todo o povo", autorizado a agir energicamente e a se empenhar numa "ação executiva imediata e vigorosa", sem esperar uma "autorização específica" e sem nem mesmo se deixar prender por um "ponto de vista estreitamente legalista": ele, sozinho, é o intérprete do "bem público" *(public welfare)* e do "bem-estar comum *(common well-being)* de todo o nosso povo" e está "submetido apenas ao povo" (Roosevelt, 1920, p. 361 ss., 367 e 464). Antes da Europa, a figura do "guia", comandante e condutor do próprio povo emerge nos Estados Unidos, ainda que, obviamente, no âmbito de um quadro político caracterizado pelo respeito, ao menos em condições de normalidade, a regras precisas do jogo, destinadas, ao contrário, a ser varridas em países como a Itália e a Alemanha, tanto por causa da dureza particular da Segunda Guerra dos Trinta Anos nestes países, quanto por causa da ausência, na sua história anterior, de uma enraizada tradição garantista como a americana. E, no entanto, já com Theodore Roosevelt, uma relação direta, além da mediação e do obstáculo do Legislativo, começa a se estabelecer entre o povo e seu presidente. Este último se comporta agora como intérprete solitário do "bem público", não só numa situação absolutamente excepcional, como a Guerra de Secessão, mas até na sua ação política cotidiana, a qual, de resto, está cada vez mais marcada por momentos críticos ou delicados, à medida que prossegue a marcha dos Estados Unidos para o papel de grande potência e a hegemonia mundial.

Junto com o reforço do Executivo, também a consciência da missão imperial dá um novo passo à frente. Os Estados Unidos e seu intérprete presidencial são chamados não só à manutenção da ordem e à difusão da civilização do direito no Hemisfério Ocidental (cf. infra, cap. 7, § 11), mas têm diante de si, de modo explícito e imediato, uma tarefa bem mais ampla e ambiciosa: "Obrigamo-nos a promover a civilização da humanidade e é o que estamos fazendo". É uma missão que, iniciada com a conquista do *Far West,* faz "liquidar selvagens e bárbaros" por toda parte, de modo a "levar a luz aos lugares mais tenebrosos do mundo" (Roosevelt, 1901, p. 292-294); é uma missão que se desenvolve na guerra contra a "tirania medieval" da Espanha e a "anarquia selvagem" das Filipinas, recém-conquistadas. Em última análise, trata-se de uma missão que não tem limites: os Estados Unidos devem realizar a "grande e justa tarefa" de levar a civilização para todo canto do mundo e, seja como for, estão à frente da "guerra contra a existência do mal"; eles têm o "privilégio de desempenhar um papel dirigente no século que acaba de se iniciar" (Roosevelt, 1910, p. 9,394, 26 e 287).

Woodrow Wilson, que, em 1888, havia lamentado o peso por ele considerado excessivo do Congresso e a isto havia contraposto o exemplo de países como a Inglaterra e a Alemanha, com um Executivo muito forte e uma personalização do poder em líderes carismáticos, como Gladstone e Bismarck (Wilson, 1959, p. 58), observa em seguida, na introdução de 1900 ao seu *Congressional Government,* que o "poder nitidamente ampliado" do presidente americano deve ser relacionado com o fato de que os Estados Unidos estão envolvidos "na política internacional e na administração de longínquas possessões [...]. Quando os assuntos externos desempenham um papel proeminente na política e na conduta de uma nação, o Executivo deve necessariamente ser o seu guia"; e Theodore Roosevelt está nesta posição proeminente "como nenhum outro presidente, exceto Lincoln, esteve na quarta inicial do século XIX, quando as relações internacionais da nova nação ainda deviam ser ordenadas" (Wilson, 1959, p. 22). A observação admirada que, anteriormente, Wilson havia feito sobre a Alemanha, onde a figura do "chanceler imperioso e dominante" ficava muito acima do *Reichstag,* do qual teoricamente dependia, tal observação também vale agora para os Estados Unidos e está fadada a valer em medida ainda maior no curso dos anos e das décadas subsequentes.

11. Normalidade e estado de exceção

Ao celebrar o sistema político inglês em contraposição ao americano, Bagehot censura este último pela "falta de elasticidade". Eleito por um período de quatro anos, mesmo que medíocre e anêmico, um presidente não pode ser substituído por outro, enérgico e à altura de uma dramática situação de crise que se verifique nesse meio tempo: neste sentido, o que caracteriza negativamente a Constituição dos Estados Unidos é "a impossibilidade de uma ditadura, a ausência total de uma *reserva revolucionária*", a incapacidade de enfrentar com meios de emergência uma situação de emergência (Bagehot, 1974a, p. 223 *ss.).* Absolutizando a crise provocada pelo assassinato de Lincoln e pela casual elevação ao seu cargo de um vice-presidente absolutamente desprovido de qualidades, o liberal inglês incorre num erro colossal de avaliação. Vimos, ao contrário, que a Constituição americana foi pensada tendo constantemente presente o estado de exceção e o modelo da ditadura da antiga Roma, que intervinha para enfrentar a crise sem alterar de modo definitivo o quadro institucional.

A história dos anos imediatamente subsequentes à Convenção da Filadélfia é bastante instrutiva. Dir-se-ia que os "País Fundadores" buscassem um batismo de fogo para a nova Constituição. Em 1794, uma modesta rebelião de camponeses do Oeste da Pensilvânia contra o odiado imposto sobre o uísque é a oportunidade para o governo nacional proceder a uma espetacular exibição de força, com o recrutamento de cerca de 15 mil homens da milícia: ainda "não havíamos demonstrado ao mundo – declara Washington – que sabíamos ou queríamos defender nosso governo e nossas leis". E Hamilton eleva ainda mais o tom, com a afirmação segundo a qual "não se pode falar de um governo efetivamente consolidado enquanto este não tiver mostrado sua força de modo evidente mediante a coerção militar" (Baylin e Wood, 1987, p. 346 ss.).

Alguns anos depois, por ocasião de uma crise política (uma aguda tensão com a França revolucionária, a qual goza de simpatias também na América) que certamente não põe em discussão a ordem social ou a independência do país, assiste-se a uma limitação drástica das liberdades constitucionais. O *Sedition Act* de 14 de julho de 1798 considera como delito qualquer escrito "escandaloso" ou simplesmente "malévolo" *(malicious)* em relação ao governo, a uma ou outra das Câmaras do Congresso e ao presidente dos Estados Unidos, e condena a penas de detenção não só o autor de tal escrito mas também todo aquele que o "imprimir, difundir, publicar" ou assistir a uma destas operações (Commager, 1963, v. 1, p. 177 ss.). Entre os condenados com base nesta lei, há inúmeros jornalistas jeffersonianos e até um membro do Congresso (Toinet, 1987, p. 568). É interessante ler a este respeito o comentário de Wilson, o qual, como historiador, mostra-se bastante crítico, mas mais tarde, feito presidente, iria muito além nas medidas repressivas (cf. infra, cap. 5, § 2). Mas leiamos: "O *Sedition Act* incidiu de modo perigosamente próximo das raízes da liberdade de palavra e de imprensa. Nada era dito sobre os limites de um tal exercício de poderes. Os únicos limites e garantias residiam na moderação e no bom-senso do presidente e do ministro da Justiça". Ainda mais significativos são os *Alien Acts* (25 de junho e 6 de julho de 1798), que conferem amplíssimos poderes discricionários à autoridade máxima do Estado para a detenção e a deportação não só dos estrangeiros propriamente ditos, mas também dos imigrados à espera de naturalização; os homens cidadãos ou provenientes de países considerados inimigos podem até ser deportados já a partir dos 14 anos de idade. Também neste caso pode ser útil ler o comentário de Wilson, o qual observa que, deste modo, estrangeiros e imigrados vêm a ser privados de qualquer direito, "com base na simples suspeita do presidente e 'na ausência de acusação, de júri, de debate público, sem confronto com testemunhas de acusação e sem recurso a testemunhas de defesa, na ausência de defesa e de assistência legal'" (Wilson, 1918, v. 6, p. 39 ss.). Com efeito, em nome da "salvação da sociedade" *(public safety)*, da "paz ou salvação do Estado" *(public peace or safety)* ou da "paz e salvação dos Estados Unidos" *(peace and safety of the United States)*, o presidente é autorizado a intervir duramente contra aqueles em relação aos quais tiver "razoáveis motivos de suspeitar" que possam ser perigosos para a segurança do país (Commager, 1963, v. 1, p. 176-178). Os *Alien and Sedition Acts* parecem conferir concretude à figura (evocada, dez anos antes, por *The Federalist)* do ditador da antiga Roma.

Assim, em cada momento o presidente é suscetível de se transformar em ditador. Deixemos de lado, por ora, a guerra civil. No fim do século XIX, diante da manifestação de tensões dentro da própria comunidade branca com o desenvolvimento da agitação populista e operária, vemos como a normalidade está sempre a ponto de se transformar em estado de exceção. O chefe do Executivo pode decidir ou ameaçar o envio das tropas federais por ocasião de greves consideradas lesivas aos interesses nacionais: a força militar é empregada por Cleveland para reprimir uma greve dos transportes que a imprensa da grande burguesia denuncia como um ato de "guerra contra o governo e contra a sociedade", como uma ação capaz de provocar, ou que já provocou, um estado de exceção a ser enfrentado com métodos excepcionais. O presidente protagonista destes acontecimentos aparece logo como um salvador da pátria, enquanto seu antagonista, o sindicalista Eugene V. Debs, ainda antes da sua detenção, é denunciado pela grande imprensa como um inimigo não só da pátria mas também "do gênero humano", um inimigo que, em todo caso, é preciso liquidar o mais cedo possível (Dulles, 1963, v. 2, p. 102-104). O envolvimento do líder intérprete da nação numa aura de sacralidade patriótica caminha *pari passu* com a exportação do conflito e a criminalização da dissidência, no sentido de que os dissidentes são considerados estranhos não só à América mas também à civilização e até ao gênero humano. A ação de Cleveland é julgada "excelente" por Theodore Roosevelt, o qual, por sua vez, elevado à mais alta magistratura do país, vangloria-se por ter reassegurado "a ordem em Nevada", intervindo com energia contra "a Federação dos Mineiros, [que] ameaçava trazer a anarquia", e por ter sabido vergar, ao mesmo tempo, as "grandes corporações" industriais e até a "plutocracia". O presidente que reivindica um "forte Executivo central" comporta-se como líder acima das partes, que faz valer "cada grama do poder" implícito na sua alta função para salvar a paz social, no interesse superior da nação da qual é o intérprete único e privilegiado. Mas não é difícil apreender o real conteúdo político e social daquilo que Roosevelt (1951, v. 1, p. 391, e v. 6, p. 1.087 ss. e 1.369) define como "conservadorismo progressista". O regime bonapartista ou tendencialmente bonapartista que está se constituindo pode bem efetivar algumas concessões limitadas às classes subalternas, de cima para baixo, segundo o modelo de Luís Napoleão, Disraeli ou Bismarck, mas não pode tolerar sua organização e atividade autônoma. Como se observou, "quando se tratava de greves, [Roosevelt] pensava numa única solução, a presença das tropas no lugar da controvérsia". E, com efeito, no curso da sua longa carreira política (membro da Assembleia do Estado de Nova York, chefe de polícia, governador, subsecretário da Marinha, vice-presidente e, por fim, presidente), Roosevelt proclama repetidamente o direito de o Executivo recorrer à repressão: inclusive por ocasião de agitações operárias, a ordem "será mantida a qualquer custo. Se for o caso de disparar, nós dispararemos, e não tiros de festim ou acima da cabeça das pessoas"; "gosto de ver as tropas ou a brava Guarda Nacional golpear a multidão, sem muitos escrúpulos com derramamento de sangue". Nestas declarações, não só a brutalidade é significativa mas também, e sobretudo, a consciência de como é fácil, na ordem política e constitucional americana, a passagem da normalidade ao estado de exceção:

"Tal como foi suprimida a Comuna de Paris, também podem ser suprimidos os sentimentos que agora animam uma grande parte do nosso povo, prendendo dez dos seus líderes, colocando-os [...] contra uma parede e fuzilando-os. Penso que se chegará a isto" (Hofstadter, 1960, p. 214-216).

Em cada estado, a passagem da normalidade ao estado de exceção gira em torno da figura do governador e, no plano federal, em torno da figura do presidente. Naturalmente, quando se fala do estado de exceção, não se pode deixar de pensar na Guerra de Secessão. Lincoln procede a uma mobilização geral e a uma poderosa política armamentista, suspende o *habeas corpus,* decide as detenções que considera oportunas, suprime os órgãos de imprensa hostis ou "desleais", afirma seu direito de proclamar a lei marcial na retaguarda. A introdução da conscrição no Norte provoca, em Nova York, a insurreição da massa dos imigrados pobres, sobretudo irlandeses: "Foi necessário mandar um corpo do Exército marchar contra a cidade e, depois de vários dias de terror e de incêndios, a agitação foi esmagada". Todas estas medidas extraordinárias, necessárias se se queria esmagar a secessão escravista, são tomadas "sem uma declaração de guerra por parte do Congresso". É tão fácil, para o presidente americano, o estado de exceção que num certo sentido nem há necessidade de proclamá-lo. A Bagehot, que lamenta a suposta "impossibilidade de uma ditadura" no âmbito da ordem constitucional americana, responde objetivamente o secretário de Estado de Lincoln, que, falando com o embaixador inglês, vangloria-se nestes termos:

> Posso tocar a campainha aqui à minha direita e ordenar a prisão de um cidadão de Ohio; posso tocar a campainha de novo e ordenar a prisão de um cidadão de Nova York; e nenhum poder sobre a terra, exceto o do presidente, pode soltá-los. A rainha da Inglaterra poderia fazer o mesmo? (Schlesinger Jr., 1973b, p. 58 ss.; Luraghi, 1978, p. 53).

Mas há outras considerações a ser feitas. Os adversários de Lincoln o acusam de jacobinismo pelo fato de impor "governos militares" e "tribunais militares", bem como interpretar "a palavra 'lei'" como a "vontade do presidente" e o *habeas corpus* como o "poder do presidente de mandar prender qualquer um e pelo período de tempo que lhe aprouver" (Schlesinger jr., 1973a, p. 915-921). E, com efeito, tal como os jacobinos invocam a *salut public,* Lincoln também apela à *public safety,* "às leis da necessidade, da conservação e da salvação do país", que impõem amputar um "membro" para salvar o corpo no seu todo (Schlesinger jr., 1973b, p. 58-61). Mas a comparação apreende só um aspecto, isto é, negligencia o fato de que o titular da ditadura jacobina é, pelo menos formalmente, não um indivíduo mas um comitê de salvação pública, investido pelo poder legislativo e responsável perante ele. Portanto, invertendo o juízo de Bagehot, pode-se dizer que a particular flexibilidade do sistema constitucional e político americano consiste no fato de que o presidente, já detentor de amplíssimos poderes em tempo de paz e de normalidade, é suscetível de se transformar, sem solução de continuidade e sem abalos institucionais, num ditador chamado a administrar a crise com poderes absolutos ou quase absolutos. Nas primeiras décadas de vida da Constituição americana, tal transformação se realiza através da mediação do Congresso, que, no entanto, passa cada vez mais a segundo plano. A novidade, evidenciada sobretudo pela Guerra de Secessão, reside na figura do ditador que, de algum modo, investe-se a si mesmo.

12. *Regime bonapartista, bonapartismo* soft, *bonapartismo de guerra*

Para compreender este último ponto, voltemos por um instante à guerra contra o México, que põe o Congresso diante do fato consumado, suscitando forte perplexidade em Abraham Lincoln, então obscuro deputado da Câmara dos Representantes: se o presidente está autorizado a invadir o território de um outro país, invocando a necessidade de barrar antecipadamente uma invasão, e se ele é "o único juiz" de tal suposta necessidade, isto quer dizer que, tendo a faculdade de "fazer a guerra ao seu bel-prazer", o presidente, de fato, termina por se ver na posição tradicional dos monarcas e até por exercer "a mais opressiva de todas as opressões monárquicas" (Lincoln, 1953, v. 1, p. 451 ss.). Trata-se de uma objeção que põe o dedo na ferida evocando uma pergunta clássica da filosofia política: *quis judicabit?* Mas Lincoln dá a esta pergunta uma resposta unívoca no curso da Guerra da Secessão. Quem julga é, sem dúvida, o presidente, que jurou "preservar", "proteger" e "defender" a Constituição dos Estados Unidos e o país como tal, e a quem a Constituição pede cuidar "da plena observância das leis" (art. 2, seções 1 e 3).

Estamos diante de uma reviravolta crucial: o presidente vê reconhecido seu direito de decidir, efetivamente, o início das operações bélicas, e de operações bélicas que também comportam no plano interno a drástica limitação das liberdades constitucionais, como aconteceria, por exemplo, por ocasião dos dois conflitos mundiais. Se "soberano é quem decide sobre o estado de exceção" (Schmitt, 1972, p. 33), o mais alto magistrado dos Estados Unidos é soberano duas vezes pelo fato de que, depois de ter decidido sobre ele, também é chamado a administrá-lo. Contrariamente ao que Bagehot sustentava, a passagem à ditadura é mais complicada na Inglaterra: o recurso à prerrogativa real não é possível sem o consentimento da Coroa, a qual, porém, não irá administrar o estado de exceção. Na ordem constitucional e política americana, há lugar não só para um ditador mas para um ditador que, em última análise, investe-se a si mesmo de poderes que, segundo a declaração explícita de Hamilton e de *The Federalist* (n. 23), são "ilimitados" e sem "obstáculos constitucionais". Ademais, dada a unificação da função sacerdotal-ideológica e da político-militar, nos momentos de crise mais aguda, quando parece em jogo o destino da nação americana investida de uma peculiar missão religiosa, seu líder e intérprete, o presidente-ditador, mais do que nunca vem a ser envolto numa espécie de aura sagrada que torna mais fácil o exercício dos poderes requeridos pelo estado de exceção.

Neste sentido, assiste-se nos Estados Unidos ao desenvolvimento de um regime político pelo menos tendencialmente bonapartista. Claramente, tal definição não é desmentida pelo fato da investidura popular, que, como vimos, é constitutiva do fenômeno bonapartista: o plebiscito em favor de Luís Napoleão expressa um consenso real e muito amplo e o modo como se desenrola a consulta eleitoral permite até a expressão de uma oposição, dado que, "graças à reintrodução do sufrágio secreto, cada qual tem a possibilidade de votar 'não' sem sofrer as consequências disto". Poder-se-ia objetar que o bombardeio propagandístico anulou na França qualquer possibilidade de escolha; mas a estudiosa que estou citando observa que a "campanha propagandística posta em ação se mantém dentro de limites que, em comparação com o poder dos atuais meios de propaganda, são bastante estreitos" (Geywitz, 1965, p. 248 ss.).

Mas, mesmo deixando de lado qualquer referência aos dias de hoje, sabe-se que a campanha eleitoral que, em 1896, assinalou o triunfo de McKinley e de Theodore Roosevelt (destinado a se tornar presidente e suceder ao primeiro depois do seu assassinato), foi caracterizada não só pela mobilização maciça da imprensa e pelo rio de dólares e de material propagandístico de que os vencedores puderam dispor, mas também por uma ação capilar de intimidação, que não se limitava a denunciar como "anarquista" e "louco" o candidato democrata-populista, Bryan:

Os industriais estipulavam contratos vinculados à cláusula de vitória de McKinley e se dizia aos assalariados que, em caso contrário, as fábricas seriam fechadas e suas famílias reduzidas à fome. O presidente nacional do Partido Democrata denunciou que, "quase sem exceção", as grandes empresas estavam "empenhadas num esforço comum para forçar os empregados a votar contra as próprias ideias" (Schlesinger sr., 1967, p. 230).

A definição aqui proposta de regime pelo menos tendencialmente bonapartista poderia parecer em contradição com o fato de que, nos Estados Unidos, existe escolha entre mais de um candidato e sucessão ordenada. Mas, na realidade, só se pode falar de regime à medida que se tem sucessão-ordenada, e esta, dados os pressupostos ideológicos sobre os quais repousa o regime bonapartista, só pode ser regulada pelo sufrágio universal. Na França, assiste-se à instauração de ditaduras mais ou menos bonapartistas, as quais também não conseguem se transformar em regime no sentido próprio por causa da existência de uma espécie de estado de exceção permanente. Além de saber durar no tempo, mediante a definição de regras para a sucessão, um regime político demonstra sua solidez mediante a capacidade de passar, de modo relativamente indolor, da normalidade ao estado de exceção e vice-versa. Pode ser útil, aqui, retornar a Theodore Roosevelt, grande admirador de Jackson e também de outros dois presidentes, Washington e Lincoln, além de ... Cromwell, que "não só é um dos grandes generais de todos os tempos mas também um grande estadista, que, no conjunto, realizou uma obra maravilhosa". Mas há um limite: "Fazer-se ditador não era necessário, e isto destruiu a possibilidade de tornar permanentes os efeitos desta revolução" (Roosevelt, 1951, v. 2, p. 1.327 e 1.047). É bom ter presente que a ditadura é aqui criticada pelo fato de não ser limitada no tempo: "Nos grandes dias da república romana, nenhum dano derivou da ditadura pelo fato de que, por maior que fosse o poder do ditador, ele o restituía, depois de um período de tempo relativamente breve, àqueles dos quais o havia recebido". Não devemos nos espantar, pois, com a extraordinária amplitude de prerrogativas da mais alta magistratura dos Estados Unidos: os grandes presidentes da sua história são aqueles que "não podem ser acusados de fraqueza ou timidez" e se revelaram "tão enérgicos" quanto Cromwell e Bismarck e "muito mais enérgicos do que tipos como Luís Napoleão"; o importante é que o mandato deles não dure demais; "não é bom que um Executivo forte [que é absolutamente necessário] seja um Executivo perpétuo" (Roosevelt, 1951, v. 6, p. 1.086 ss.). Eis então que Theodore Roosevelt atribui à presidência poderes amplíssimos e um direito de decisão solitária, sobretudo quanto à política exterior, mas ao mesmo tempo se dá conta de que uma tal instituição só pode se tornar permanente no âmbito de um regime capaz de assegurar uma sucessão ordenada e indolor. Assim, a realidade política americana nos coloca diante de umá espécie de bonapartismo *soft*, que, no entanto, pode se tranformar, se necessário, de modo bastante fácil, num explícito bonapartismo de guerra, para retornar novamente à normalidade uma vez que se considere superado o estado de exceção.

É um regime político que, superada brilhantemente a prova de fogo do primeiro conflito mundial, conquista uma vitória depois da outra até nossos dias. Mas, antes de analisar esta ascensão irresistível, convém determo-nos num dos seus pressupostos até agora mantido na sombra.

4. AS TROMBETAS DAS CLASSES DOMINANTES E OS SINOS DAS CLASSES SUBALTERNAS

1. *O regime representativo e os corpos armados*

No final do século XIX, Engels traça repetidamente o balanço do período histórico iniciado com a Revolução Francesa: passou a época das barricadas e dos golpes de mão populares que tinham desempenhado um papel importante até a Comuna de Paris; grande demais se tornou a precisão e a potência das armas de fogo; e insuperável é a desproporção de forças em favor do Estado e dos corpos armados de que ele dispõe. Engels, às vezes, parece atribuir esta mudança radical de situação sobretudo ao desenvolvimento da tecnologia militar: "Até 1848, podia-se fabricar sozinho, com pólvora e chumbo, a munição necessária"; agora, isto não é mais possível ou se mostra bastante problemático e, de todo modo, as eventuais, rudimentares armas populares, "até numa luta a pequena distância, não sustentam absolutamente o confronto com os fuzis de repetição do Exército", cuja capacidade de impacto pode varrer qualquer obstáculo e qualquer barricada (Marx e Engels, 1955, v. 7, p. 522). O monopólio estatal da força armada é um fato consumado: um resultado a que não é estranha a ação política da burguesia, cujo "primeiro objetivo", na França subsequente à Revolução de Fevereiro, "foi desarmar os operários" (Marx e Engels, 1955, v. 22, p. 190).

Mas talvez esta última observação possa ser radicalizada. Raramente se prestou atenção ao fato de que a história do regime representativo tem como uma etapa fundamental a restrição da esfera eleitoral que, por um certo período, também abrangeu a formação dos corpos armados e dos seus grupos dirigentes. Um dos primeiros atos da burguesia revolucionária francesa consiste na contraposição à tropa régia, controlada pelo alto e por um corpo oficial composto exclusivamente de nobres, de uma Guarda Nacional, cujos oficiais são eleitos, mas em cujo âmbito vigora a mesma discriminação censitária que vale para a vida política no seu todo. No período de radicalização máxima da revolução, o princípio eletivo, e além do mais sem a exclusão anterior dos "cidadãos passivos", também se afirma dentro do Exército propriamente dito (Soboul, 1966, p. 282 ss.; Fayard, 1989, p. 672 ss.), de modo que, neste momento, o conjunto dos corpos armados está submetido a um controle qualquer de baixo e o processo de formação dos dirigentes militares da nação não difere, em princípio, daquele dos dirigentes políticos.

É uma situação cheia de perigos para a burguesia, cuja ação sucessiva é inspirada pela preocupação de assegurar para si o monopólio da força armada. O problema em questão está bem presente na América para os delegados à Convenção da Filadélfia, que, num quadro institucional bastante diferente, podem resolvê-lo com facilidade, submetendo também à autoridade do presidente, em caso de crise, as milícias de cada estado (cf. supra, cap. 3, § 2).

2. Controle político e controle econômico dos meios de informação

Podemos nos perguntar se um processo análogo àquele que se verificou no plano militar também não teve lugar, de modo diferente e num tempo muito mais longo, em relação ao controle da imprensa e dos meios de informação. Sabe-se do papel importante de mobilização desempenhado pelos jornais no curso da revolução na França: calcula-se que, entre 1789 e 1800, foram publicados mais de 1.350 jornais (Fayard, 1989, p. 656); "na Paris de 1789 e depois novamente em 1848, sempre em Paris, todos os políticos de algum destaque fundam o próprio clube e, de cada dois políticos, um dá vida a um jornal; somente entre fevereiro e maio surgem 450 clubes e mais de 200 jornais". É um momento no qual "até os menores grupos políticos" podem dispor, cada qual, do próprio jornal (Habermas, 1977, p. 219). Dado o estágio ainda artesanal da editora e da imprensa e dados os custos relativamente baixos de produção, muito fácil se apresenta o acesso das classes populares a estes instrumentos de agitação e de mobilização. Uma estabilização do poder e da ordem social existente comporta a necessidade não só do desarmamento das classes populares mas também de um controle mais acentuado da riqueza sobre os meios de informação e de agitação política. Se o Antigo Regime havia buscado controlar a imprensa mediante a censura prévia, trata-se agora de recorrer a um instrumento diferente que deriva do entrelaçamento de política e economia.

Já nos anos da Restauração, realiza-se o monopólio proprietário da vida política quer mediante a discriminação censitária, que exclui diretamente as massas populares do exercício dos direitos políticos, quer mediante a obrigação de depositar uma garantia no momento do registro de um órgão de imprensa. É interessante observar que a lei de 9 de junho de 1819 determina o nível da garantia de acordo, não só com a periodicidade, mas também com o lugar de publicação do órgão de imprensa, impondo o depósito de uma quantia mais alta aos jornais que publicam mais de três números por semana e que vêm à luz em Paris e nos três departamentos limítrofes (Marx e Engels, 1955, v. 7, p. 623 nota). Ou seja, trata-se de golpear e calar os órgãos suscetíveis de "incitar" as massas populares e, sobretudo, as massas populares parisienses, que desempenharam um papel tão importante e tão radical no curso da Grande Revolução.

A medida que cai o controle diretamente político da imprensa e se atenuam as restrições censitárias dos direitos políticos, a instituição da garantia adquire importância cada vez maior como instrumento de exclusão das massas populares da vida política. A Revolução de Julho abole a censura mas, como corretamente se observou, isto não significa que o governo se torne "impotente diante dos jornalistas": os jornais políticos são "obrigados a depositar uma grande quantia de dinheiro a título de garantia, para poder ser publicados" (Cobban, 1967, p. 350 ss.). Depois do atentado a Luís Filipe, em julho de 1835, "as cruéis leis de setembro", além de atingir penalmente a propaganda ou a incitação ao ódio contra a ordem proprietária existente, oneram a imprensa periódica com garantias ainda mais pesadas (Marx e Engels, 1955, v. 17, p. 576, 706 nota 206, 323 e 510). Imediatamente depois da Revolução de 1848, Blanqui traça o balanço da política seguida pelos governos, primeiro, da Restauração e, depois, da Monarquia de Julho:

> Há trinta anos, é só a contrarrevolução quem fala à França. Amordaçada pelas leis fiscais, a imprensa resta na

superfície da sociedade. A educação das massas é feita só pelo ensinamento oral [da Igreja], que sempre pertenceu e ainda pertence aos inimigos da República. Sobretudo no campo, só os notáveis das facções derrotadas [com a Revolução de Fevereiro] é que atraem a atenção do povo, enquanto ficam desconhecidos os homens devotados à causa democrática. (Huard, 1991, p. 34 ss.)

Blanqui espera que, com o colapso da Monarquia de Julho, também tenha fim, ao mesmo tempo, o monopólio da imprensa e da informação que o bloco conservador conseguiu realizar graças à asfixia dos jornais populares promovida mediante o recurso às leis sobre a garantia. Mas tal instituição se torna, na realidade, ainda mais importante na nova situação que, pelo menos por um momento, sanciona o sufrágio universal masculino e, seja como for, assinala uma ampliação considerável do gozo dos direitos políticos. A burguesia no poder recorre a uma nova lei de imprensa que não só agrava as garantias, mas busca atingir "todos os textos publicados em fascículos semanais ou mensais até um determinado número de páginas" e mesmo os "folhetins", bem como todo produto jornalístico ou literário suscetível de circular entre as massas populares e de expressar, ainda que episodicamente, seus humores (Marx e Engels, 1955, v. 7, p. 100).

Como garantia suplementar do monopólio proprietário dos meios de informação, emanaram-se normas que, para cada infração às leis de imprensa, previam "sanções financeiras desmedidas". Deste modo,

> desapareceu totalmente a imprensa revolucionária. Por muito tempo, ela havia lutado contra a perseguição: semana após semana, jornais e folhetos foram postos sob acusação, multados, reprimidos. No banco dos jurados, sentava-se a burguesia, que aniquilou a imprensa operária. (Marx e Engels, 1955, v. 7, p. 496)

Este último ponto merece uma reflexão adicional. Já na época da Monarquia de Julho, "toda ofensa ao rei ou tentativa de fomentar o desprezo ao governo podiam ser punidas com uma multa de mil francos, além da detenção do diretor responsável". No entanto, "embora os jurados fossem escolhidos apenas na classe mais rica com direito de voto", eles tendiam a absolver os jornalistas acusados de tais delitos (Cobban, 1967, p. 351).

Por que, depois de 1848, os tribunais se tornam nitidamente mais severos? Não somente pelo fato de que o perigo da revolução social e da derrubada das relações de propriedade existentes pareça ter se tornado mais concreto e imediato. Há também uma outra razão que se deve ter presente. Nos anos da Monarquia de Julho, a burguesia, cujos setores mais radicais ainda estão empenhados na luta contra a aristocracia fundiária e a nobreza feudal, permanece internamente dividida, dado que uma parte continua a ser excluída do gozo dos direitos políticos, cujo acesso é barrado por uma barreira censitária bastante elevada. Ainda não se realizou a unidade das classes proprietárias e as leis de imprensa, as garantias e as multas ainda não atingem de modo unívoco os jornais populares, como aconteceria depois de 1848: eis por que, nos anos da Monarquia de Julho, os jurados podem mostrar indulgência em relação aos acusados, com os quais às vezes estão ligados por múltiplos laços de filiação social e de solidariedade política.

Depois das jornadas de fevereiro, depois daquilo que Tocqueville define com horror como uma revolução "socialista" (cf. supra, cap. 1, § 11), a administração da justiça, pelo menos no tocante aos delitos de imprensa, assume uma configuração clara e univocamente classista. Ainda depois da queda de Napoleão III, o novo governo dirigido por Thiers introduz um imposto "de dois centavos sobre cada exemplar de qualquer publicação", o que leva Marx a denunciar a infeliz continuidade com as leis de setembro de 1835 que já tinham visto Thiers como protagonista (Marx e Engels, 1955, v. 17, p. 328 e 323). Que a instituição da garantia fosse um novo modo de reintroduzir a discriminação censitária em regime de sufrágio universal ou de sufrágio ampliado não escapa aos observadores políticos mais atentos daqueles anos. Vimos Marx lamentar o golpe mortal desferido contra a "imprensa operária": No lado oposto, vemos um lúcido conservador alemão, Stahl, computar o "censo para a representação" e a "garantia para a imprensa" entre os "privilégios político-jurídicos em favor dos ricos", a que a burguesia, organizada no "partido liberal", recorre para "dominar a vida pública [...], completar e consolidar a própria satisfação material com a política", mantendo o controle sobre "a classe daqueles que são destituídos de propriedade" (Stahl, 1863, p. 72 ss.).

3. O pároco, o jornal, o partido

Neste ponto, pode ser útil fazer referência a um texto muito célebre da *Ideologia alemã*:

As ideias da classe dominante são, em cada época, as ideias dominantes; isto é, a classe que é a potência material dominante é ao mesmo tempo sua potência espiritual dominante. Com isto, a classe que detém os meios da produção material dispõe, ao mesmo tempo, dos meios da produção intelectual, de modo que a ela, no conjunto, estão submetidas as ideias daqueles a quem faltam os meios da produção intelectual. (Marx e Engels, 1955, v. 3, p. 46)

No curso da revolução burguesa, à divisão das classes proprietárias e da "potência material" corresponde a divisão da "potência espiritual". Nesta fase, o jornal desempenha um papel eminentemente subversivo; ele representa o instrumento com que o terceiro estado, no seu todo, pode se contrapor ao Antigo Regime, o qual pode contar com a organização e a influência ideológica capilares da Igreja. É neste sentido que, às vésperas de julho de 1830, isto é, do levante que derrubaria, desta vez de modo definitivo, a monarquia bourbonista, depois de ter sublinhado o "medo" que até mesmo a "proximidade dos jornais de Paris" incute nos "tiranetes", Stendhal se pergunta: "Será que o jornal poderá substituir o pároco?" (Stendhal, 1980, p. 237 e 200). Neste mesmo sentido deve ser lido o aforismo de Hegel, que remonta a mais de duas décadas antes: "A leitura do jornal pela manhã é uma espécie de oração matutina realista. Pode-se orientar o próprio comportamento no mundo segundo Deus, ou segundo aquilo que existe no mundo. Ambos os modos dão a mesma segurança, a de saber como se pode estar no mundo" (Hegel, 1969, v. 2, p. 547).

Neste momento, dois são os instrumentos de formação da consciência e da opinião pública, e eles remetem a classes e a blocos sociais diferentes e contrapostos. A última vez em que o jornal e o pároco se enfrentam à frente de duas formações contrapostas é por ocasião da ascensão de Luís Napoleão à presidência e, depois, ao posto de ditador; este pode se valer do apoio e da amplíssima influência da Igreja para neutralizar a imprensa e liquidar a frágil e pretensiosa resistência da burguesia liberal, a qual, de resto, já tinha feito calar, por ocasião das jornadas de junho, os jornais e os clubes das classes populares.

Com a estabilização liberal do Segundo Império e ainda mais, em seguida, com a Terceira República, assiste-se à unificação substancial das classes proprietárias, com a convergência dos respectivos instrumentos de formação da opinião pública para um objetivo comum, isto é, a consolidação da ordem social existente. E, no entanto, as classes proprietárias não chegam a conseguir um total monopólio dos meios de informação: ainda que novamente limitada, uma imprensa subversiva continua a fazer sentir sua presença. Deve-se ter presente que, já durante a Grande Revolução, o jornal foi certamente o instrumento do terceiro estado, mas de um terceiro estado atravessado por agudas contradições e dentro do qual o peso das camadas populares, por causa das formas concretas do processo de produção material e espiritual e da consequente facilidade de acesso aos meios de informação, revela-se excessivo e perigoso para a burguesia. Compreende-se, então, a denúncia que, ainda antes da Revolução de 1848, Comte faz dos "jornais" como um dos maiores veículos de difusão do "contágio metafísico" e revolucionário "entre as classes inferiores" (Comte, 1985, p. 111).

A tese da *Ideologia alemã* incide, pois, no início do processo de concentração nas mãos da burguesia dos meios de informação, ou seja, é formulada num momento em que só parcialmente se mostra verdadeira pelo fato de que o controle pleno da produção material ainda não comporta, automaticamente, o controle pleno da produção espiritual. Com efeito, são os anos nos quais a burguesia é forçada a recorrer, como vimos, a instrumentos políticos suplementares (imposição legal de taxas onerosas e garantias para a publicação de órgãos de imprensa), com o objetivo de reduzir ao máximo ou cancelar inteiramente a influência ideológica das classes subalternas. Além disso, neste caso como em outros análogos, ao enunciar uma tendência fundamental da sociedade burguesa, Marx sugere os comportamentos e os métodos com que as classes subalternas podem contrariá-la, isto é, estimula o movimento histórico real que tende a falsificar a tese por ele mesmo enunciada. Organizado e sustentado pelo entusiasmo e pelo espírito de abnegação próprios de camadas sociais que, deste modo, esperam conseguir a própria emancipação, o partido político de base social popular e operária compromete e coloca em discussão o monopólio burguês e proprietário dos meios de informação. Este partido político se configura como um meio, e um meio poderoso, de produção espiritual, com seus jornais, seus intelectuais e funcionários capazes de exercer uma capilar influência ideológica e política. É por isto que Engels, em 1882, tece o elogio dos operários social-democratas, que "se prepararam para ler mais copiosa e metodicamente os jornais" (Marx e Engels, 1955, v. 19, p. 186). No lado oposto, Treitschke denuncia a influência nefasta que, "mediante a exibição de força dos seus jornais", consegue exercer sobre as massas a socialdemocracia, cujos funcionários e cuja "burocracia" só podem proliferar graças aos "proventos da venda dos jornais" *(Zeitungseinnahme)* (Treitschke, 1878, p. 6 ss.). São os anos nos quais a publicística conservadora acusa os adeptos da "revolução social" de se servirem desabusadamente dos "meios da cultura moderna" e dos "jornais" (Luthardt, 1967, p. 157 ss.), os anos nos quais Bismarck chega a apontar os jornais como os "instrumentos do Anticristo" (Croce, 1965, p. 219), presumivelmente tomando como alvo, de modo particular, a imprensa social-democrata e de oposição.

Neste período histórico, o filósofo e o poeta de tal demonização da imprensa política e partidária é Nietzsche, que lamenta o fato de que "o jornal substitui as orações cotidianas" (Nietzsche, 1980, v. 13, p. 123, e v. 11, p. 68 ss.). Trata-se da mesma contraposição já vista em Stendhal e em Hegel, mas que agora conhece uma inversão do juízo de valor: num momento em que a pregação do pároco também volta a ser mais útil do que nunca contra a agitação operária e social-democrata, o filósofo do Anticristo observa, desapontado, a dissolução da obtusa e desvertebrada tranquilidade das massas à sombra do campanário e sua substituição pelo "jornal", com o qual caminha *pari passu* o "fazer política" (Nietzsche, 1981 b, aforismo 239) ou até mesmo o *furor politicus,* que é o resultado da leitura cotidiana dos jornais (Nietzsche, 1980, v. 1, p. 409). Talvez como pano de fundo também haja a vaga lembrança da experiência da Revolução de 1848 (que Nietzsche descreve em tons sombrios na sua autobiografia), quando cotidianos, periódicos e boletins de partido nasciam como cogumelos até em Naumburg (onde então se encontrava a família do filósofo), para ser diariamente devorados por leitores tomados de paixão política e desejosos de saber e influir sobre os acontecimentos (Losurdo, 1986, p. 134).

O certo é que, depois da reviravolta representada por aquele ano traumático para toda a cultura conservadora europeia, reencontramos na Itália o tema já visto num filósofo tão radicalmente anticristão, como é Nietzsche, num autor como Vincenzo Gioberti (1911-1912, v. 1, p. 116), que também expressa a convicção de que "a imprensa e os jornais", difundindo-se no "povo", contribuem poderosamente para "aumentar o sentimento dos seus males e o desejo de se livrarem deles". Um ano antes do filósofo católico liberal, a própria *Civiltà Cattolica* é que tinha invectivado, em 1850, contra o "jornalismo", e a invectivar apontando o dedo acusador explicitamente contra a "França revolucionária", o país dos tumultos políticos incessantes, onde o jornalismo se revelou mais claramente do que nunca o "instrumento de perpétua agitação entre os povos" (Lerda, 1976, p. 233) e onde, por fim, também fez sua aparição o espectro do socialismo.

Para Nietzsche, o jornal é o símbolo da massificação do mundo moderno e de tudo o que o filósofo da "inatualidade" condena no mundo moderno, mas, em primeiro lugar, é o instrumento e a expressão da revolta das massas. A condenação do jornal é a outra face da celebração do torpor das camadas populares, da celebração do caráter benéfico do ópio ideológico. É uma coisa só, no filósofo alemão, a polêmica contra o jornal, o movimento operário, o sufrágio universal, o advento das massas ao cenário da política e da história e a vulgarização do mundo. Um fragmento póstumo aponta o "parlamentarismo" e a "imprensa" *(Zeitungswesen)* como "os meios com os quais o animal do rebanho se torna senhor" (Nietzsche, 1980, v. 11, p. 480), e um trecho de *Além do bem e do mal* (Nietzsche, 1981 b, aforismo 208) evoca em tons sombrios um futuro no âmbito do qual o despotismo da massa é evidenciado pela "obrigação de cada qual ler o próprio jornal como café da manhã". E resta o fato de que, também em Nietzsche, o libelo contra o elemento de vulgaridade e de perigo representado pela imprensa ocorre tendo presente, em primeiro lugar, o espectro do socialismo, a temida tomada do poder por parte do "animal do rebanho".

4. Jornais, partidos organizados e classes subalternas

Por isto, a denúncia do jornal é acompanhada pela denúncia do partido, uma instituição por si mesma marcada pelo "caráter demagógico", pela "intenção de agir sobre as massas" (Nietzsche, 1970, I, aforismo 438), com o resultado objetivo ou conscientemente buscado de pôr em crise e em discussão sua subalternidade e passividade tradicional. O partido aqui posto no banco dos réus não é tanto o partido de opinião da burguesia liberal, quanto, em primeiro lugar, o partido social-democrata, que busca organizar as massas; não casualmente, o filósofo adverte os operários para não dar ouvidos "ao pífaro dos socialistas enganadores", ou seja, "ao jornal" (Nietzsche, 1981a, aforismo 206), que também é condenado como parte integrante da "cultura da grande cidade" (Nietzsche, 1980, v. 13, p. 93), onde mais evidente e espantoso se apresenta o fenômeno da revolta das massas e do declínio das elites. No seu lúcido ódio reacionário, Nietzsche identifica com clareza o caráter socialmente, mais ainda do que politicamente, subversivo do jornal e do partido operário, o qual, à medida que se organiza autonomamente, representa o surgimento ameaçador de camadas sociais até aquele momento incapazes de desempenhar um papel político real. Na linguagem de Marx, servindo como centro autônomo de produção intelectual e espiritual, um partido desse tipo compromete ou rompe o monopólio proprietário de tal produção.

Neste ponto, convém retornar ao balanço histórico traçado por Engels: no período que vai até 1848 ou, no máximo, até 1871, dada a relativa facilidade com que os civis e as massas podem ter acesso às armas, um potencial dualismo de poderes, no plano militar, caracteriza a relação entre Estado burguês, por um lado, e classes subalternas, por outro. A repressão das jornadas de junho, antes, e da Comuna, depois, liquida esta situação de uma vez por todas. Para o partido operário, é o momento de se despedir do romantismo das barricadas, sem demora e mesmo sem lamento, ainda mais que, na nova situação objetiva que veio a se criar, novos instrumentos de luta apareceram, e não menos eficazes do que os antigos. Em primeiro lugar, o sufrágio universal, do qual a socialdemocracia alemã – Engels sublinha – sabe fazer um uso sábio, que bem pode ser tomado como modelo pelos outros partidos operários. O partido que opera na Alemanha é o "mais forte, o mais disciplinado"; sabe se empenhar num paciente, "lento trabalho de propaganda" e de conquista das massas, graças à sua "imprensa" e à utilização como "tribuna" do próprio Parlamento (Marx e Engels, 1955, v. 7, p. 519, 524 e 520).

Mas de que modo o sufrágio universal pode funcionar como instrumento de emancipação e não de aclamação plebiscitária de um governo bonapartista, como tinha ocorrido na França de Luís Napoleão e como contava fazer, na Alemanha, o próprio Bismarck, o qual, para a eleição do *Reichstag*, tinha introduzido o sufrágio universal como "único meio de atrair as massas para seus planos" e de obter a ambicionada legitimação cesarista? A questão é tocada apenas incidentalmente e, no entanto, apesar de tal limite, Engels esclarece que a social-democracia alemã pode neutralizar as manobras bonapartistas à medida que consegue, graças também à sua organização e à sua imprensa, "obrigar todos os partidos a defender dos nossos ataques, diante de todo o povo, seu modo de ver e de agir" (Marx e Engels, 1955, v. 7, p. 519 ss.). Isto é, numa situação de dualismo ou pluralismo dos centros de produção intelectual e espiritual, toda eleição se transforma num grande debate político nacional, no qual, pela ausência de um monopólio dos meios de informação, o povo é posto em condições de julgar com conhecimento de causa.

Existe, pois, um período histórico no qual, por assim dizer, os sinos das camadas populares se contrapõem às trombetas da burguesia e das classes proprietárias. O domínio da burguesia não estará suficientemente sólido e garantido enquanto o monopólio da força armada não estiver completado pelo monopólio da produção espiritual, isto é, pela supressão seja dos meios de informação, seja dos partidos que, por causa da sua organização e da sua relação com classes sociais antagônicas em relação às dominantes, se configuram, ou são suscetíveis de se configurar, em situações de crise, como uma alternativa de poder. Quanto ao primeiro ponto, a burguesia é favorecida pela objetividade do desenvolvimento econômico e industrial. Tocqueville descreve o espetáculo fascinante da liberdade de imprensa na América, onde "não há licenças para tipógrafos, carimbos ou registros para jornais, e o princípio da garantia é desconhecido". Mesmo esta contraposição à prática de controles e tributos governamentais na velha Europa, inclusive no país liberal originado da Monarquia de Julho, não é destituída de elementos estereotipados: enquanto na França o poder deve enfrentar uma viva e combativa imprensa oposicionista popular e até operária, nascida no rastro da Grande Revolução e, mais exatamente, de um processo revolucionário que não dá sinais de exaustão, na América o controle social e político das "classes perigosas" está assegurado, em primeiro lugar, pela instituição da escravidão. E não se deve esquecer que, num momento de crise, como aquela de 1798, até mesmo do outro lado do Atlântico o poder não tinha hesitado em intervir rudemente para amordaçar a imprensa (cf. supra, cap. 3, § 11). Mas Tocqueville assim prossegue:

> Daí deriva que a criação de um jornal é um empreendimento simples e fácil; poucos assinantes bastam ao jornalista para cobrir as despesas: assim, o número das publicações periódicas ou semiperiódicas, nos Estados Unidos, ultrapassa qualquer imaginação. Os americanos mais ilustres atribuem o escasso poder da imprensa a esta incrível dispersão das suas forças [...].
>
> Nos Estados Unidos, portanto, os jornais não podem estabelecer as grandes correntes de opinião, que erguem ou rompem as barreiras mais poderosas. Este fracionamento das forças da imprensa ainda produz outros efeitos não menos relevantes; como a criação de um jornal é coisa fácil, todos podem se ocupar disto; por outro lado, a concorrência faz com que um jornal não possa prometer grandes lucros; o que impede que indivíduos de alta capacidade industrial se interessem por este tipo de empreendimento. (Tocqueville, 1968, p. 221 ss.)

Basta dizer que este quadro não corresponde mais, de modo algum, à realidade atual, caracterizada por um gigantesco processo de concentração, que, de fato, assegura o monopólio da grande burguesia sobre a imprensa e mais ainda sobre os *mass-media*, que requerem capitais e investimentos ainda mais elevados. Suprimindo ou contribuindo para suprimir decisivamente a imprensa operária e popular, o desenvolvimento econômico e tecnológico tornou obsoletos e supérfluos os meios políticos suplementares de coerção e condicionamento da liberdade de imprensa, que agora, inclusive na

Europa, em períodos de normalidade, deve ser considerada completa no plano jurídico. No entanto, seria errado crer que a situação atual, caracterizada pela dispersão dos sinos das classes subalternas e pelo domínio incontrastado das é a da vez mais desmedidamente poderosas trombetas da classe que, para citar Marx, controla "os meios de produção material", seja o resultado exclusivo de um processo meramente econômico.

5. Partidos, sindicatos e individualismo repressivo

Na realidade, o desenvolvimento da imprensa operária e popular no século XIX não pode ser separado da história do processo de organização política e sindical das classes subalternas nem da história da reação das classes dominantes a tal processo. A evolução que se verifica nos Estados Unidos é particularmente instrutiva a este respeito. Em 1885,

> a imprensa operária *(labor press)* compreende 17 publicações mensais, 400 semanais e alguns jornais diários (entre os quais, o socialista *Volkszeitung* e o *Irish World and American Industrial Liberator)*. Malgrado as tentativas do patronato, que se esforça de todas as maneiras, e sobretudo mediante a demissão dos operários surpreendidos na sua leitura, para limitar sua influência, esta não é desprezível. Ela se devia, em particular, às bibliotecas e salas de leitura então abertas por sindicatos e movimentos ou círculos políticos: os operários estão a par dos debates contemporâneos. (Toinet, 1988, p. 290)

Mas, junto com as organizações políticas que a sustentam ou das quais é a expressão, esta imprensa se torna o alvo e a vítima da reação conservadora que se desenvolve no final do século XIX e desemboca num processo de des-emancipação. E, assim, é uma precisa ação política, e não só a objetividade do processo econômico, que determina o desaparecimento dos jornais partidários e sindicais, que permitem às classes subalternas expressarem-se autonomamente, pelo menos numa certa medida, e agora, ao contrário, são suplantados por uma imprensa que se jacta de ser independente mas é controlada pela grande propriedade (Burnham, 1970, p. 76). São os anos em que, como sabemos, o princípio do sufrágio universal é posto no banco dos réus, culpado de escancarar os órgãos representativos às camadas miseráveis e carentes de cultura, enterrando o "governo dos melhores" e estabelecendo o domínio da plebe ignorante e, pior, dos imigrados. E, como instrumento desta espécie de nova invasão bárbara, são denunciados a imprensa de partido, à qual se contrapõe aquela "independente", e os próprios partidos, cuja supressão pura e simples alguns chegam a pedir (Testi, 1991, p. 59 e 62; Testi, 1984, p. 40 ss.).

Nos próprios autores europeus que, a partir da experiência dos Estados Unidos, sistematizam a crítica conservadora ao sistema de partidos, é possível perceber o eco da atitude, amplamente difundida nas classes altas americanas, de hostilidade em relação à extensão dos direitos políticos (fonte de desastres ou, pelo menos, de "resultados infelizes") aos "negros do Sul" ou aos "imigrados das grandes cidades" (Bryce, 1888, v. 3, p. 357 e 674). Mesmo quando não se chega até este ponto, é significativo o fato de que, na denúncia dos partidos empenhados em "manter e desenvolver a opressão do número" (Ostrogorski, 1991, p. 621), ressurgem, em última análise, os argumentos clássicos da polêmica contra o sufrágio universal e a democracia.

Num período em que no Sul, mesmo antes da emanação de leis que sancionam sua des-emancipação, os negros são privados pelos brancos dos direitos políticos com "a força e a fraude" (Bryce, 1888, v. 2, p. 364); num período em que as associações sindicais são levadas, como veremos, à ilegalidade ou às margens da legalidade, o Exército federal intervém para suprimir as greves e os operários pegos a ler a imprensa sindical e partidária correm o risco da demissão e, com isto, de uma condenação definitiva ao desemprego e à miséria mais negra, dado o uso das "listas negras" pelo patronato para manter "distantes do trabalho muitos 'agitadores'" (Nevins e Commager, 1960, p. 312); neste mesmo período, a publicística conservadora, na América e na Europa, denuncia o partido organizado como "escola de submissão servil" e instrumento de intimidação que reprime e pisoteia o "indivíduo" (Ostrogorski, 1991, p. 625 e 621); isto é, de fato a publicística conservadora coloca indiscriminadamente no banco dos réus as únicas possíveis forças capazes de opor uma resistência organizada à violência das classes e do poder dominante. A denúncia do partido como "máquina" se concentra na figura odiosa do *boss* e, no entanto, a outra face da medalha surge objetiva e involuntariamente quando se observa que os negros, forçados a sofrer os abusos dos brancos, começam a se resignar à sua sorte até porque "vão perdendo a confiança nos seus antigos *bosses*", os quais, com efeito, batem em retirada no Sul, deixando o campo livre para uma sociedade civil e um poder que não necessitam de partidos para afirmar o domínio incontrastado de uma "raça superior" (Bryce, 1888, v. 2, p. 450 ss. e 364).

Mesmo deixando de lado os negros, fica claro quem são efetivamente os alvos concretos da campanha contra os partidos a partir do dedo acusador apontado contra os militantes que "assistem, impassíveis, às desordens na vida pública, porque estas desordens estão cobertas pela bandeira do seu partido" (Ostrogorski, 1991, p. 617): são visadas, claramente, as organizações políticas, sindicais, sociais em sentido amplo, das classes subalternas, as quais, para poder opor um mínimo de resistência a governo e patronato, são obrigadas a apelar à coesão e também ao espírito de solidariedade dos seus membros (aos quais, às vezes, fornecem instrução e educação política) e, portanto, são condenadas como uma espécie de "Igreja que provê a todas as necessidades espirituais do homem" (Ostrogorski, 1991, p. 609). Além disso, trata-se de uma Igreja que confunde perigosamente as ideias dos seus fiéis:

> A visão intelectual e a faculdade de atenção do homem médio são muito limitadas, não lhe é possível exercê-las num amplo horizonte ou numa perspectiva pontilhada de múltiplos aspectos; ele pode seguir unicamente a ação limitada a um campo restrito, como o do município, ou mais amplo, mas que tenha sempre somente um único objetivo claro a todos os olhares. Uma vez superados estes limites, sua visão se confunde, sua atenção se dissipa e cansa, e, se ele continua a seguir a direção indicada, o faz de maneira inteiramente passiva. Assim, os membros de um grupo político que buscam objetivos múltiplos são simples unidades justapostas (Ostrogorski, 1991, p. 611 ss.).

Surge aqui o tema clássico da multidão "criança", que o partido organizado pretende elevar à vida política consciente, mas deste modo transforma numa massa de manobra e num exército de soldados habituados a uma obediência cega. Neste sentido, um tal partido, baseado na "cooperação passiva" e no "espírito de corpo", impede "a emancipação do indivíduo" (Ostrogorski, 1991, p. 612 e 609).

É possível traçar uma história social da forma partido. O partido político organizado nasce no rastro do movimento de reivindicação de emancipação por parte das classes subalternas. Estas é que têm necessidade de uma organização o mais possível ramificada e capilar, não as classes que têm à disposição o aparelho estatal e governativo e a riqueza, além da influência social que deriva imediatamente de tudo isto. Eis por que, durante todo um período histórico, contrapõe-se o partido operário ou popular *organizado* ao partido burguês *de opinião*. Vimos Bagehot refletir sobre as técnicas capazes de impedir a organização em classe das "criaturas miseráveis", satisfeitas com a própria sorte porque induzidas a uma atitude de submissão filial pelo carisma de uma rainha que só é rainha "pela graça de Deus" ou porque seduzidas pelo "vago sonho de glória" agitado pelos líderes chauvinistas (cf. supra, cap. 2, §§ 2,e 5). As classes subalternas é que devem recorrer a esforços organizados e prolongados para elaborar uma cultura e uma visão política autônomas, para "constituir o próprio grupo de intelectuais independentes" e para constituí-lo no curso de um processo que frequentemente é interrompido "pela iniciativa [política e ideológica] dos grupos dominantes" (Gramsci, 1975, p. l.858 e 2.283). Eis por que, durante todo um período histórico, ao partido burguês, pelo menos aparentemente desideologizado, contrapõe-se um partido operário ou popular, que busca realizar internamente um grau mais ou menos alto de coesão, inclusive ideológica. Um partido deste tipo constitui um forte centro de autônoma produção espiritual. Em determinadas circunstâncias, sobretudo em situações de crise aguda, as classes dominantes também tentaram se colocar neste mesmo terreno, superando a forma partido meramente de opinião. Mas é claro que, do seu ponto de vista, a solução ideal consiste no desaparecimento de partidos que se proponham como alternativa, no plano organizativo e ideológico, ao seu sistema de poder.

  Tais partidos representam o surgimento na cena política de classes sociais anteriormente consideradas como um conjunto de "instrumentos de trabalho" ou "máquinas bípedes", que agora começam a reivindicar o reconhecimento da sua dignidade de homens e indivíduos. E, no entanto, do ponto de vista de Ostrogorski, os partidos que organizam estas classes subalternas cometem o erro de pisotear o individualismo. Se olharmos bem, com argumentos não diferentes daqueles depois usados pela publicística conservadora contra os partidos, sobretudo operários, a Lei Le Chapelier vetava na França, em 1791, as coalizões operárias, que, com sua pretensão de adotar uma estrutura organizativa para defender "supostos interesses comuns", pisoteavam a liberdade de trabalho do indivíduo. E é em nome deste individualismo repressivo que por longo tempo se golpeia e reprime o nascente movimento sindical. Ainda depois da Revolução de Julho, por ocasião de uma agitação de protesto contra o trabalho por peça, as autoridades da França liberal intimam: "Se os operários de Paris querem apresentar reclamações fundamentadas, estas devem ser apresentadas às autoridades individualmente e de forma regular", sem afetar "o princípio da liberdade de indústria" e da "liberdade de trabalho" (Sewell jr., 1987, p. 336). E tal individualismo repressivo também está bem vivo na América dos anos em que se desenvolve a campanha contra os partidos organizados, dado que o *Sherman Antitrust Act* (1890) é "aplicado, antes de mais nada e com muita eficácia, contra os operários" (Nevins e Commager, 1960, p. 311), culpados, evidentemente, de se reunirem em "monopólios" sindicais, pouco respeitosos da iniciativa e da liberdade individual.

Adam Smith também era contrário às coalizões de qualquer espécie sempre em nome do mercado e das razões do indivíduo, mas ele, pelo menos, reconhecia honestamente que a proibição, ainda que formulada em termos gerais, terminaria por golpear numa só direção:

> Os patrões, sendo em número menor, podem entrar em coalizão mais facilmente [...]. Os patrões estão sempre e por toda parte numa espécie de coalizão tácita voltada para impedir o aumento dos salários acima do seu nível atual [...] ou às vezes para abaixar ainda mais o nível dos salários. (Smith, 1977, p. 62 e 67)

E, obviamente, a dissolução ou o drástico cerceamento dos partidos políticos organizados também terminam por agir no mesmo sentido da proibição das coalizões.

A campanha conservadora que se desenvolve na América e na Europa no fim do século XIX formula, às vezes, a tese pela qual, "eliminando os partidos rígidos, os partidos permanentes que têm por fim o poder", permitir-se-ia que "as opiniões se manifestassem com mais liberdade e se afirmassem com mais sinceridade" (Ostrogorski, 1991, p. 632 e 634). Ocorre exatamente o contrário: o enfraquecimento ou a dissolução dos partidos organizados consagram o monopólio dos meios de produção espiritual nas mãos de um pequeno círculo privilegiado que não encontra mais nenhuma resistência organizada à sua obra de manipulação. Às vezes, os críticos conservadores do final do século XIX se declaram convencidos de que, enfraquecendo-se os partidos, o nível do debate público se elevaria: "Haverá uma tentação menor de usar aqueles métodos sensacionais que apelam às emoções e aos sentidos" (Ostrogorski, 1991, p. 634 ss.). Verifica-se, em vez disso, uma assustadora queda no nível do debate político e a atomização da massa cria os pressupostos do triunfo do bonapartismo, baseado na relação, mais desigual do que nunca, que vê, por um lado, o líder, que pode apelar aos meios de comunicação mais poderosos e às técnicas mais refinadas de persuasão oculta e de manipulação, e, por outro, uma multidão agora verdadeiramente "criança", porque cada vez mais destituída de toda e qualquer organização e expressão autônoma.

A denúncia que Bryce e Ostrogorski fazem dos partidos e dos sindicatos sufocadores da livre individualidade é contemporânea do libelo dirigido por Le Bon contra "a era das multidões", que, afinal, é a era dos sindicatos e dos partidos mais ou menos socialistas:

> O poder da multidão nasceu, primeiramente, com a propagação de certas ideias que se enraizavam lentamente nos espíritos; em seguida, graças à associação gradual dos indivíduos que permitiu a realização de conceitos até então teóricos. O fato de se associar permitiu às multidões ter uma ideia, se não muito correta, pelo menos muito precisa dos próprios interesses, e tomar consciência da própria força. As multidões formam os sindicatos diante dos quais todos os poderes capitulam, criam as câmaras do trabalho que, a despeito das leis econômicas, tendem a regular as condições do emprego e do salário. Enviam às assembleias

de governo seus representantes desprovidos de qualquer iniciativa, de qualquer independência, e reduzidos, na maioria dos casos, somente à condição de porta-vozes dos comitês que os elegeram. (Le Bon, 1980, p. 33 ss.)

Portanto, as multidões são as classes subalternas que se organizam autonomamente em partidos e sindicatos, cuja força deve ser suprimida para que os indivíduos assim atomizados sejam entregues ao fascínio do César, que agora os pode subjugar mediante os instrumentos fornecidos pela publicidade comercial (cf. supra, cap. 2, § 6).

5. O BATISMO DE FOGO DO REGIME BONAPARTISTA

1. Itália e Estados Unidos: como impor a guerra à multidão "criança"

A Primeira Guerra Mundial dá impulso à marcha do bonapartismo. Vimos Theodore Roosevelt vangloriar-se do caráter absolutamente solitário das suas decisões em política externa, inclusive as que comportam um envolvimento militar dos Estados Unidos no exterior (cf. supra, cap. 3, § 10). Mas Wilson, democrata, está de acordo: "Nas questões externas é precisamente a autonomia de que o presidente dispõe, sem limites, que lhe permite um controle virtualmente total das operações" (Carroll e Noble, 1991, p. 335). E é nesta filosofia que se inspira a atitude de Wilson assumida no curso da Primeira Guerra Mundial, da declaração inicial de neutralidade até a decisão de intervir. Neste ponto, pode ser útil estabelecer uma comparação entre Itália e Estados Unidos, dois países que, não tendo sido imediatamente arrastados para o conflito e preparando-se para dele participar num momento em que o entusiasmo de massa do verão de 1914 se atenuou amplamente, são forçados a superar uma ampla resistência da opinião pública e sobretudo das classes populares, que já tinham apreendido todo o horror da gigantesca carnificina em curso.

Na Itália, como se sabe, para dobrar a maioria neutralista existente no Parlamento e mais ainda no país, é preciso uma espécie de golpe de Estado com a participação da Coroa (que rejeita o pedido de demissão do governo minoritário de Salandra) e com a sanha das ruas (tolerada ou encorajada pela polícia), que intimida e ameaça os opositores. E, naqueles anos, não poucos filósofos e intelectuais legitimam o golpe de mão intervencionista, teorizando explicitamente o direito de a elite impor a própria vontade a "massas" atrasadas, que – observa Salvemini – "se movem por instintos negativos e não por doutrinas positivas" e, portanto, são levadas a evitar "o sofrimento e a dor" (Salvemini, 1963, p. 448). Em vez disso, segundo Guido Dorso, é preciso "uma minoria audaz e genial, que arrastará pelo pescoço esta turba de turrões e de covardes para morrer como heróis ou vencer como triunfadores" (Forcella, 1972, p. XII). Mais tarde, o próprio Croce, que inicialmente demonstra hesitação sobre a oportunidade da participação italiana no conflito, escreveria: "Os adversários da guerra [...] eram certamente muitos (na Itália como em outras partes) e talvez fossem 'massas', mas não contavam, porque aqui se fala daqueles que pensavam, falavam e operavam politicamente"; por certo, não podiam ser levadas em conta massas de homens assoladas pelo "medo da guerra, fechadas na sua comodidade e no seu egoísmo" (Croce, 1967, p. 266).

Num país de regime parlamentar, como a Itália, a multidão "criança" só pode ser forçada ao sacrifício e ao sentimento do dever pela violência da rua e pelo golpe de mão antiparlamentar da Coroa, isto é, só mediante um dilaceramento do tecido constitucional, marcando o início da crise que desembocaria depois na instauração da ditadura fascista.

Diferente a situação dos Estados Unidos. No momento da eclosão da guerra, Wilson não só proclama a neutralidade mas lança um apelo ao país no sentido de que os partidos, as associações, os jornais e todos os cidadãos se abstenham de juízos unilaterais e apaixonados sobre o conflito e sobre seus participantes, de modo a observar inteiramente uma estrita neutralidade, no "pensamento" e na "ação". Mas, alguns meses depois, o próprio presidente é que autoriza e promove uma política de empréstimos em favor da Inglaterra e da França (Nouailhat, 1987, p. 130 e 132). E, no entanto, ainda em 1916, a Convenção democrata de St. Louis, ao ratificar por aclamação, com um só voto contrário, a candidatura de Wilson, elabora uma plataforma eleitoral, em ampla medida obra do presidente em exercício, na qual este último é recomendado ao "povo americano" por causa das "esplêndidas vitórias diplomáticas" por ele conseguidas (e que "preservaram os interesses vitais do nosso governo e dos seus cidadãos") e, sobretudo, por causa do fato de que "ele nos manteve fora da guerra". Wilson prefere não se comprometer até este ponto: é mais cauteloso e também mais ambíguo. Como observa um dos seus biógrafos, de resto bastante benevolente, sem fazer referência "ao *slogan* 'ele nos manteve fora da guerra'", o presidente se limita a afirmar ou a insinuar que, contrariamente a ele, muitos republicanos desejam intervir no conflito mundial (Canfield, 1966, p. 78-81). Um ano depois, Wilson pede a autorização do Congresso para armar os navios mercantes destinados a operar em zona de guerra: mas no Senado a oposição e a obstrução dos pacifistas levam à derrota da lei. Isto não basta para bloquear o presidente, que, valendo-se dos seus poderes executivos, ordena a imediata execução da providência.

Podemos concluir com as palavras de dois historiadores americanos:

> O excessivo poder de que a presidência podia dispor nas questões de política externa tinha permitido a Wilson levar os Estados Unidos à beira da guerra sem que o eleitorado médio tivesse alguma consciência disto. Este último, na realidade, havia reeleito Wilson exatamente porque o considerara capaz de preservar a neutralidade da nação americana. O movimento pacifista, muito forte no eleitorado feminino, apoiara a candidatura Wilson, tal como o fizeram grupos de alemães e de irlandeses americanos, que nutriam um profundo ódio ao imperialismo inglês. Uma grande parte dos "progressistas" WASP [os brancos de origem anglo-saxã e de religião protestante] do Meio Oeste [...] apoiaram igualmente Wilson, em 1916, por terem visto no Partido Republicano o defensor da Inglaterra e da guerra [...]. Em março de 1917 Wilson envolveria os Estados Unidos no conflito armado com a Alemanha. (Carroll e Noble, 1991, p. 338 ss.)

Claramente, entre os dois países aqui postos em comparação, a decisão, ou a imposição, de intervir se mostra mais difícil na Itália, onde os sinais da discriminação censitária são bem visíveis, em todo caso no que se refere ao Senado, que continua a ser não só monopólio das classes proprietárias mas também um lugar no qual ainda exerce uma forte influência o Antigo Regime, que, afinal, encontra sua consagração na Coroa. Nos Estados Unidos, ao contrário, dentro da comunidade branca (que é a única habilitada a decidir), os vestígios da discriminação censitária praticamente desapareceram; em alguns estados, as mulheres já conquistaram o sufrágio. Mas, dotado como é de poderes muito amplos, o presidente americano pode forçar a multidão "criança" a sofrer disciplinadamente os sacrifícios e os horrores da guerra, mais fácil e mais elegantemente do que Coroa e Parlamento puderam fazê-lo na Itália.

2. Um regime político à altura do estado de exceção

A esta primeira demonstração de superioridade do regime de bonapartismo *soft*, que se afirma progressivamente, seguem-se outras no curso e no final da guerra. Seu desenvolvimento comporta uma enorme expansão dos poderes do Executivo em todos os países empenhados no choque gigantesco. É um fenômeno ao qual certamente os países ocidentais de tradição liberal mais consolidada não ficam imunes e até, sob certos aspectos, se apresentam na sua vanguarda. Um estudioso inglês observaria mais tarde que "Woodrow Wilson, e Lloyd George" foram investidos "de uma autoridade que, na prática, equivalia à ditadura no sentido romano do termo" (Cobban, 1971, p. 111). Se olharmos a cultura e a publicística da Alemanha do primeiro pós-guerra, ela aparece tomada de espanto pelo fato de que os próprios países ocidentais demonstraram uma capacidade superior de mobilização e enquadramento total e férreo da própria população em função da guerra.

Ao visitar os Estados Unidos, um professor alemão realiza esta significativa análise:

> Nas discussões políticas de antes da guerra, os defensores do sistema de governo então dominante na Europa Central sempre disseram que a democracia como forma de vida política tem vantagens, decerto, mas que, sobretudo como democracia parlamentar, estaria fadada ao fracasso na guerra. A experiência prática demonstrou o contrário. Quanto à solidez política e à busca disciplinada dos objetivos, as democracias ocidentais foram nitidamente superiores ao sistema burocrático da Europa Oriental e Central. A cisão interna entre direção militar e política, que paralisou os impérios centrais durante quase todo o período de guerra, foi superada pelas potências ocidentais pela ação de políticos conscientes dos próprios objetivos. A ascensão de personalidades fortes e dotadas de iniciativa autônoma, que, segundo a concepção continental, deveria ter sido im-

possibilitada pela democracia, manifestou-se sem obstáculos nas potências ocidentais, mas não na Rússia, Alemanha ou Áustria, onde as poucas individualidades fortes em condições de se impor desgastaram-se numa luta sem fim contra as intrigas burocrático-militares.

Surpreso e atordoado, o professor alemão assim prossegue:

> Durante os períodos críticos da guerra, os primeiros-ministros da Inglaterra, França ou Itália e o presidente dos Estados Unidos gozaram de uma plenitude de poderes em comparação com a qual o poder de um Alexandre ou um César era limitado [...]. Nos países ocidentais, os poderes ditatoriais conferidos foram na prática muito mais amplos do que aqueles que os monarcas puderam exercer na Rússia e Alemanha. (Bonn, 1925, p. 9 e 63 ss.)

Por certo, protagonista de tais milagres ou perversidades não é a "democracia parlamentar", mas um regime político caracterizado pela personalização do poder e que alcançou, ou está alcançando, a própria plenitude exatamente no país visitado pelo professor alemão. Wilson está "investido de poderes quase ditatoriais" (Canfield, 1966, p. 109) ou ditatoriais no sentido pleno do termo. Por ironia da história, aquele que havia considerado liberticida a legislação de emergência de 1798 (cf. supra, cap. 2, § 10) agora vai muito além no recurso à repressão, realizando uma gestão do estado de exceção que, comparativamente, faz parecer "muito suave" a legislação anteriormente criticada (Commager, 1963, v. 2, p. 145). As medidas tomadas no curso do primeiro conflito mundial visam "a suprimir até os mínimos vestígios de oposição" (Schlesinger sr., 1967, p. 414): com base no *Espionage Act* de 16 de maio de 1918, pode ser condenado até a vinte anos de cárcere quem se expressar "de modo desleal, irreverente, vulgar ou abusivo sobre a forma de governo dos Estados Unidos, a Constituição dos Estados Unidos, as forças militares ou navais dos Estados Unidos, a bandeira [...] ou o uniforme do Exército ou da Marinha dos Estados Unidos" (Commager, 1963, v. 2, p. 146).

Se, quanto à intervenção na guerra, fiz uma comparação com a Itália, quanto à capacidade de mobilização e enquadramento total convém fazer uma comparação sobretudo com a Alemanha imperial. Aqui, Karl Liebknecht, depois de haver votado contra os créditos de guerra, tem a possibilidade, pelo menos durante algum tempo, de utilizar o Parlamento como tribuna para denunciar o massacre e até dizer aos soldados que "baixem as armas e se voltem contra o inimigo" interno (Flechtheim, 1992, p. 142): detido em maio de 1916, depois de um comício pacifista e antimilitarista, é indultado e solto em outubro de 1918, a tempo de participar da revolução que, um mês depois, poria fim tanto à guerra quanto à dinastia dos Hohenzollerns. Mais dura é a sorte de Eugene Debs, dirigente socialista americano: conheceu o cárcere por ter apoiado a greve dos transportes reprimida pelo presidente Cleveland mediante o envio de tropas federais; e, já em tal ocasião, é tachado como inimigo da pátria (cf. supra, cap. 3, § 11). É de novo detido em junho de 1918 por causa de um discurso contra a guerra, condenado a dez anos e solto apenas em dezembro de 1921, depois de ter passado no cárcere seja o final do conflito, seja a campanha eleitoral que o vê candidato ao cargo de presidente (Foster, 1956, p. 190; Schlesinger sr., 1967, p. 415 e 440 ss.). Harding foi quem reduziu sua pena, depois que Wilson se recusou a soltá-lo (Schlesinger jr., 1959-1965, v. 1, p. 47).

No entanto, mais do que o destino paralelo de dois dirigentes do movimento de protesto contra a guerra, convém ver a situação dos partidos socialistas dos dois países antagônicos. Apesar de tudo, na Alemanha a agitação pacifista continua a se fazer sentir e, às vezes, até mesmo através de instrumentos legais, com a difusão de panfletos nas fábricas e com órgãos de imprensa que saúdam a Revolução de Outubro e publicam os apelos à paz imediata que dela se originam (Ulbricht, 1967, v. 5, p. 55, e v. 6, p. 22-24). A repressão nos Estados Unidos é bem mais dura e competente:

> Agentes federais sistematicamente impediam o desenvolvimento de manifestações socialistas consideradas perigosas, censuravam e suprimiam os jornais daquele partido, desbaratavam e dissolviam as assembleias, incriminavam os oradores (Schlesinger sr., 1967, p. 415).

Não obstante a guerra representar para a Alemanha um perigo bem mais mortal do que para seus inimigos postos do outro lado do Atlântico e protegidos pelo oceano, é indiscutivelmente nos Estados Unidos que a repressão se faz sentir com mais força e eficácia. O que é importante não é tanto a radicalidade do estado de exceção – às vésperas da intervenção, Wilson declara que a guerra significaria, inclusive dentro do país, o fim de toda e qualquer "tolerância" e o recurso a métodos "brutais e impiedosos" (Canfield, 1966, p. 97) – quanto o modo indolor com que a ele se chegou a partir de uma normalidade constitucional que já contém *in nuce* a figura do ditador.

Com a intervenção no gigantesco conflito, o presidente americano assume poderes ditatoriais no âmbito não só da economia (Nouailhat, 1987, p. 141), mas também da cultura e da informação: sete dias depois da declaração de guerra, Wilson cria um comitê para a informação pública que fornece "à imprensa, toda semana, 22 mil colunas de notícias", retendo tudo aquilo que é considerado suscetível de "servir ao inimigo" (Schlesinger sr., 1967, p. 414). E é um comitê que nasce fora do Congresso, por iniciativa presidencial e financiado, pelo menos inicialmente, com verbas presidenciais (Manicas, 1989, p. 356). Nem a alta cultura escapa do enquadramento: "A 'seção acadêmica' deste comitê mobiliza 'as energias dos professores universitários para produzir material propagandístico a favor da guerra', enquanto as autoridades estimulam "a formação de organizações de teor patriótico com o objetivo de controlar o ensino da história americana nas escolas superiores e nas universidades" (Carroll e Noble, 1991, p. 359). Como depois escreveria Harold Lasswell, estudioso das técnicas de propaganda adotadas no curso da guerra, o objetivo a que visam os países beligerantes, e que nos Estados Unidos é conseguido com eficácia superior, é o de "fundir a indocilidade dos indivíduos na fornalha da dança da guerra", "fundir milhares e, mais precisamente, milhões de seres humanos numa massa amalgamada de ódio, de vontade, de esperança", bem como de "entusiasmo belicoso" (Straubing, 1989, p. 109).

Depois de ter brilhantemente superado o batismo de fogo da guerra, o bonapartismo *soft* se consolida ainda mais com a grande crise econômica mundial que serve de prelúdio a um novo conflito gigantesco. No seu discurso de investidura, em 4 de março de 1933, Franklin Delano Roosevelt reivindica poderes extraordinários tão amplos "como se tivéssemos sido efetivamente invadidos por um inimigo estrangeiro" (Commager, 1963, v. 2, p. 242). Estadistas e políticos respeitados invocam um "ditador nacional" e convidam o novo presidente a dar provas de toda a sua energia: "Torne-se um tirano, um déspota, um verdadeiro monarca. Durante a guerra mundial, nós pegamos nossa Constituição e a pusemos de lado enquanto a guerra não terminou". Enormes são as expectativas que se concentram no novo líder da nação, definido como "uma pessoa providencial" ou, segundo as palavras do Cardeal O'Connel, "um homem enviado por Deus". A gente comum escreve e se dirige a Roosevelt em termos ainda mais enfáticos, declarando que o vê "quase como um Deus" e que espera poder um dia colocá-lo no "Panteão dos imortais, ao lado de Jesus" (Schlesinger jr., 1959-1965, v. 2, p. 3-15). E, convidado a comportar-se como ditador e homem providencial, Roosevelt faz amplíssimo uso do seu poder executivo já no primeiro dia ou nas primeiras horas do seu mandato. Mais tarde, a plataforma republicana de 1936 afirmaria: "Os poderes do Congresso foram usurpados pelo presidente" (Commager, 1963, v. 2, p. 354).

O supremo magistrado do país se configura crescentemente como um líder tão mais carismático quanto mais sabe aparecer como expressão da gente comum. Fazendo um sábio uso das novas possibilidades de comunicação direta oferecidas pelo rádio, com seus *fireside chats,* seus discursos ao pé da lareira, Roosevelt se dirige diretamente à nação. A mensagem é clara: o que conta não é a "política": mas o "governo". Os partidos, ou melhor, os dois partidos próprios do "nosso sistema americano" podem ser úteis para "mostrar os problemas e explicá-los, para suscitar interesse pelas eleições e, ocasionalmente, para melhorar a lista dos candidatos aos cargos públicos". mas sua função essencial, em última análise, é aquela de selecionar os "líderes políticos sábios", que, exatamente por apelar ao "grande público" não interessado em disputas políticas estéreis, têm "o futuro nas mãos" (Roosevelt, 1941, p. 27 ss.).

Naturalmente, o tom afável e benevolente não impede, em situações consideradas de emergência, o recurso às medidas mais drásticas. Poucos meses antes da intervenção no novo conflito mundial – que, ainda antes de Pearl Harbour, Roosevelt progressivamente preparou –, uma "ordem executiva" do "presidente dos Estados Unidos e comandante em chefe do Exército e da Marinha" permite às autoridades militares deportar 112 mil japoneses (dos quais, dois terços cidadãos americanos) como suspeitos ou passíveis de suspeição por falta de lealdade (Commager, 1963, v. 2, p. 464 ss.). O recurso apresentado nesta circunstância à Corte Suprema é rejeitado, tal como tinha sido rejeitado aquele apresentado por ocasião do *Espionage Act* de 1918: a "salvação pública" *(public safety)*, cujo intéprete privilegiado e único é o presidente, autoriza-o até a suprimir "direitos", que, decerto sancionados constitucionalmente, não podem ser invocados durante o estado de exceção (Commager, v. 2, p. 469 e 147). Não casualmente, no seu discurso de investidura, Roosevelt celebrara a Constituição americana, "o mecanismo político mais soberbamente durável que a história moderna criou", por causa da sua agilidade e capacidade de enfrentar situações e "necessidades extraordinárias", superando, no curso da história, "qualquer tensão derivada de uma ampla extensão do território, de guerras internacionais, de duros conflitos internos, das relações mundiais" (Commager, 1963, v. 2, p. 242).

3. *"Missão" e mobilização total*

Há um outro elemento das democracias ocidentais que suscita uma espécie de invejosa admiração na cultura alemã do primeiro pós-guerra. Apelando às palavras de ordem da "democracia", do "progresso", da "autodeterminação dos povos" – observa Ernst Jünger em 1930 –, os inimigos da Alemanha desenvolveram uma capacidade de mobilização bem superior àquela dos Impérios Centrais; deste modo, conseguiram dominar "o componente decisivo, fideísta *(glaubensmiäsig)*, da mobilização total", conseguiram fazer passar sua guerra como uma "cruzada da razão" e transformar seus soldados em "guerreiros da humanidade" (Jünger, 1978, p. 130-137). Não há dúvida de que a ideia de missão tenha um papel relevante na propaganda e na ideologia da guerra dos inimigos da Alemanha, que Sorel ironiza, em 1915, nestes termos:

> Faz alguns dias, consultando uma história de 1870, vi que Napoleão III forneceu aos publicistas da *Entente* seu argumento principal. Nas suas proclamações ao Exército, ele afirmava: "Toda a França vos segue com seus votos ar-

dentes e o universo tem os olhos postos em vós. Do nosso sucesso depende a sorte da liberdade e da civilização".

Exatamente como hoje, também então o Exército francês defendia a civilização contra a barbárie e a liberdade contra a tirania. (Sorel, 1973, p. 565)

O escritor francês tem razão em lembrar Napoleão III: inseparável da marcha do bonapartismo, a ideia de missão conhece seu máximo desenvolvimento, assumindo inclusive uma dimensão explicitamente religiosa, no âmbito da tradição política americana (cf. supra, cap. 3, §§ 9 ss.). Nos anos que antecedem o primeiro conflito mundial, ao preparar a guerra contra a Espanha, os dirigentes estadunidenses acusam esta última de privar injustamente Cuba do seu direito à liberdade e à independência, ainda por cima recorrendo, numa ilha "tão perto das nossas fronteiras", a medidas que repugnam ao "sentimento moral do povo dos Estados Unidos" e representam uma "desgraça para a civilização cristã" (Commager, 1963, v. 2, p. 5). Neste extraordinário documento, a referência indireta à Doutrina Monroe e o apelo à cruzada, em nome, ao mesmo tempo, da democracia, da moral e da religião, se entrelaçam estreitamente para, por assim dizer, excomungar um país catolicíssimo e conferir o caráter de guerra santa, para todos os efeitos, a um conflito que consagraria o papel de grande potência imperialista dos Estados Unidos, com a anexação das Filipinas e de Porto Rico e com o controle total do Caribe.

Este mesmo entrelaçamento ideológico preside a intervenção na Primeira Guerra Mundial. Pouco antes de sua eclosão, o embaixador americano em Londres, Walter Page, telegrafa ao seu governo para observar que "a participação na guerra talvez seja o único meio para manter nossa atual posição proeminente no comércio e evitar uma crise de pânico". Mas o mesmo historiador americano que relata este fato acrescenta: "Tomada a decisão de intervir, a guerra se transformou numa santa cruzada" (Schlesinger sr., 1967, p. 396 ss. e 413). Uma cruzada que – para usar as palavras com que Wilson anuncia a intervenção – tem por objetivo a "democracia" e o "domínio universal do direito" e vê como intérprete privilegiado "este grande e pacífico povo", que desde seu "nascimento" encarnou tais "princípios" (Wilson, 1927, v. 1, p. 14-16). As repetidas intervenções militares dos

Estados Unidos na América Latina não comprometem minimamente esta boa consciência. Ao contrário, como por ocasião da guerra contra a Espanha, também desta vez a cruzada assume tons explicitamente religiosos: os combatentes americanos empenhados na Europa não devem ser considerados simples "soldados", mas "cruzados", em cujos olhos "brilha algo que nunca foi visto nos olhos de qualquer outro Exército"; não só se trata de "cruzados", mas de "cruzados" cuja "iniciativa transcendente fez com que o mundo inteiro confie na América como em nenhuma outra nação organizada da era moderna". Nem mesmo os cruzados que, no seu tempo, dirigiram-se à "Terra Santa" foram "mais fielmente devotos de uma santa causa como estes heroicos, incomparáveis filhos da América" (Wilson, 1927, v. 2, p. 45, 292,414 e 21). Esta última é revestida com os atributos que a tradição cristã atribui a Cristo: ela é "a luz do mundo criada para guiar o mundo", que "reconheceu a América como seu salvador"; logo, trata-se de um país a cuja "missão" seria ao mesmo tempo absurdo e sacrílego querer resistir (Wilson, 1927, v. 2, p. 504,202 e 219). Acionada com energia pelo presidente, uma gigantesca máquina propagandística insiste obsessivamente em definir de modo explícito aquela conduta dos Estados Unidos como "uma guerra santa, a mais santa de toda a história" (Rochester, 1977, p. 58).

Melhor e mais eficazmente do que qualquer outra potência, os Estados Unidos conseguem transfigurar em termos ideais sua participação no gigantesco conflito. Pareto bem pode ironizar a "missão", que os dirigentes americanos se atribuem, de assegurar a liberdade e a paz no mundo, seguindo nisto as pegadas da Roma imperial e de Napoleão I (Pareto, 1974, v. 2, p. 828 ss.; Pareto, 1966, p. 742). E, em 1919, até John Maynard Keynes chega ao ponto de definir Wilson como "o maior impostor da terra" (Skidelsky, 1989, p. 444). Resta o fato de que tal ideia de missão tem uma eficácia extraordinária não só no plano internacional – talvez seja o aspecto que mais surpreenda Jünger e a cultura alemã do tempo – mas também, e sobretudo, no plano interno dos Estados Unidos, onde faz calar em ampla medida a oposição, envolvendo numa aura sagrada o líder da nação, ao mesmo tempo líder político e líder religioso, e procedendo a uma eficaz exportação do conflito.

4. "Americanismo" e ritos de purificação e de expulsão do Mal

Wilson (1927, v. 2, p. 12, 1 e 509) comporta-se constantemente como intérprete do "espírito americano" (que deve ser considerado o verdadeiro vencedor da guerra), dos "princípios americanos", do "verdadeiro americanismo"; em 1928, o presidente republicano Hoover é quem sublinha a absoluta peculiaridade do "espírito do povo americano", do "sistema americano", baseado num "individualismo rude" *(rugged individualism)*, que "difere essencialmente de todos os outros no mundo" (Schlesinger jr., 1973a, p. 2.229-2.231). Por mais dura que possa ser a competição entre os dois partidos e seus líderes, ela gira sobre o modo de interpretar o americanismo, sem nunca pôr em discussão este último como ponto de referência, sem nunca levantar dúvidas sobre o papel privilegiado e único que compete, de um modo ou de outro, aos Estados Unidos na história do mundo e da humanidade. No curso da campanha eleitoral de 1936, se a plataforma republicana acusa Roosevelt de trair o "sistema americano", a plataforma democrata, por sua vez, declara querer prosseguir no "restabelecimento do modo americano de viver" *(american way of living)* e do "autêntico americanismo" (Commager, 1963, v. 2, p. 354, 358 e 361). E Roosevelt em pessoa, que celebra "nosso sistema americano" e critica Jefferson por ter se deixado influenciar demais pelas "teorias dos revolucionários franceses", convoca seus concidadãos a se oporem não só ao comunismo mas também a "qualquer outro 'ismo' forasteiro" (Roosevelt, 1941, p. 28 e 30; Schlesinger jr., 1959-1965, v. 3, p. 638). Naturalmente, seria errado confundir ou assimilar personalidades e ambientes políticos e culturais tão diferentes entre si; resta o fato de que a referência comum ao "americanismo" e à missão peculiar da América impede as correntes de tipo *liberal* de se contraporem adequadamente àquelas mais decididamente conservadoras e chauvinistas.

Mas o objeto da investigação é aqui, sobretudo, um outro ponto. Se uma característica do bonapartismo é a exportação do conflito, deve-se dizer que tal técnica alcança sua perfeição precisamente nos Estados Unidos graças a este culto ao "americanismo", o qual permite considerar alheias à alma e ao espírito da América e rechaçar idealmente as ideologias não benquistas e seus adeptos. E tal rito de expulsão torna-se ainda mais cômodo por causa da presença maciça de imigrados, muitas vezes de condição pobre e bastante modesta, e, portanto, propensos a aderir a movimentos de protesto e mais facilmente identificáveis como agentes patogênicos externos à sociedade americana. Em situações de crise, terminam por ser considerados literalmente estrangeiros não só os imigrados não naturalizados ou recém-naturalizados, mas também todos aqueles que aderem a ideologias e movimentos tachados como estranhos ao "americanismo". O nativismo, a desconfiança e a hostilidade em relação aos imigrados, a xenofobia, tudo isto favorece o desenvolvimento de uma caça às bruxas voltada para expulsar as ideias "importadas", como "socialismo e sindicalismo" (Renshaw, 1968, p. 63 ss.).

Nos momentos de crise aguda, a expulsão não é só metafórica. A áspera tensão com a França revolucionária de 1798 conduz à aprovação de leis que autorizam a detenção e a deportação de estrangeiros e imigrados (cf. supra, cap. 3, § 11). O rito de purificação pode também acontecer filtrando minuciosamente os imigrados ainda antes da sua entrada no território americano e recusando na fronteira os possíveis agentes patogênicos: em 1903, num período de tensões sociais relacionadas com o crescimento do movimento operário, os grupos atingidos pela proibição de pisar nos Estados Unidos compreendem "os portadores de deficiência física, mental e moral de qualquer tipo, os doentes contagiosos, os mendicantes contumazes, os imigrantes necessitados de assistência, os polígamos e os anarquistas" (Schlesinger sr., 1967, p. 245).

O rito de purificação e expulsão do Mal se explicita plenamente no rastro da intervenção na Primeira Guerra Mundial. Nesta ocasião, desencadeia-se "uma febril caça às bruxas" contra tudo aquilo que leva uma etiqueta alemã. Em muitas escolas, suprime-se o ensino do alemão, enquanto se torna perigoso tocar música alemã; as famílias e até as cidades com nomes alemães se apressam em anglicizá-los, "para evitar incidentes ou para ostentar sua fé patriótica". Decerto, estas manifestações de xenofobia são comuns a todos os países beligerantes, mas nos Estados Unidos chegam a se explicitar com particular coesão e eficácia por causa do culto ao americanismo e da celebração do seu papel privilegiado e único na história do mundo. Eis, então, que a repressão pelo alto contra pacifistas e dissidentes se faz acompanhar pela violência por baixo, ao mesmo tempo tolerada e controlada pelas autoridades: nos postos de trabalho e nas escolas, os elementos suspeitos são isolados e demitidos; nas ruas, quem não mostra "suficiente sentimento patriótico" é atacado. A "cruzada conformista" que se desencadeia no país se prolonga além do fim do conflito: em 1919, o *Washington Post* relata que, quando um cidadão enraivecido dispara contra um outro, culpado de "ter criticado uma parada patriótica", a multidão prorrompe "em aplausos e manifestações de júbilo". E o que segue sem alteração é a tolerância do aparelho estatal e governamental com os responsáveis pela caça ao pacifista: no estado de Indiana, um júri popular gasta "dois minutos para declarar inocente um cidadão", o qual matou um compatriota que, enfarado pelo delírio chauvinista, ousou pronunciar "a frase: 'Que os Estados Unidos vão para o inferno!'" Ainda mais significativo do que a violência aberta e brutal, contudo, é um gesto que aparece carregado de simbolismo: a "porta da casa" dos suspeitos é manchada de "tinta amarela", quase a assinalar para sempre seu alheamento à nação americana e ao americanismo (Schlesinger sr., 1967, p. 414-416; Carroll e Noble, 1991, p. 359 ss.).

O rito de purificação e expulsão do Mal alcança talvez o auge depois da eclosão da Revolução de Outubro: "Nos anos 1917-1920, vermelhos, radicais, estrangeiros e dissidentes de todo tipo se tornam objeto de caça, de perseguição, de condenação e de deportação" (Renshaw, 1968, p. 65 ss.). Também neste caso, a operação de expulsão dos agentes patogênicos externos do corpo sadio da nação americana ganha uma forte dimensão simbólica com a deportação dos infelizes para o próprio lugar do Mal, a União Soviética; ainda que, por compreensíveis razões práticas, não para as zonas controladas pelos bolcheviques mas para aquelas controladas pelos exércitos brancos. No plano mais estritamente militar, isto suscita as reservas e as inquietações do Ministério das Relações Exteriores da Inglaterra, que, em abril de 1919, expressa a preocupação de que o "uso da Sibéria como lata de lixo de americanos indesejados e extremamente perigosos" possa dificultar as operações militares do general Koltchak, empenhado, com a ajuda da *Entente,* em derrubar o poder bolchevique. Em compensação, Churchill se mostra claramente satisfeito e agradavelmente surpreso com o fato de que

> muitos milhares destas pessoas contagiadas, em relação às quais, como se sabe, não pôde ser demonstrado nenhum ato determinado de traição, foram capturadas por toda parte nos Estados Unidos e, mediante uma série de "arcas vermelhas", foram transportadas, gementes e com a baba escorrendo da boca, para o outro lado do Oceano, para aqueles lugares desolados onde reina Lenin, seu sumo sacerdote. (Schmid, 1974, p. 176 ss. e 311 ss.)

A agitação política e social provocada pela Revolução de Outubro é uma nova ocasião para testar a capacidade de o sistema político americano passar ao estado de exceção. Vimos Wilson criticar a perigosa extensão dos poderes discricionários prevista pelos *Alien and Sedition Acts* de 1798 e observar que "os únicos limites e garantias residiam na moderação e no bom-senso do presidente e do ministro da Justiça" (cf. supra, cap. 3, § ll). Muito dificilmente se pode falar de "moderação" a propósito de Mitchell Palmer, ministro da Justiça da administração Wilson, que

> organizou uma série de incursões policiais em residências particulares e salas de reunião sindicais sem estar de posse de nenhum mandato, graças às quais foram detidas milhares de pessoas suspeitas de pertencer à área da esquerda. Aqueles que foram detidos sob esta acusação, sem poder obter a liberdade provisória mediante fiança, foram muitas vezes espancados pela polícia, depois de ter sido obrigados a desfilar algemados em público [...]. Palmer, por sua parte, contribuiu para a deportação dos radicais, afirmando que "é nosso dever purificar as raízes da população americana e mantê--las puras". "Eu mesmo sou um americano" ele declarou – "e gosto de apregoar minha crença diante de gente 100% americana, porque minha mensagem é americanismo concentrado." No Ministério da Justiça, ele criou uma *antiradical division* especial, à frente da qual colocou o jovem J. Edgar Hoover. A Assembleia Legislativa do estado de Nova York expulsou os cinco representantes socialistas eleitos, apesar de o partido socialista ser uma organização perfeitamente legal. (Carroll e Noble, 1991, p. 360 ss.)

Às vezes, o "americanismo" leva ao paroxismo a caça aos "radicais" considerados estrangeiros ou agentes do estrangeiro: "Em Hartford, Connecticut [...], aqueles que foram até a prisão para ter notícia dos amigos detidos durante as buscas policiais foram presos sob o pretexto de que sua solicitude demonstrava filiação ao movimento bolchevique" (Schlesinger jr., 1959-1965, v. 1, p. 42).

Apesar da crise econômica, de que não são poupados, os Estados Unidos saem como vitoriosos das perturbações iniciadas pela Primeira Guerra Mundial, e não só no plano militar mas também pela superior capacidade demonstrada pelo seu sistema político (baseado nos amplos poderes de um líder intérprete da nação e da sua missão sagrada) de intervir na guerra, não obstante os sentimentos pacifistas da população, de passar da normalidade ao estado de exceção e de saber levar este último até o grau desejado de dureza e brutalidade; enfim, de exportar o conflito em nome da absoluta peculiaridade dos valores americanos, sobre cujo significado último o presidente dos Estados Unidos é mais uma vez chamado a decidir.

5. Cesarismo perfeito e imperfeito entre Estados Unidos, Inglaterra e Alemanha

Por todas estas razões, compreende-se o interesse com que, na Alemanha derrotada, observa-se a realidade política dos países vencedores, mas, de modo particular, da república de além-mar. Do mais alto interesse é o diálogo que, recém-terminada a guerra, enquanto a República de Weimar ainda está nos seus primeiros passos, se desenrola entre Max Weber e o general Ludendorff:

L – Agora o senhor tem finalmente a democracia que celebrou tanto [...]

W – Mas acredita, de verdade, que eu considere *democracia* a porcaria que temos agora?

L – Se fala assim, talvez possamos nos entender.

W – Mas a porcaria que tínhamos antes também não era uma monarquia.

L – *Então,* o que o senhor entende por democracia?

W – Na democracia, o povo elege como seu líder *(Führer)* aquele em quem deposita confiança. Uma vez eleito, este declara: "Agora, calem a boca e obedeçam." Povo e partido não podem mais se meter nas suas decisões.

L – Posso gostar de uma democracia assim.

W – Depois, o povo pode julgar e, se o líder tiver cometido erros, que seja enviado ao patíbulo! (Marianne Weber, 1926, p. 664 ss.)

Deixemos de lado a referência ao patíbulo, compreensível no clima ainda dominado pelo conflito recém-terminado; não devemos nem mesmo nos deixar levar pelo fato de que, mais tarde, Ludendorff encontraria seu líder ou *Führer* no *Führer* em pessoa, isto é, em Adolf Hitler. A posição de Weber é diferente, ao observar o modelo anglo--saxão e abraçar a opinião de que os inimigos da Alemanha é que expressaram no curso do conflito mundial a direção, a liderança mais enérgica, dotada dos mais amplos poderes, menos atravancada por divergências internas e resistências burocráticas. A experiência da guerra e da vitória das "democracias ocidentais" desempenha um papel decisivo na evolução política de Weber e na sua teorização do cesarismo.

O cesarismo pressupõe, em todo caso, que sejam canceladas as velhas discriminações legislativas no gozo dos direitos políticos: *Hoje,* só o direito eleitoral paritário pode representar o resultado final das lutas pelo direito de voto" (Weber, 1982, p. 120). Sublinhei o advérbio inicial: com efeito, é possível constatar uma evolução na atitude do grande sociólogo; o qual, em 1905, por ocasião da revolução democrático-burguesa na Rússia, ironiza aqueles que, guiados exclusivamente pelas boas intenções, consideram irrenunciável, por motivos morais, a introdução do sufrágio universal, mesmo à custa do triunfo de uma plebe ignorante e da "oclocracia extrema", além do subsequente atraso pavoroso da cultura (Weber, 1971, p. 38 ss.). Não só nesta ocasião mas ainda em 1917, Weber recorda as reservas do social-democrata Bernstein em relação ao sufrágio universal, cuja introdução, mesmo que limitada à formação do *Reichstag,* talvez tivesse sido prematura na Alemanha, que deveria ter seguido o modelo inglês de "direito eleitoral que de algum modo privilegia as camadas econômica e socialmente destacadas e, naquele momento, politicamente maduras" (Weber, 1988, p. 155). Mas agora a guerra tinha mudado radicalmente os termos da questão: o "direito eleitoral igual" é a consequência lógica e inevitável da igualdade diante do "destino" e da "morte" que se realizou nas trincheiras (Weber, 1988, p. 172); ao voltar destas, até o "último homem" pode e quer reivindicar a participação paritária na reconstrução da nação, enquanto há de rechaçar com desdém qualquer expediente de curto fôlego e qualquer outra solução. Como "cidadão", o soldado "é enviado à guerra e à morte, sem distinção de propriedade e de diploma" (Weber, 1988, p. 95 ss. e 99). A partir de tal motivação, que relaciona com o serviço militar e com o sacrifício na guerra os direitos políticos, dos quais é titular mais o soldado do que o cidadão em sentido estrito, dir-se-ia que o espaço para a legitimação do sufrágio feminino fosse reduzido ou nulo, ainda que, imediatamente após a Revolução de Novembro, Weber (1988, p. 345) se declare de acordo com a concessão do voto às mulheres decidida pelos dirigentes socialistas da República de Weimar.

No entanto, na nova situação, criada pela deflagração da guerra e da mobilização total, não faz mais sentido repetir – insiste o sociólogo alemão – o velho lugar-comum segundo o qual os piores "instintos das massas" teriam sinal verde graças ao sufrágio universal (Weber, 1988, p. 185). Ao contrário, é preciso dar-se definitivamente conta de que só tal sufrágio é capaz de fundar o cesarismo necessário também para controlar as massas e toda tendência subversiva: na Alemanha, onde o Estado hegemônico, a Prússia, ainda é caracterizado por um direito sob o signo da discriminação censitária e da representação separada por camada, "temos demagogia e influência da plebe sem democracia, aliás, por causa da falta de uma *democracia regulada*" (Weber, 1982, p. 106). A "democracia regulada" contrapõe-se ao "parlamentarismo desorganizado do tipo francês-italiano", amante de "lances teatrais", como "votos de desconfiança" e "acusações aos ministros" (Weber, 1982, p. 60), bem como à "democracia parlamentar" como tal, que, esforçando-se por "eliminar deliberadamente os métodos plebiscitários de eleições dos líderes", entrega-se a uma "assembleia policéfala", incapaz de realmente governar (Weber, 1982, p. 53 e 107). Menos ainda a "democracia regulada" tem a ver com o domínio das ruas, que se manifesta nos países latinos não como consequência do sufrágio universal mas como resultado da "forma urbana de vida" que lhes é cara e também de razões climáticas e antropológicas. Se for o caso, os perigos das "grandes cidades modernas", com a presença concentrada do "proletariado industrial", o "domínio das ruas" e a influência de "demagogos ocasionais", tudo isto só pode ser barrado e derrotado graças a um líder responsável capaz de impor *die geordnete Führung der Massen,* isto é, a direção ordenada das massas sob um *Führer* ou líder responsável (Weber, 1988, p. 185 ss.).

Uma forma de cesarismo também existiu na Alemanha, mas menos como realidade do que como ameaça para intimidar a burguesia (Weber, 1988, p. 155). Bismarck havia percebido que o "direito eleitoral paritário" (introduzido para as eleições do *Reichstag)* e a "demagogia antiparlamentar", o comportamento polêmico em relação aos órgãos representativos contrapostos ao povo, tudo isto era o pressuposto do seu poder pessoal e do cesarismo, o qual, no entanto, não podia se desenvolver completa e adequadamente por causa do quadro institucional em que estava aprisionado: "O modo como Bismarck se demitiu do seu cargo demonstra como o legitimismo hereditário da monarquia reage contra estes poderes cesaristas". Existe contradição entre "regime cesarista" e "legitimidade do monarca" e o chanceler de ferro errou ao ignorá-la ou camuflá-la com seu comportamento e sua visão política ainda por demais marcados por elementos ideológicos pré-modernos e referidos de algum modo ao Antigo Regime (Weber, 1982, p. 107 e 51). A copresença, e a concorrência, de poder pessoal do líder carismático, por um lado, e princípio de legitimidade da monarquia hereditária, por outro, produzem um dualismo, que se fez sentir de modo funesto na Alemanha empenhada num embate mortal e permite, no máximo, o surgimento de um líder cesarista, não a consolidação de um autêntico regime cesarista. Deste ponto de vista, nem a Inglaterra pode constituir propriamente um modelo. Certamente, também aqui os "aspectos cesaristas" são evidentes: de fato, "o estadista que está no governo adquire uma posição cada vez mais proeminente em relação ao Parlamento do qual provém" e, na realidade, deriva seu poder da "confiança das massas, internamente, e do Exército no campo de batalha", não certamente do Parlamento, agora posto substancialmente fora de questão; "toda a grande massa dos deputados funciona somente como séquito para o único líder ou para os poucos líderes que formam o gabinete e aos quais obedece cegamente enquanto estes tiverem êxito. Assim deve ser". E, no entanto, mesmo neste país um certo dualismo se faz sentir: "Nas monarquias hereditárias democratizadas [...], o elemento cesarista--plebiscitário é sempre fortemente temperado", dado que está "em tensão tanto com o princípio parlamentar quanto (naturalmente) com o legitimismo monárquico hereditário" (Weber, 1982, p. 53 ss. e 107 ss.).

Então, são os Estados Unidos o país que é preciso observar para melhor compreender a evolução política em curso: ao desprezado parlamentarismo francês é éontraposta, em primeiro lugar, "a posição de força do presidente americano", uma posição "legitimada por uma designação e por uma eleição formalmente 'democrática', cuja superioridade em relação ao Parlamento se baseia precisamente nisto" (Weber, 1982, p. 107 ss.).

6. Weber: cesarismo e primado da política externa

A introdução do sufrágio universal para a formação do *Reichstag*, por obra de Bismarck, também correspondia a "razões de política externa", que continuam a ter um papel importante e até decisivo na atitude do grande sociólogo mas também fervoroso chauvinista, que sublinha a necessidade do sufrágio universal com o argumento segundo o qual só deste modo é possível garantir "o papel mundial da nação" (Weber, 1988, p. 155 e 159); não casualmente, como o exemplo da Primeira Guerra Mundial e a política de leal colaboração dos partidos socialistas demonstraram, "por toda parte os partidos democráticos participantes do governo são portadores do nacionalismo" (Weber, 1988, p. 156). Reaparece mais uma vez o nexo entre teorização do cesarismo e tentativa de exportação do conflito. Certamente, seria inútil querer buscar em Weber a enfática ideia de "missão" e de "destino manifesto" que atravessa em profundidade a tradição política americana. Também quanto a este outro pressuposto essencial do bonapartismo, a Alemanha imperial e guilhermina se apresenta nitidamente "atrasada". Decerto, o grande sociólogo fala de "missão duradoura", mas não com referência exclusiva ao próprio país ou às grandes potências mas também às "nações externamente pequenas"; neste contexto, mais significativa é a insistência sobre a "responsabilidade diante da história" que compete, em primeiro lugar, ao povo alemão, dado que sua derrota ou sua abdicação teria como consequência que, "na metade ocidental do nosso planeta, nada haveria além da convenção anglo-saxã e da burocracia russa" (Weber, 1988, p. 76-78).

Mas, ao contrário dos ideólogos americanos, por ele acusados de hipocrisia, Weber não esconde a questão material em jogo. Para a Alemanha, no seu conjunto, a guerra é uma questão de vida e de morte:

> Se fôssemos subjugados, até os netos do último dos operários no mais modesto quartinho sentiriam as consequências. As restrições, os sacrifícios que a resistência na guerra comporta e comportará para centenas de milhares de pessoas, esta mesma existência feita de constrangimentos ter-se-iam tornado, então, o destino permanente da massa dos alemães. De fato, o mundo se torna apinhado, a vantagem da emigração desaparece. Com a democratização da cultura, a comunidade linguística se torna motivo de exclusão até para as massas, as divergências nacionais se tornam necessariamente mais acirradas, entrelaçadas, como são, aos interesses ideais e econômicos da produção literária de massa em cada uma das línguas nacionais. Uma Alemanha arruinada economicamente pela derrota na guerra seria forçada a despejar no mercado mundial as mercadorias alemãs e a força de trabalho alemã seria reduzida à condição dos cules. Este é que seria o verdadeiro "perigo alemão" e reduziria os alemães ao nível dos párias. Eis a questão em jogo. (Weber, 1988, p. 77 ss.)

Mesmo sem a ênfase americana na "missão" e no "destino manifesto", a exportação do conflito implícita no programa cesarista continua a funcionar de modo bastante eficaz. A toda manifestação de divergência em relação à guerra, Weber contrapõe a tese pela qual a Alemanha no seu todo é a beneficiária da posição de grande potência mundial, de modo que o pacifista se encontra numa posição de incoerência lógica e de hipocrisia moral, uma vez que, enquanto também continua a obter vantagem da colocação eminente ou privilegiada do próprio país, recusa-se a defendê-lo no choque mortal em curso:

> Quem obtém até mesmo um centavo de renda *(Rente)* que outros – direta ou indiretamente – devem pagar, quem possui um bem de consumo ou consome um alimento no qual existe o suor de trabalho alheio, não próprio: este obtém seu sustento daquele mecanismo de luta econômica pela existência, sem alma nem piedade, que a fraseologia burguesa define como "pacífico trabalho da civilização": uma outra forma da luta do homem contra o homem, na qual não milhões, mas centenas de milhões de homens empenham o corpo e a alma. (Weber, 1988, p. 40 ss.)

O suor dos povos coloniais saqueados é visível nos alimentos consumidos nas opulentas metrópoles ocidentais: somos objetivamente levados à análise do imperialismo desenvolvida por Lenin. E na análise do dirigente revolucionário faz pensar a tese complementar de Weber, que remonta ao final do século XIX, segundo a qual, apesar das suas aparências pacíficas, a *"luta* econômica pela existência" já contém implicitamente o choque entre as grandes potências (Weber, 1971, p. 12) e conduz inevitavelmente à guerra pela repartição do mundo:

> Só uma total inexperiência política e um ingênuo otimismo podem desconhecer o fato de que, depois de um intervalo de concorrência aparentemente pacífica, as inevitáveis aspirações à expansão comercial de todos os povos civilizados, organizados como Estado, se aproximam com absoluta certeza do momento em que só a força decidirá sobre o grau de participação de cada povo no domínio econômico da terra e, portanto, sobre a margem de lucro da sua população e, em particular, da sua classe operária. (Weber, 1971, p. 30)

Mas esta configuração realista e crua da expansão colonial e da concorrência entre as burguesias europeias (desmascarada como guerra latente destinada a desembocar num choque armado) está aqui em função da exportação do conflito que, para ser vitorioso, deve ver a participação unânime do povo alemão em defesa do bem-estar e da posição de potência conquistada e a ser conquistada. Ocorre assim que o próprio Weber, que sublinha, como vimos, "o suor de trabalho alheio" contido em todo "bem de consumo" ou "alimento" que é usufruído no mundo capitalista desenvolvido, convoca depois a "social-

-democracia alemã" a se unir como nunca ao resto da nação para rechaçar o "Exército [empregado pela *Entente]* de negros, *ghurkas* e toda a bárbara e miserável escória do mundo, semienlouquecida pela raiva, pelo desejo de vingança e pela cupidez de devastar nosso país (Weber, 1988, p. 115). Também neste caso, o sufrágio universal invocado dentro da Alemanha para todos os cidadãos-guerreiros, sem distinção de riqueza e de cultura, caminha *pari passu* com uma configuração extremamente horripilante das populações coloniais, com sua dramática racialização.

Poder-se-ia ironizar o fato de que a exportação do conflito vale para a Alemanha, mas não para seus antagonistas e, em particular, para a Rússia, inclusive aquela que surge da Revolução de Fevereiro. Em relação ao país inimigo, Weber procede de modo inteiramente diferente: sublinha o fato de que "toda a massa dos camponeses se encontra na frente" e não consegue fazer valer seu desejo de paz, enquanto quem impõe a continuação da guerra são os "reacionários" que ficaram em casa e reforçam o aparelho militar, em primeiro lugar, "contra o inimigo interno" por eles instrumentalmente denunciado como um conjunto de "agentes secretos da Alemanha" (Weber, 1988, p. 112-114). Aqui, quem desmistifica a exportação do conflito, a que o novo grupo dirigente russo procede, é o próprio Weber, que também agora parece se encontrar em posição análoga à de Lenin; mas cabe mencionar que a insistência sobre o caráter essencialmente interno do conflito na Rússia está em função da ênfase sobre o caráter exclusivamente externo do conflito que a Alemanha (inclusive a social--democracia alemã, instada a não ter nenhuma ilusão sobre Kerenski) deve enfrentar.

No grande sociólogo alemão, de modo mais explícito do que em outros autores, a teorização sobre o cesarismo se mostra inextricavelmente ligada a uma visão da política internacional que não se cansa de insistir sobre a "inevitabilidade" da "guerra de potências", da "luta *eterna*" entre as nações. Exatamente porque, "para o sonho de paz e de felicidade dos homens, nas portas do futuro ignorado está impressa a frase: abandonai toda esperança" (Weber, 1988, p. 41; Weber, 1971, p. 12 e 14), exatamente por isso é necessário que, para dirigir as nações que não queiram renunciar ao seu papel hegemônico, sejam chamados líderes respeitados e imperiosos, capazes de unir e fascinar seus seguidores. Decerto, já nas competições políticas que se desenvolvem no âmbito de cada país, o que move os líderes ou os aspirantes a líderes é a "vontade de poder" e só "o moralismo mais filisteu" pode se escandalizar com isto (Weber, 1982, p. 54). Aqueles que conseguem afirmar a própria vontade de poder no plano interno e, portanto, obter a investidura cesarista plebiscitária também se revelam como os mais capazes de promover a projeção externa do próprio país num mundo caracterizado por conflitos inevitáveis, no qual a vontade de poder desempenha um papel central e decisivo: "Só um povo politicamente maduro é um 'povo de senhores'" e "só povos de senhores são chamados a intervir no destino do mundo". Neste sentido, o Parlamento inglês "foi o lugar de seleção daqueles políticos que foram capazes de conduzir um quarto da humanidade a se subordinar ao domínio de uma minúscula minoria dotada de senso do Estado"; neste sentido, ele "é a estrutura de sustentação decisiva da potência mundial inglesa" (Weber, 1982, p. 158 e 61).

O regime burocrático, que por longo tempo dominou ou desempenhou um papel de primeiro plano na Alemanha e, sobretudo, na Prússia, tem como equívoco principal haver penalizado ou excluído em ampla medida do poder aqueles (comerciantes, industriais, empregados do setor privado, operários) que estão cotidianamente empenhados na "luta econômica pela existência" (Weber, 1988, p. 97) e, precisamente por isso, são os mais indicados para conduzir aquela luta pela existência que é a característica inevitável e suprema das relações internacionais. Portanto, o sufrágio universal e o apelo ao povo são apenas um instrumento. Weber (1988, p. 100) não tem dificuldade para admiti-lo: "Para o subscritor, a 'democracia' jamais foi um fim em si. O que lhe interessou e interessa é unicamente a possibilidade de uma lúcida política nacional de uma forte Alemanha unida e projetada para o exterior."

7. *Mussolini, Pareto, as "duas democracias" e o bonapartismo*

O enorme reforço do Executivo, verificado sobretudo em países como França, Inglaterra e Estados Unidos, também faz escola em ambientes e personalidades que não se reconhecem na democracia e, antes, começam a pensar na eventualidade de um quadro político e institucional diverso e alternativo. Já vimos o interesse que o general Ludendorff mostra pelo regime teorizado por Weber, considerando sobretudo o exemplo da Inglaterra e dos Estados Unidos. Quando Spengler (1933a, p. 140) fala de "cesarismo em marcha", certamente tem também presente a evolução política atravessada pelos inimigos ocidentais da Alemanha, por aqueles países nos quais, apesar das aparências e das frases democráticas, o "velho parlamentarismo" desapareceu definitivamente, substituído pelo "domínio [pessoal] de Lloyd George" ou pelo "napoleonismo do partido militar francês"; e, quanto aos Estados Unidos, por um presidente que rompeu completamente em seu favor o velho equilíbrio com o Congresso (Spengler, 1980, p. 1.081).

É sobretudo interessante o caso do jovem Mussolini, não mais socialista embora não ainda fascista, mas já alinhado numa posição de nítida hostilidade ao regime parlamentar, no mínimo porque julgado como obstáculo ao desenvolvimento da guerra enérgica ou total por ele desejada até no plano interno:

> Uma das condições para vencer a guerra é esta: fechar o Parlamento, mandar embora os deputados. Wilson, por exemplo, exerce a ditadura. O Congresso ratifica o que Wilson decidiu. A mais jovem democracia, assim como a mais antiga, a de Roma, sente que a condução democrática da guerra é a mais sublime estupidez humana.

É uma profissão de fé "antiparlamentar" (Mussolini, 1951, v. 10, p. 144), mas que não pretende colocar no banco dos réus a democracia como tal, a qual só é rechaçada toda vez que, aferrando-se à "normalidade" e à "prática parlamentar", demonstra não estar à altura do estado de exceção, daquela "formidável exceção" que é a guerra: o alvo a ser atingido é o "Parlamento, [que] só lhes pode dar a condução democrática da guerra", revelando-se incapaz de realizar, quando preciso, uma "ditadura democrática" ou uma "democracia ditatorial". Mas, então, deve-se dizer que "existem ou podem existir duas democracias ou, pelo menos, duas formas de democracia" (Mussolini, 1951, v. 10, p. 62 ss., 144, 415 e 417). Quando sabe se personificar na figura de um líder capaz, enérgico e dotado de amplos poderes discricionários, a democracia supera brilhantemente a prova da guerra: em vez disso, a autocracia czarista é que não se mostra à altura da situação determinada pela crise bélica:

> Logo, é absurdo acusar o regime democrático, como tal, de incapacidade diante da guerra [...]. Ao contrário, uma democracia típica, como a inglesa, sabe fazer a guerra. Saberá fazê-la também a maior das democracias, a americana [...]. Clemenceau é o expoente da democracia sadia, produtiva e, quando necessário, guerreira [...]. Até as nações democráticas pouco a pouco centralizaram o poder real em poucos homens ou num homem só. Num certo sentido, Lloyd George, Clemenceau, Wilson são três ditadores democráticos. (Mussolini, 1955, v. 10, p. 416)

A democracia que suscita o apoio ou a admiração do jovem Mussolini apresenta claras características bonapartistas, dado que ela não só sabe ser autoritária e até ditatorial mas também sabe conduzir uma política externa enérgica e até francamente imperialista: "O imperialismo não é necessariamente antidemocrático e a democracia não é necessariamente anti-imperialista. A política de Lloyd George é democrática mas imperialista ao mesmo tempo" (Mussolini, 1951, v. 10, p. 416). Dir-se-ia que o culto ao *duce* começa a fazer os primeiros passos considerando um homem como Clemenceau, "piloto de braços e coração de ferro", que, com sua "energia" e "inflexibilidade", e também se apoiando no consenso da "multidão parisiense", é capaz de "golpear", "punir" e mandar prender qualquer francês que se mostre hesitante ou derrotista, inclusive Caillaux, o "ex-poderosíssimo presidente do conselho de ministros da França", agora finalmente reduzido a "um simples número na cela escura do cárcere que recolhe amostras de toda e qualquer enxurrada de Paris" (Mussolini, 1951, v. 10, p. 377 e 240-242). Aquele que começa a ser o *duce* do fascismo talvez pudesse também se reconhecer na impiedosa energia com que a América de Wilson e do seu sucessor procedem à repressão dos comunistas, dos seus simpatizantes e do movimento operário e popular alimentado pela Revolução de Outubro.

Que saída buscar para a "crise permanente do regime representativo"? É um problema que, na Itália, o liberal-conservador Gaetano Mosca também formula, ao acenar a uma outra possível solução, uma vez excluído o recurso, considerado bastante impopular e perigoso, à supressão do sufrágio universal:

> Um curto período durante o qual um governo forte e honesto exerça muitos poderes e tenha muita autoridade pode ser considerado como oportuno em algumas nações europeias, porque pode contribuir para preparar aquelas condições que tornarão possível, num futuro próximo, o funcionamento normal do regime representativo. Até em Roma, nos melhores tempos da república, algumas vezes e por curtos períodos, recorria-se à ditadura. (Mosca, 1953, v. 2, p. 240 nota)

Tratar-se-ia de uma "espécie de cesarismo", em cujo âmbito o Parlamento tem "uma função quase exclusivamente decorativa", tal como aconteceu com Napoleão I e com Napoleão III até 1868 (Mosca, 1953, v. 2, p. 232 nota). É uma solução cujos riscos, até mesmo bastante graves, o teórico liberal-conservador não esconde e que, portanto, só é considerada como medida transitória, chamada talvez a preparar um regime político análogo àquele que se desenvolveu na França depois de 1868, com a transformação do Segundo Império em sentido liberal.

Vnfredo Pareto pensa claramente em algo do gênero, e veremos seus sarcasmos cortantes contra os "fiéis da Santa Democracia", os "fiéis do 'Sufrágio Universal'" e, mais ainda, da "benéfica representação proporcional" (cf. infra, cap. 6, § 9). Intervindo no debate sobre as reformas ou contrarreformas institucionais chamadas a consagrar e consolidar os resultados da Marcha sobre Roma, o grande sociólogo esclarece com lucidez o objetivo real a ser buscado, e que não deve ser esquecido, em meio à sucessão de propostas díspares e muitas vezes contraditórias: "Os modos são infinitos, o objetivo é único e é o de fugir das ideologias democráticas da soberania da maioria. Para esta fiquem as aparências, mas que a substância vá para uma elite, porque objetivamente é o melhor" (Pareto, 1974, v. 2, p. 800). Pareto insiste com vigor na necessidade de conservar a "aparência" da democracia: "A presente ditadura, cedo ou tarde, desembocará numa reforma constitucional. Melhor cedo do que tarde. Convém que a reforma respeite o mais possível as formas existentes, renovando a substância" (Pareto, 1974, v. 2, p. 796). O golpe de mão fascista deve ser a ocasião para romper com a mitologia democrática, ainda que continuando a lhe prestar formalmente homenagem. Através de quais medidas é possível conseguir tal objetivo? Trata-se menos de buscar "o modo melhor de eleição" do que de limitar os poderes do Parlamento eleito seja como for. Com a franqueza e o cinismo que o caracterizam, Pareto declara que é preciso recorrer a "medidas do tipo daquelas empregadas pelo príncipe Luís Napoleão", que "deu ao país o sufrágio universal, reputado como medida democrática, e, como contraveneno, restringiu muito os poderes da Câmara". O bonapartismo é o modelo aqui explicitamente perseguido e, certamente, o "capitão genial" é parte constitutiva deste modelo, mas também o é o recurso à legitimação popular mediante "um prudente uso do referendo".

É verdade, mais tarde o grande sociólogo italiano recebe de Mussolini o laticlavo senatorial, mas seria errado reduzir suas posições às do fascismo. Não casualmente, ao lado do exemplo de Luís Napoleão, Pareto também cita o de Bismarck e até o da Inglaterra, erradamente desfraldado pelos democratas, dado que se trata de um país cujo "governo, até há pouco tempo, foi essencialmente a ditadura de um dos dois grandes partidos históricos". Por outro lado, quanto ao bonapartismo propriamente dito, não se trata, decerto, de imitá-lo acriticamente. É absurdo e contraproducente querer recorrer a uma repressão indiscriminada:

> existem grandes correntes de sentimentos que não desaparecem nunca, se bem que possam aparecer mais ou menos à superfície [...]; sob a ideologia democrática fluía a corrente do fascismo, que depois se espraiou pela superfície. Agora, sob esta permanece a corrente adversária. Cuidado para que não se espraie por sua vez! Cuidado para não lhe dar força, querendo detê-la inteiramente!

O grave erro do Segundo Império foi querer sufocar e reprimir toda e qualquer oposição, em vez de isolá-la e atingi-la com uma repressão voltada apenas contra suas manifestações concretamente subversivas e perigosas para a ordem existente. Então, não se deve nunca esquecer que "os piores inimigos de uma ordem são aqueles que querem levá-la até o extremo". Nesta perspectiva, a Câmara "é utilíssima" e indispensável, mas não como real centro decisório e, sim, como termômetro da eventual oposição existente no país, que um poder forte e sagaz pode moderar, desviar, neutralizar e, de um modo ou de outro, tornar substancialmente inócua no plano político (Pareto, 1974, v. 2, p. 797-800, *passim*).

Claramente, Pareto parece andar em busca de um bonapartismo moderno, mais *soft* e mais maleável do que aquele de Luís Napoleão e em cujo âmbito a necessária homenagem ao princípio de legitimação da vontade popular ou do sufrágio universal se reduza a alguns plebiscitos. Por sua vez, Mosca observa que "talvez o recente cesarismo busque constituir-se numa base legal através do referendo popular, ou seja, de plebiscitos, exatamente como os dois cesarismos napoleônicos fizeram" (Mosca, 1953, v. 2, p. 232 nota). E, finalmente, Weber também define "as eleições e as votações populares diretas e ainda mais o referendo ab-rogatório" como "o meio específico da democracia puramente plebiscitária" (Weber, 1982, p. 113).

Por algum tempo, o fascismo italiano ou alguns dos seus ambientes parecem se mover na direção indicada por Pareto. Em 1923, Michele Bianchi, "quadrúnviro" na Marcha sobre Roma, se pronuncia por um governo estável durante toda uma legislatura, que, uma vez investido do consenso popular, deve estar protegido contra qualquer moção de desconfiança. Tudo isto em nome da democracia e do respeito à vontade do povo: deve-se colocar o Parlamento na impossibilidade de escamotear a "vontade expressa pelo País através do veredito eleitoral" (De Felice, 1966, v. 2, I, p. 521). Mas, concretizando os temores já expressos por Pareto, Mussolini termina por "levar ao extremo" e, assim, por suprimir a "ordem" sugerida pelo grande sociólogo, que o *duce* do fascismo substituiu por uma ditadura aberta que, certamente, ao se basear no carisma pessoal e homenagear, com plebiscitos e apelos periódicos ao povo, o princípio da soberania ou da aclamação de baixo para cima, contém elementos de bonapartismo e que, no entanto, não consegue se consolidar como autêntica "ordem" capaz de durar no tempo, de passar do estado de exceção à normalidade e de sobreviver ao desaparecimento de um determinado líder. Para explicar as razões de tal fato, não basta fazer referência à ambição ou à vaidade, indiscutível e desmedida, do personagem em questão. Pode ser útil mencionar a Alemanha, onde o líder ou *Führer* invocado por tantos chega ao poder cultivando desde o início um projeto de revanche militar e de mobilização total capaz de esmagar os vencedores do primeiro conflito mundial e de afastar qualquer possibilidade de uma "punhalada nas costas" na frente interna. Tendo presente a Revolução de Novembro, que, ao ser deflagrada um ano depois da Revolução de Outubro, tinha selado a derrota da Alemanha, o programa revanchista de política internacional se liga solidamente à vontade de reprimir, com todos os meios, a agitação comunista e qualquer ameaça à ordem social existente. Assim, em todo o arco da sua evolução, o Terceiro *Reich* se configura como bonapartismo de guerra, e de guerra total, sob o signo de um estado de exceção permanente e administrado com uma brutalidade sem precedentes. É uma explicação que, em certa medida, também pode valer para a Itália, onde, além da vontade de liquidar de uma vez por todas o perigo da subversão social e política, o bonapartismo de guerra e o estado de exceção permanente são estimulados por um projeto de política internacional mais uma vez revanchista, em cujo âmbito o mito da "vitória mutilada" leva a uma política de aventuras militares, da marcha sobre Fiúme até o ultimato à Grécia e a ocupação de Corfu, passando pela Etiópia e pela Espanha e chegando até a catástrofe da Segunda Guerra Mundial.

8. *O movimento comunista e o espectro do bonapartismo*

Nestes anos, o espectro do bonapartismo também agita as fileiras do movimento comunista internacional. Depois da Revolução de Fevereiro, Lenin (1955, v. 25, p. 210-213) vê tomar corpo "o início do bonapartismo" no regime de Kerenski, decidido a restabelecer a ordem interna para poder prosseguir a guerra e pronto a denunciar toda e qualquer agitação pacifista como expressão de um complô alimentado pelos inimigos da Rússia e sustentado dentro do país apenas por elementos alheios à autêntica alma nacional.

Neste contexto, a reflexão de Gramsci apresenta um interesse particular por não perder de vista o fato de que governos do tipo mais ou menos "césaro-bonapartista" também podem se desenvolver no quadro de um regime representativo ou formalmente parlamentar, como aconteceu na Alemanha com Bismarck, na Itália com Depretis, Crispi e Giolitti, ou como acontece na Inglaterra com o trabalhista MacDonald. E quando, em seguida, distinguem entre "cesarismo regressivo" e "cesarismo progressista", os *Cadernos do cárcere* parecem também subsumir nesta categoria a União Soviética staliniana (Gramsci, 1975, p. 387 e 1.619 ss.). Trotski fala constantemente deste país como dominado por uma "ditadura bonapartista" ou por um "bonapartismo plebiscitário". Mas outras vezes Stalin é definido, de modo bastante diferente, como o "líder inconteste da burocracia termidoriana" (Trotski, 1968, p. 229, 255 e 87). É evidente que, em tais definições dificilmente conciliáveis entre si, a analogia mecânica entre Revolução Francesa e Revolução de Outubro tem um importante papel negativo, de modo que a fase de máxima radicalização e de mais intenso desenvolvimento da iniciativa popular deve ser seguida primeiro por um Termidor e, depois, por um Brumário; tudo isto em conformidade com o mito da revolução que retoma sua marcha triunfal, uma vez que consiga se livrar de burocratas, termidorianos e bonapartistas. Por outro lado, Trotski também é considerado suspeito de intuitos e tendências bonapartistas pelos seus adversários, entre os quais, em última análise, está o próprio Gramsci, que denuncia sua plataforma teórica e política como "uma forma de 'napoleonismo' anacrônico e antinatural" (Gramsci, 1975, p. 1.730).

E, assim, os *Cadernos do cárcere* parecem subsumir tanto Stalin quanto seu grande antagonista numa mesma categoria, que não é a mais adequada para compreender os desdobramentos políticos verificados no país protagonista da Revolução de Outubro. Certamente, ela não vale para Lenin, a propósito do qual Hannah Arendt considera que se deva falar de "ditadura revolucionária" e não de bonapartismo ou de totalitarismo, dado que o dirigente bolchevique, longe de criar uma sociedade atomizada e amorfa (que é o pressuposto do poder pessoal), rompendo com a política czarista, não só promove o desenvolvimento dos sindicatos, mas organiza o maior número possível de nacionalidades, favorecendo o surgimento de uma consciência nacional e cultural até entre os grupos étnicos mais atrasados (Arendt, 1989, p. 440 ss.).

Não é este o lugar para analisar a categoria de totalitarismo ou de democracia totalitária: para explicar a história do século XX, procede-se muitas vezes de modo apriorista, no sentido de que se pretende deduzir do pensamento de um determinado autor (Marx ou, já antes, Rousseau) a realidade do enquadramento total do indivíduo, negligenciando o dado de fato macroscópico de que, no curso da Segunda, Guerra dos Trinta Anos, pelo menos nos momentos mais dramáticos de crise, os países de tradição liberal mais consolidada também se empenharam em "fundir milhares e, mais precisamente, milhões de seres humanos numa massa amalgamada de ódio, de vontade, de esperança", bem como de "entusiasmo belicoso" (cf. supra, cap. 5, § 2). Ocupei-me em outro lugar (Losurdo, 1992b) da categoria em questão e do seu uso ideológico e maniqueísta, que prescinde completamente da história concreta das instituições totais ein países com os mais diferentes regimes políticos e sociais. Detenhamo-nos na categoria de bonapartismo, aqui propriamente objeto de investigação. Seria adequada para a compreensão da URSS de Stalin? Só em parte: sem dúvida, ela dá conta da extrema personalização do poder e do seu uso incontrolado e terrorista. Mas não se deve perder de vista um outro aspecto, aquele da referência constante ao partido, ao programa revolucionário marxista, a uma ideologia que enfatiza o papel da luta de classes. E, ainda que a práxis seja a nítida antítese da teoria, resta o fato de que esta última, mesmo assim, prejudica a plena explicitação do bonapartismo, o qual apela ao carisma pessoal do líder e se proclama acima de todos os partidos e classes sociais e não se cansa de expressar seu desprezo por aqueles que condena como doutrinários aferrados a ideias, construções sistemáticas ou, ainda, a "questões metafísicas" (cf. supra, cap. 2, § 2). Nesta perspectiva, "doutrinários" eram aqueles que, na França, continuavam a evocar a Revolução de 1848 ou a tradição jacobina, como também seriam doutrinários Stalin e seus homens, continuamente empenhados, apesar do extremo desregramento prático, em exaustivas discussões sobre a realização do programa de Marx, de Engels e de Lenin e sobre o grau de fidelidade à Revolução de Outubro.

À medida que pode contar com o consenso, o líder do Kremlin deve isto não ao seu carisma pessoal ou à sua capacidade de mergulhar em periódicos banhos de multidão e nem mesmo à capacidade de controlar os meios de comunicação de massa, mas à atividade e à propaganda de milhares ou milhões de ativistas e militantes de partido, convencidos, certa ou erradamente, de lutar pela realização de um determinado modelo de sociedade, em conformidade com o patrimônio de ideias de uma precisa tradição revolucionária. Em tal contexto, não é o rádio (ou, hoje, a televisão) que desempenha o papel decisivo, mas a escola de partido. Por outro lado, o próprio Trotski, que o acusa de bonapartismo, em seguida fornece o seguinte retrato de Stalin: "Desconhecido das massas, [...] antes que ele entrevisse o próprio caminho, a burocracia o adivinhara. Ele oferecia todas as garantias desejáveis: o prestígio de um velho bolchevique, um caráter firme, um espírito restrito, uma relação indissolúvel com os aparelhos, única fonte da sua influência pessoal" (Trotski, 1968, p. 87). Certamente, não é o retrato de um líder bonapartista: basta pensar na nítida contraposição corretamente intuída por Weber entre poder burocrático e poder cesarista. Por assim dizer, a vitória de Stalin representa a vitória de um aparelho de partido e de Estado que se autonomiza progressivamente da base por ele "representada" e que derrota uma possível alternativa de tipo bonapartista, que poderia facilmente encarnar-se no líder vitorioso do Exército Vermelho, dotado de um carisma desconhecido nos outros líderes bolcheviques e que, mais do que qualquer outro, parece encarnar a missão de exportação para o mundo de um modelo superior de sociedade e de civilização.

Naturalmente, a longa duração da Segunda Guerra dos Trinta Anos bem como a expectativa da revolução mundial (que também gera um clima de mobilização e de guerra) podem estimular tendências bonapartistas também no interior do mundo comunista. É assim na Cuba de Fidel Castro, na qual o cerco militar, político e econômico, as ameaças e as tentativas realmente efetivadas de invasão, o embargo (uma medida de guerra), o estado de emergência permanentemente imposto de fora, tudo isto leva objetivamente à personalização do poder. Mas as tendências propriamente bonapartistas são igualmente contrariadas pela referência a uma ideologia e a um programa político bem determinados e ao partido neles baseado: por certo, ideologia, programa e partido servem como instrumentos de legitimação, mas também, em certa medida, de limitação do poder. Além disso, o bombardeio propagandístico efetuado pelo poderoso vizinho norte-americano cria, no plano ideológico, uma situação de dualismo de poderes que só pode ser enfrentada recorrendo mais uma vez à atividade do partido. Às imagens sedutoras de opulência transmitidas pela televisão estadunidense só pode ser contraposta uma politização capilar, que se apoia naquelas "questões metafísicas" desde sempre odiosas ao bonapartismo, como quer que este se configure.

O momento em que uma sociedade com direção comunista mais parece se aproximar do modelo bonapartista talvez seja representado pelos anos da revolução cultural na China, com o líder que, passando por cima do partido e apoiando-se no seu carisma pessoal, se dirige diretamente às massas, as quais, no entanto, não são estimuladas a expressar a aclamação plebiscitária e a retornar em seguida à vida privada: ao contrário, elas são insistentemente estimuladas a uma atividade política permanente, ainda que guiada e controlada pelo alto. É um controle que se mostra problemático e trabalhoso. A extrema dificuldade encontrada por Mao para delimitar as formas de luta e os objetivos e para concluir num dado momento a revolução cultural é uma confirmação adicional do papel autônomo que, também nesta ocasião, continuam a ter a ideologia e o programa, bem como os grupos políticos que, às vezes em divergência com o Partido Comunista ou com sua direção, organizam-se com base em tal ideologia ou em tal programa. Por outro lado, é justamente por estas razões que o revolucionário de tipo jacobino, bolchevique ou comunista sob qualquer forma é relacionado pelos teóricos liberais ou conservadores a uma espécie antropológica bastante singular e decididamente perigosa, a do *homo ideologicus*, uma espécie de todo modo inteiramente inaceitável aos olhos do bonapartismo, que odeia furiosamente os indivíduos e as massas "doutrinadas" e ideologizadas.

A assimilação que Hannah Arendt (1989, p. 449) faz entre comunismo, fascismo e nazismo, sob o signo da "ausência de programa", é inteiramente insustentável e só pode ser explicada por *parti pris*. É um líder como Mussolini que se vangloria repetidamente de não ser atrapalhado por escrúpulos programáticos e, ao contrário, agir atendo-se exclusivamente à sua criatividade e ao seu humor. O fascismo e o nazismo é que insistem na fidelidade formal, independentemente de um conteúdo determinado, a um líder, a um *duce* ou a um *Führer* individual. Este é o significado de fórmulas como "Crer, obedecer, combater!" ou "Nossa honra se chama fidelidade!". No âmbito da tradição comunista, encontramos palavras de ordem muito diferentes. Basta lembrar aquela cunhada por Liebknecht e cara também a Lenin: "Estudar, fazer propaganda, organizar!" (Yakobson e Lasswell, 1965, p. 233 ss.) ou aquela colocada por Gramsci ao lado do título de *L'Ordine Nuovo:* "Instruam-se, porque precisaremos de toda a sua inteligência. Agitem-se, porque precisaremos de todo o seu entusiasmo. Organizem-se, porque precisaremos de toda a sua força". Como se vê, em primeiro lugar aparece o apelo ao estudo, ou seja, à apropriação teórica da ideologia e do programa chamados a guiar o movimento de transformação da realidade. Se existe um elemento que aproxima nazifascismo, por um lado, e comunismo, por outro, é só a incapacidade, comum a ambos, ainda que motivada por diferentes razões, de passar do estado de exceção à normalidade, como, ao contrário, acontece no âmbito do bonapartismo *soft,* do qual logo nos ocuparemos mais amplamepte.

De resto, deve-se recorrer a outras categorias para compreender os desdobramentos políticos que se verificaram depois da Revolução de Outubro. Nascida com o intento de dar subjetividade política àquela que a tradição liberal considerava como a multidão eternamente "criança" e estruturalmente incapaz de expressar uma vontade autônoma, a teoria da vanguarda revolucionária, formulada por Lenin e já presente *in nuce* em Marx, terminou por orientar objetivamente, na história do "socialismo real", uma nova versão da teoria e da prática que pretendia superar. Segundo Gramsci, enquanto as classes subalternas se configurarem como "uma massa amorfa que se agita perenemente fora de toda organização espiritual", o "povo trabalhador" estará fadado a permanecer na condição de "presa fácil de todos" e de simples "material humano" à disposição das elites (Gramsci, 1980, p. 175), de "material bruto para a história das classes privilegiadas" (Gramsci, 1987, p. 520). Assim ocorrera, particularmente, por ocasião da Primeira Guerra Mundial, quando se lançou a multidão "criança", à sua revelia, na fornalha da guerra por obra de uma elite que reivindicava explicitamente o direito de impor esta enérgica pedagogia da dor e do sacrifício a uma massa relutante e arraigada na banalidade da existência cotidiana e dos interesses materiais. Deu-se, no entanto, que a vanguarda chamada a dirigir o processo de supressão deste estado de coisas se transformou, por sua vez, numa nova elite, autoinvestida de um saber superior absolutamente inacessível para uma multidão que continuou a ser, ou voltou a ser, criança. Por isto, os regimes políticos que recentemente entraram em colapso no Leste da Europa foram corretamente denunciados, inclusive pela consciência comum, como domínio da *Nomenklatura*, de um grupo dirigente fechado e esclerosado, de uma autêntica oligarquia que se desenvolveu a partir da posição central e privilegiada do Partido Comunista, o qual, no entanto, constituiu um obstáculo ao desenvolvimento do bonapartismo propriamente dito.

O bonapartismo começou a emergir na Rússia precisamente a partir do colapso do "socialismo real". Algum tempo depois, a imprensa assim descrevia o papel de Ieltsin: "Eleito presidente pelo povo, autonomeado primeiro-ministro do seu governo, agora Boris, 'O Terrível', também será ministro da Defesa. A função é temporária [...]. Mas, de fato, o líder da Rússia se encontra hoje com um poder enorme, como nem mesmo Gorbatchev alguma vez teve na União Soviética". Além disto, vê-se à frente de um Exército não de conscritos e, portanto, pouco confiável, mas de um Exército que, pelo menos em perspectiva, será "completamente profissional, composto só de voluntários que 'trabalham' como soldados, como nos Estados Unidos" (Franceschini, 1992). Típicas do bonapartismo são as declarações recentemente dadas por Ieltsin, empenhado numa disputa com o Congresso: "Prestei juramento diante do povo russo e não de uma Constituição já superada" (Bensi, 1992). O partido recém-fundado do presidente propõe "a convocação de um referendo para dissolver o Parlamento" (Bonanni, 1992). Nos dias que correm – neste início de dezembro de 1992 –, podemos apenas nos perguntar se, em caso de estabilização da situação, o líder russo conseguirá impor um verdadeiro regime bonapartista, capaz de passar sem dificuldades da normalidade para o estado de exceção e vice-versa, ou se, ao contrário, iremos assistir a uma autonomização do estado de exceção, com o surgimento de um regime abertamente autoritário ou de uma ditadura de tipo mais ou menos fascista.

9. Cesarismo, ditadura e bonapartismo

No debate relativo ao novo regime político (baseado num Executivo fortemente personalizado e dotado de amplíssimos poderes), que começa sua marcha triunfal nos principais países a partir da Primeira Guerra Mundial, vimos que em cada oportunidade são apresentadas categorias diferentes, nem sempre unívocas, sobre as quais convém refletir. Se Cobban se refere sobretudo à instituição da ditadura romana, Weber fala em primeiro lugar de cesarismo. Mas, no debate em questão, também surge a categoria de bonapartismo, que, já presente em Pareto e Mosca, é tematizada por Sorel, o qual, poucas semanas após a deflagração da guerra, enfatiza, numa carta ao italiano Missiroli, a tendência em curso na França de "conceder ao presidente amplos poderes": não se pode excluir nem mesmo "uma restauração bonapartista"; mas o resultado mais provável talvez seja um golpe de Estado para "reformar a Constituição inspirando-se no exemplo dos Estados Unidos" (Sorel, 1973, p. 510). É uma tendência que não se esgota com o fim da guerra. Mais do que nunca, o bonapartismo parece ter adquirido vitalidade e estar em marcha:

> Deve-se observar que em toda a Europa o parlamentarismo se dirige para um regime de poder pessoal exercido por um grande político. O fato é notável sobretudo na Inglaterra. Lloyd George é verdadeiramente um rei sem coroa e um rei muito mais poderoso do que os últimos Bourbons o foram na França [...]. Creio que por toda parte os costumes políticos passam a se modelar cada vez mais segundo o princípio da Constituição [bonapartista] de 1852: todos os agentes do governo devem ser responsáveis perante um líder único, que, por sua vez, só é responsável perante o povo (Sorel, 1973, p. 244 ss.).

Como sabemos (cf. supra, cap. 3, § 1), às vésperas do golpe de Estado de Luís Napoleão e da imposição da "Constituição de 1852", a propaganda bonapartista já havia evocado o modelo americano. Agora, enquanto a guerra se alastra, é Sorel quem observa os elementos de bonapartismo presentes na ordem política e constitucional dos Estados Unidos e a influência que eles têm na evolução política de inúmeros países europeus:

> Quando, em 10 de dezembro de 1848, o príncipe Luís Napoleão foi eleito presidente, ele se considerou investido de uma delegação nacional que o punha muito acima da Câmara: um homem designado por mais da metade dos eleitores era, aos olhos do bonapartismo, muito mais "nacional" do que os deputados, eleitos em virtude de influências locais. Por isso, o presidente acreditava poder impor à Assembleia Legislativa uma atividade conforme à vontade popular, tal como se havia manifestado em 10 de dezembro [...]. Nos Estados Unidos, o presidente é eleito diretamente pelo povo [...]. Seus presidentes invocam quase a lei suprema da salvação comum, quando falam em nome da nação; o princípio da ditadura está implícito na Constituição americana. O modo como se desenrolou a história dos Estados Unidos no século passado contribuiu para convencer os presidentes de que, se necessário, eles podem agir como líderes responsáveis unicamente diante da totalidade do país (Sorel, 1973, p. 243).

O regime político que, partindo dos Estados Unidos, progressivamente se difunde também na Europa, não deixa de ter, segundo o autor francês, aspectos preocupantes e, no entanto, parece ter características de permanência, quando não um aspecto irresistível: "Os atos mais ou menos ditatoriais dos presidentes americanos nem sempre foram muito felizes [...]. Não obstante as inúmeras demonstrações daquilo que existe de perigoso na semiditadura dos presidentes americanos, é difícil que as coisas mudem" (Sorel, 1973, p. 44).

Talvez Sorel tenha ido mais longe do que todos ao definir as características do novo regime político que progressivamente se afirma: 1) ele se baseia no "poder pessoal exercido por um grande político", uma espécie de "rei sem coroa", investido e legitimado pela "vontade popular"; 2) não se trata de uma ditadura militar, mas de um regime em cujo âmbito "o princípio da ditadura está implícito"; 3) este regime, caracterizado pela personalização do poder e pela facilidade com que consegue passar da normalidade ao estado de exceção e vice-versa, encontra na "Constituição americana" e na tradição política dos Estados Unidos seu principal ponto de referência.

Em relação a Sorel, Weber se mostra menos preciso ao recorrer a outras categorias, além de "cesarismo". Expressa-se positivamente a propósito do "ditador cesarista" e dos "ditadores municipais plebiscitários", que, "nas grandes cidades americanas", "domaram" a corrupção. Em outros casos, o sociólogo alemão parece fazer uma aproximação entre o líder cesarista e um "ditador militar como Napoleão I". Às vezes, parece quase lamentar a derrota da última tentativa bonapartista na França (a do general Boulanger), fracasso "pago com a falta de autoridade dos poderes supremos junto às massas que é típica daquele país" (Weber, 1982, p. 107 ss.). E, no entanto, não obstante algumas oscilações de linguagem, como também fica claro pelo desprezo com que fala do "parlamento sombra" de Napoleão III (que, apesar de tudo, não consegue domar "o domínio das ruas", ou seja, se deixa expulsar pela Comuna de Paris), Weber tem como modelo, sobretudo, o que defini como um regime de bonapartismo *soft*, do qual o sociólogo alemão ilumina um outro aspecto essencial, que a análise de Sorel deixa na sombra: o líder cesarista recebe a investidura antes através de um "plebiscito" do que de "uma 'votação' ou 'eleição' normal"; ou seja, é elevado ao poder não com base num programa ou em conteúdos políticos determinados, mas em virtude de uma "profissão de 'fé' [por parte das massas] na vocação de líder daquele que pretende para si esta aclamação" (Weber, 1988, p. 186; Weber, 1982, p. 197).

A atenção é dirigida, em primeiro lugar, aos Estados Unidos, onde só estão presentes "partidos voltados ao patronato de cargos, completamente destituídos de princípios" (Weber, 1982, p. 115), que, portanto, não são capazes de interpor obstáculos a uma relação de mera confiança entre seguidores e líder, do qual os primeiros podem esperar recompensas materiais até substanciosas, mas não, certamente, o respeito a compromissos programáticos efetivamente jamais assumidos. O poder exercido por este líder não é uma dita. dura, mas é suscetível de nela se transformar sempre que a situação objetiva o requeira:

> Contra o *putsch*, a sabotagem e análogos fenômenos explosivos politicamente estéreis, que se verificam em todos os países – entre nós mais raramente do que em outras partes –, todo governo, até o mais democrático e o mais socialista, deveria aplicar a lei marcial, se não quiser correr

o risco das consequências que agora ocorrem na Rússia; sobre isto não é preciso dizer mais nenhuma palavra. (Weber, 1982, p. 119)

Depois de ter descrito em tom sombrio a Rússia de Kerenski (empenhada em prosseguir a todo custo uma guerra odiosa para a massa da população), Weber invoca a lei marcial para prevenir em outros países aquela Revolução de Outubro que abatera tal regime odioso.

Mas não é tanto nas opções políticas imediatas do grande sociólogo que convém nos determos. Mais interessante é a teorização de um regime cesarista ou bonapartista, suscetível de se transformar em ditadura aberta em momentos de crise aguda e, em seguida, de voltar do estado de exceção à normalidade, como acontece com os "povos politicamente maduros" (Weber, 1982, p.119). Sob este ponto de vista, o erro principal de Bismarck consiste no fato de que, mesmo sendo um grande líder cesarista, não foi capaz de realizar um verdadeiro regime cesarista ou bonapartista, ao contrário do que os países anglo-saxões souberam fazer: a função importante do Parlamento inglês não é exercer um poder real, mas resolver "o problema do *sucessor*" ou da "forma pacífica de *destituição* do ditador cesarista quando ele *perde* a confiança das massas" e o *"controle* da sua posição de poder" (Weber, 1982, p. 114 e 108), sem alterar o fato de que tal sucessão ordenada e indolor implica a posse de um outro "ditador cesarista", ou melhor, de um líder "fiduciário (substancialmente) cesarista das massas", pronto para se transformar, a cada momento, num ditador aberto.

6. SUFRÁGIO UNIVERSAL, PROPORCIONAL E REAÇÃO UNINOMINALISTA

1. *Colégio uninominal e novas formas de discriminação censitária*

Por certo, mesmo depois da reintrodução do sufrágio universal, o liberalismo francês não se reconhece nele. sem reservas, nem na fase liberal do Segundo Império. Continua a considerar como modelo a Inglaterra, onde a discriminação censitária é explícita e claríssima. A própria Reforma de 1832, que havia estendido os direitos políticos à burguesia, nem sempre é objeto de avaliações entusiasmadas: ela favorece "o triunfo da mediocridade", enquanto o sistema precedente, apesar de todas as suas distorções feudais, tinha enviado à Câmara dos Comuns "os homens mais capazes da Inglaterra" (Laboulaye, 1866, v. 3, p. 340).

Quem formula este juízo é um autor que já vimos ironizar a peculiar ideia francesa de que o voto seria "um direito natural, absoluto" (cf. supra, cap. 1, § 1) e que insiste nos perigos do sufrágio universal: tal instituição só poderia ser considerada como boa coisa "sob uma condição", bastante problemática, cuja realização só pode ser esperada em futuro incerto, isto é, "que a grande maioria dos cidadãos seja sábia, moderada, amiga da justiça e da verdade" (Laboulaye, 1863b, p. 203). Devem-se evitar entusiasmos fáceis e acríticos: "Sei que o sufrágio universal é um dogma: não se discute, adora-se. Sempre desconfio de uma ideia cega. Na religião e na política, só produz fanáticos" (Laboulaye, 1866, p. 341). O liberalismo francês parece estar em busca de possíveis remédios para a gigantesca extensão do sufrágio: sem que se tenha realizado uma obra preliminar de instrução e educação, os direitos políticos foram concedidos à massa que se agita aquém da "superfície" da "velha civilização", uma massa prisioneira da "ignorância, credulidade, fraqueza" e na qual "as revoluções encontram seus soldados" (Laboulaye, 1863b, p. 211). Não faz sentido querer remediar tal situação filtrando o voto popular mediante um sistema eleitoral de segundo grau, observa Laboulaye na trilha de Constant, de quem edita *Princípios de política*. Num país em que é tão forte "a paixão pela igualdade", não se pode nem pensar em recorrer ao voto plural caro a John Stuart Mill, o qual, no entanto, tem o mérito de apresentar ideias "muito audaciosas", que, se podem parecer "estranhas", ainda assim se impõem na Inglaterra à "reflexão" e ao debate (Laboulaye, 1863a, p. 150; Laboulaye, 1866, v. 3, p. 334 ss.). E então?

Apesar de todas as suas reservas sobre o sufrágio universal, o liberal francês se dá conta de que no seu país é inimaginável o retorno à discriminação censitária aberta. Mas pode-se agir sobre o sistema eleitoral. Laboulaye retoma a polêmica contra o "voto em lista", já denunciado pela propaganda bonapartista como elemento de falsificação da vontade popular por obra dos partidos e dos grupos políticos organizados e ao qual agora é contraposto o exemplo americano: "É a preocupação constante dos povos livres: é necessário que as eleições sejam feitas diretamente, que os eleitores só escolham uma pessoa e conheçam bem a pessoa que escolhem" (Laboulaye, 1866, v. 3, p. 365). Laboulaye se pronuncia não só pelo sistema uninominal mas também por colégios de dimensões reduzidas, e explica assim as razões desta sua preferência:

> Nas nossas antigas Câmaras, havia um núcleo considerável de deputados que tinham uma relação com seus eleitores não baseada apenas no aspecto político. Grandes proprietários, grandes industriais, generais, magistrados, advogados, publicistas e até poetas tinham sido de algum modo adotados como representantes perpétuos do seu lugar de nascimento ou de residência. Vitry só conhecia o senhor Royer-Collard, Sedan sentia-se honrada por eleger o senhor Cunin-Gradin, Clamecy tinha orgulho do senhor Dupin, tal como Mâcon se orgulhava do senhor de Lamartine. Deputados deste tipo, unidos à sua circunscrição pela comunidade de interesses ou de lembranças, pela autoridade do talento ou da glória, exerciam na Câmara e no país uma ação moderadora. Perdoava-se-lhes o fato de não esposar a paixão do momento; seus conselhos eram escutados, suas opiniões discutidas. Tratava-se de um grande elemento de calma e de razão. Hoje, a extensão da circunscrição é tão grande e sua delimitação às vezes tão arbitrária

que se romperam todas estas velhas relações de patronato e de clientela. O novo sistema destruiu tais influências pessoais que tinham inconvenientes passageiros e vantagens duráveis; o resultado é que, hoje, é a simpatia política o que decide a eleição de modo quase exclusivo. Entre o eleitor e o deputado não há nada em comum fora a opinião do momento. Surge a tempestade, surge um daqueles dias terríveis em que o país se lança à oposição: haverá eleições gerais que irão derrubar a Câmara e dilacerar todo o país. (Laboulaye, 1863a, p. 162-164)

Assim, aponta-se entre as vantagens do sistema eleitoral em questão sua capacidade de barrar uma politização demasiadamente capilar e garantir uma influência dos notáveis locais, consagrada pelo costume e pela atitude tradicional de reverência em relação a eles, observada sobretudo por uma população rural ou provinciana, não afetada pela influência perniciosa dos partidos políticos. Fazer prevalecer o campo sobre a cidade também é a preocupação de Napoleão III, empenhado em se apoiar nos camponeses para neutralizar as cidades inquietas e turbulentas. Mas Laboulaye desenvolve mais ainda sua argumentação. Depois de ter sublinhado o peso da riqueza nos resultados eleitorais, pergunta-se se é justo tentar controlá-lo ou limitá-lo no plano legislativo:

> Adquirir e pagar o voto de um eleitor é verdadeira corrupção; trata-se de um crime punido pela lei: mas doar dinheiro às igrejas e aos sanatórios da circunscrição, fundar escolas, abrir asilos, construir fontes, poder-se-ia proibir tudo isto a um cidadão só porque este cidadão é candidato? Se tais despesas forem declaradas suspeitas ou delituosas, bloqueia-se ao mesmo tempo aquela liberalidade que os antigos apontavam como virtude das repúblicas, aquele apego à comunidade que é a honra dos países livres; se, ao contrário, tais despesas forem declaradas inocentes, qualquer que seja a intenção do doador – e eu me inclinaria por esta solução em sinal de respeito à liberdade e de amor ao bem público –, confere-se à riqueza um privilégio eleitoral que ela saberá aproveitar. Tratar-se-á do restabelecimento, indireto, de um censo eleitoral.
>
> Se estas observações forem exatas, vê-se que o sufrágio universal é um instrumento menos fácil de manipular do

que à primeira vista se acreditava. (Laboulaye, 1863a, p. 167 ss.)

Pelo menos na França, revela-se problemático e perigoso retroceder na questão do sufrágio universal, mas é possível enfraquecê-lo reintroduzindo, nas novas condições, a discriminação censitária que ele oficialmente é chamado a abolir de uma vez para sempre.

Podemos ler preocupações e conclusões análogas no pensamento político inglês do tempo. Vimos Bagehot evocar, angustiado, a eventualidade de uma "aliança política das classes inferiores como tais e em função dos objetivos que elas pretendem buscar" (cf. supra, cap. 2, § 2). A escolha do sistema eleitoral também se reveste de uma grande importância para o fim de barrar esta infeliz eventualidade. O autor liberal traça um interessante quadro político-social da Inglaterra do seu tempo.

> Existem classes inteiras que nem sequer têm uma ideia daquilo que as camadas superiores chamam de conforto, que não possuem os pré-requisitos de uma vida moral, que não podem conduzir uma vida digna de um homem. Mas nem as mais miseráveis destas classes relacionam sua miséria à política. Se um agitador político pronunciasse um discurso diante dos camponeses de Dortshire e tentasse suscitar descontentamento político, provavelmente seria forçado a se calar, em vez de obter sucesso. (Bagehot, 1974a, p. 380)

É uma situação que pode muito bem sobreviver à extensão do sufrágio, mas com a condição de não ser perturbada por um sistema eleitoral como o proporcional, graças ao qual as cidades industriais conseguiriam enviar ao Parlamento "pessoas que representam crenças e superstições das classes mais baixas das suas cidades", artesãos, operários ou outros elementos que os reforcem. Poderia ser o início de uma organização autônoma das classes subalternas, ainda mais que a representação proporcional favorece o desenvolvimento e a consolidação dos partidos, reforça sua influência e coloca os "ismos" no centro do debate, isto é, exatamente as grandes questões suscetíveis de "excitar as classes inferiores" (Bagehot, 1974a, p. 299 e 304 ss.). Tudo isto terminaria por conferir um significado político à miséria existente e comprometer a satisfação ou a resignação obtusa que a massa de "criaturas miseráveis", apesar de tudo, até agora sente diante das próprias condições de vida.

Se, incapaz de compreender as questões políticas gerais, a multidão "criança" deve se limitar a escolher o líder entre personalidades concorrentes da classe dominante, então está claro que o sistema eleitoral conforme a tal objetivo só pode ser o colégio uninominal, possivelmente polarizado em torno de dois candidatos, ambos empenhados, ainda que no âmbito de uma competição acesa, em agitar o "vago sonho de glória" que pode desviar a atenção das massas das suas duras condições de vida e evitar que façam uma relação entre sua miséria e o sistema político-social existente. Mas Bagehot vai além, isto é, não faz mistério sobre o fato de que o sistema eleitoral por ele celebrado pretende ser uma barreira contra a democracia: o vício básico da representação proporcional é colocar-se de algum modo no rastro da "teoria ultrademocrática", a qual pretenderia conferir um "igual direito de voto" aos maiores de idade do sexo masculino (e até mesmo às mulheres!), abolindo inclusive o voto plural, de modo que, "segundo a lei, os ricos e inteligentes não deveriam ter mais votos do que os pobres e estúpidos" (Bagehot, 1974a, p. 380 e 298). Se não é mesmo possível bloquear ou rechaçar a tendência que quer nivelar o exercício dos direitos políticos, pelo menos é necessário cerceá-la com o colégio uninominal, que, tanto para o liberal inglês quanto para o francês, tem o mérito de fazer com que sobrevivam à extensão do sufrágio as "vantagens" básicas da discriminação censitária.

2. *A representação proporcional como coroação do sufrágio universal*

Do lado oposto ao de Laboulaye e Bagehot, também o movimento democrático apreende com clareza o significado político e social do debate sobre os sistemas eleitorais que se desenvolve a partir da segunda metade do século XIX. Leiamos uma intervenção francesa do fim do século: "A representação proporcional, afirmam nossos adversários, permitirá a representação dos partidos anticonstitucionais ou revolucionários", abrirá as portas do Parlamento a "comerciantes de guarda-chuvas", "vendedores de roupa" e "bêbados", "aos elementos e aos partidos 'perigosos'" (Saripolos, 1899, v. 2, p. 169, 172 e 177). Com o colégio uninominal, são as classes tradicionalmente consideradas "perigosas" que se pretende manter sob controle e fora dos órgãos representativos. Compreende-se, então, que não só o movimento democrático mas também uma opinião pública mais ampla reivindiquem na França o sistema proporcional como realização concreta do "sufrágio universal e igual", de outro modo condenado "a só existir no papel" (Saripolos, 1899, v. 2, p. 166). Certamente, trata-se não só de abolir a discriminação censitária mas também de rechaçar propostas como as do voto plural, caro a Mill, que neste momento tem uma experiência concreta até fora da Inglaterra, num país como a Bélgica. O voto plural seria o único modo de tornar desigual o sufrágio? Vejamos os efeitos produzidos pelo colégio uninominal:

> De 100 eleitores, estão representados no máximo 45: assim, o Parlamento não representa nem a metade do país: de quem é representante, então, a maioria do Parlamento? [...] Hoje, de aproximadamente 10 milhões de franceses que têm direito de voto, só estão representados 4, 5 milhões: é assim que se entende o sufrágio universal?

E, no entanto, "é preciso que todos os votos tenham igual valor"; e, se a democracia é "o governo de todos", então é claro que sua realização concreta e seu futuro estão "intimamente ligados à questão da representação proporcional" (Laffitte, 1910, p. 254 ss., 159 e 263).

Certamente, a definição de democracia aqui pressuposta implica "a participação de todos nas questões públicas", "a participação efetiva e proporcional de todos os cidadãos na designação dos órgãos do Estado" (Saripolos, 1899, v. 2, p. 144). A liberdade política também é exercício do poder político, não simplesmente sua delegação: "O sufrágio universal não foi estabelecido para decidine este ou aquele grupo parlamentar terá a totalidade da representação num colégio eleitoral: foi instituído para permitir a todos os cidadãos exercer sua parcela de soberania" (Lachapelle, 1911, p. 49). E, então, "as minorias têm o mesmo direito de ser representadas de modo proporcional às suas forças eleitorais: num regime de igualdade política, cada voto deve ter o mesmo valor representativo". A consecução de tal objetivo é impossibilitada pelo "escrutínio uninominal", cujo defensores – sublinha-se polemicamente – nada fazem além de seguir a política do "regime bonapartista", que deste modo conseguia "obter grandes maiorias no corpo legislativo" (Lachapelle, 1911, p. 35 e 1 ss.). A partir da fundação da Terceira República, a "revolução" que se deve levar a cabo mediante a introdução da representação proporcional é vista como a realização das palavras de ordem de liberdade e igualdade derivadas de 1789 (Saripolos, 1899, v. 2, p. 470), como o desenvolvimento da Revolução de 1848, que pela primeira vez havia afirmado o princípio do sufrágio universal. Já em 1864, do exílio a que havia sido forçado por Luís Napoleão, um dos protagonistas daquela revolução reivindica a representação proporcional em nome da "igualdade", que constitui a "essência da democracia", e em polêmica contra qualquer sistema eleitoral que, condenando ao silêncio as minorias e, sobretudo, as classes inferiores, ratifica "o governo do privilégio" (Blanc, 1873, p. 252). O colapso da ditadura bonapartista, que tinha bastante estima pelo colégio uninominal, parece conferir impulso a tal reivindicação. Agora, junto com o sufrágio universal, também a representação proporcional, chamada a dar concretude ao princípio "um homem, um voto", é reivindicada através de apelo à "Declaração dos Direitos do Homem, que confere a qualquer cidadão o direito de participar, 'pessoalmente ou mediante o próprio representante', da elaboração da lei" (Huard, 1991, p. 167). Daqui é que nasce a condenação nítida e inapelável do colégio uninominal:

> A representação proporcional [...] é o complemento lógico do sufrágio universal, do qual Lamartine deu a seguinte definição: "O direito é igual para todos os cidadãos e é absoluto. Nenhum cidadão pode dizer a outro: sou mais soberano do que você!". Para que este princípio seja aplicado, é necessário que o valor representativo de cada sufrágio seja o mesmo, que o voto de um eleitor radical tenha o mesmo valor que o de um eleitor socialista ou de um eleitor moderado, e vice-versa. Ora, está claro que tal resultado só pode ser alcançado atribuindo a cada fração importante do corpo eleitoral uma representação proporcional ao número dos votos de que ela dispõe, e não decidindo que será apenas a maioria dos eleitores a ser representada em cada circunscrição. (Lachapelle, 1911, p. 36 ss.)

Mas a representação proporcional não terminaria por produzir "uma forte organização de partidos rigorosamente disciplinados", com a consequente grave limitação ou com o anulamento da liberdade do eleitor? Esta é a acusação dos adversários do novo sistema eleitoral, cujos defensores rebatem, no entanto, que "a organização dos partidos políticos com base em princípios claros e precisos" tem um significado positivo, dado que, graças a ela, "a liberdade política se tornará uma realidade" (Saripolos, 1899, v. 2, p. 182 e 188). Se os críticos do sufrágio universal e adeptos da tese da multidão sempre "criança" são da opinião de que esta é capaz de se pronunciar apenas sobre pessoas e não sobre programas, os defensores da representação proporcional, ao contrário, condenam um sistema em cujo âmbito "o elemento pessoal ocupa o primeiro lugar" e "o eleitor vota por um homem em vez de outro"; com efeito, a "onipotência dos grupos locais", os comitês de negócios ou os "comitês irresponsáveis das sedes de circunscrição" devem ser substituídos pela "iniciativa das amplas associações de partido" e de "associações políticas verdadeiras" (Lachapelle, 1911, p. 46 e 51).

A reivindicação da representação proporcional se torna, em seguida, parte integrante do programa do Partido Socialista, que se pronuncia neste sentido no Congresso de Limoges de 1906, assim como no de Marselha de 1908: ainda que a superação do colégio uninominal não comportasse nenhuma vantagem no plano eleitoral imediato, e mesmo na hipótese de que o partido sofresse alguma perda, o novo sistema eleitoral – observa, entre outros, Jaures – contribuiria de um modo ou de outro para moralizar as eleições e levar os deputados, pelo menos os socialistas, a superar toda e qualquer visão corporativa e de defesa exclusiva dos interesses dos próprios eleitores ou de um restrito grupo local ou social (Huard, 1991, p. 169).

Às vezes, atribui-se à representação proporcional até um efeito de estabilização social ou de reabsorção dos impulsos radicalmente subversivos, precisamente pelo fato de que tal sistema eleitoral permite o acesso aos órgãos representativos de minorias que, de outro modo, poderiam se expressar apenas mediante a contraposição frontal com a ordem social e política existente. Neste sentido, o colégio uninominal, assegurando o monopólio da representação à maioria, é "antissocial" por se basear na "exclusão" e, portanto, anunciador de "batalhas, lutas, paixões"; no lado oposto, a representação proporcional se apresenta como a realização não só das "liberdades" e da "igualdade" mas também da fraternidade proclamada pela Revolução Francesa (Saripolos, 1899, v. 2, p. 470 ss.). Assim justificada, a representação proporcional encontra apoio inclusive fora do movimento socialista e democrático-radical. Mas, independentemente do ponto de vista a partir do qual ela é reivindicada, permanece inalterado o fato de que o sistema uninominal é apontado e denunciado como herdeiro da discriminação censitária. Trata-se de uma análise que, à parte obviamente o diferente e contraposto juízo de valor, não é dessemelhante àquela desenvolvida por Laboulaye e Bagehot.

Na Itália, a esquerda se bate pela representação proporcional ainda antes da conquista do sufrágio universal: o Partido Socialista insere-a, em 1900, no seu "programa mínimo" (Turati, 1979, p. 107); mas quem esclarece o significado desta reivindicação, formulada em nome do "grande princípio da equivalência dos sufrágios", é sobretudo um deputado republicano, que assim polemiza contra o sistema uninominal: "enquanto combatemos os que propugnam o voto plural, porque lesivo ao princípio de igualdade, nós assistimos todo dia, impávidos, ao tripúdio constante desta injustiça que é intimamente inerente à legislação eleitoral italiana (Mirabelli, 1900, p. 17)"

3. *Entre emancipação e des-emancipação: o voto das mulheres*

Com a deflagração da Primeira Guerra Mundial e da Revolução de Outubro, torna-se bastante problemático excluir dos direitos políticos amplas camadas populares. É mais arriscado do que nunca aferrar-se às restrições baseadas explicitamente no censo e eliminadas pelas agitações que se verificaram na Rússia e que também ameaçam contagiar o Ocidente. Por outro lado, como é possível continuar a mantê-las de pé, uma vez que se apela à mobilização geral e total? O direito de voto pode ser negado aos cidadãos-soldados chamados a resistir, sofrer e morrer nas trincheiras em nome da nação? A nação pode desconhecer a plena capacidade de compreender e de querer, ou seja, a maioridade política daqueles proletários dos quais exige o sacrifício até mesmo da vida e que, na Rússia, são protagonistas de uma revolução que não cessa de angustiar as classes dirigentes de todos os Estados beligerantes?

As mulheres também são participantes do esforço de mobilização total, ao substituir nos postos de trabalho os homens enviados à frente e ao trazer na pele os sinais dos lutos e sacrifícios que a guerra comporta: seria preciso admiti-las também à cidadania política? No seu tempo, Spencer tinha afirmado que a concessão de direitos políticos às mulheres comportaria uma violação do princípio de igualdade: dado que estavam isentas do serviço militar, se gozassem de direitos políticos sem ser expostas aos riscos graves e mortais a que os homens eram submetidos, se veriam numa "posição não de igualdade, mas de supremacia" (Spencer, 1978, v. 2, p. 183). Mas ainda faria sentido, na nova situação, o raciocínio do filósofo liberal? No seu apelo de 30 de setembro de 1918 em favor do sufrágio feminino, o presidente americano Wilson sublinha a importante contribuição à causa da mobilização total da nação dada pelas mulheres, que não podem ser admitidas à "comunidade do sofrimento, do sacrifício, da fadiga" e, ao contrário, ser excluídas da "comunidade do privilégio e do direito" (Wilson, 1927, v. I, p. 265).

O impacto da guerra é tão forte que até um expoente de ponta do conservadorismo francês propõe conceder o direito de voto às viúvas ou às mães dos soldados mortos. Não se trata do sufrágio feminino, e não só pelo fato de que, nesta perspectiva, as mulheres continuariam a ser amplamente excluídas. Maurice Barres – é dele que se trata – declara que seu projeto visa a sancionar o "sufrágio dos mortos", isto é, dos homens mortos em combate, os quais, não podendo se expressar diretamente, o fariam através das mulheres da sua família, fossem esposas ou mães (Huard, 1991, p. 221 ss.). Por mais grotesca e até macabra que a proposta possa parecer, ela é, de um modo ou de outro, o sinal das visíveis rachaduras que começam a afetar o muro dá discriminação sexual, que também corre o risco de cair, e em alguns países cai, por causa dos golpes que recebe das perturbações que se verificam na Rússia. Um ano depois da Revolução de Outubro, outras revoluções liquidam as dinastias dos Hohenzollerns e dos Habsburgos e assinalam a vitória, inclusive na Alemanha, na Áustria, na

Tcheco-Eslováquia, do sufrágio feminino, que em seguida também se afirma na Inglaterra e nos Estados Unidos.

Com efeito, a tomada de posição de Barres é um indício das ambiguidades que continuam a pesar sobre a questão do sufrágio feminino. Por um lado, bem antes da eclosão da guerra, a reivindicação do voto das mulheres constitui um elemento importante da plataforma do movimento de emancipação e de luta contra as diferentes formas de discriminação do exercício dos direitos políticos. Para não ir muito longe, remonta a 1892 a campanha lançada pelo Partido Social-democrata Alemão por um sufrágio verdadeiramente universal, isto é, não limitado aos homens (Sineau, 1992, p. 535). Escrevendo no curso da Primeira Guerra Mundial e logo depois do colapso do czarismo, além das persistentes discriminações censitárias mais ou menos camufladas mediante requisitos de residência ou outros "'pequenos' (supostamente pequenos) detalhes da legislação eleitoral", Lenin também denuncia a "exclusão das mulheres" (Lenin, 1965b, p. 918 ss.). Quanto à situação na Rússia, nesse ínterim a Revolução de Fevereiro contribuiu para modificá-la, já saudada como "revolução proletária" (por causa do peso exercido pelos conselhos e pelas massas populares) por Gramsci, que sublinha calorosamente o fato de que ela "destruiu o autoritarismo e o substituiu pelo sufrágio universal, estendendo-o inclusive às mulheres" (Gramsci, 1982, p. 138 ss.): com efeito, o governo provisório anuncia em tais bases a convocação da Assembleia Constituinte e o comitê central do Partido Bolchevique se pronuncia nesse sentido em 13 de março (28 de fevereiro) (Walter, 1990, p. 412).

Por outro lado, o sufrágio feminino foi considerado por longo tempo a partir de uma perspectiva política e social inteiramente diferente e até contraposta. Alguns anos antes da eclosão do confito mundial, ao lamentar o modo "improvisado" com que na França, depois da Revolução de 1848, tinha sido introduzido o sufrágio universal (masculino), cometendo-se o erro de conceder os direitos políticos até a muitos incapazes, um estudioso de direito eleitoral relaciona os possíveis remédios: "a distribuição dos eleitores por categorias, como na Áustria; o sufrágio plural, como na Bélgica, com um voto duplo e até triplo, de acordo com a propriedade, a capacidade ou a condição de pai de família"; por fim, "o voto em dois graus, que de qualquer modo filtraria e regularizaria" o sufrágio, sobretudo das camadas populares. Desgraçadamente, tais medidas eram impopulares, eram percebidas como contraditórias em relação ao princípio da igualdade dos direitos políticos. E, então, o autor francês assim concluía:

> Mas o sufrágio universal adquiriu direito de cidadania no nosso direito público e agora pode celebrar seu cinquentenário. Querer atacá-lo para reduzi-lo e transformá-lo seria a mais temerária das iniciativas e a mais ilusória das teorias. Se, mais dia ou menos dia, tiver necessidade de ser defendido contra si mesmo, sê-lo-á, antes, através de uma extensão mais ampla, e quem pode garantir que, no século XX, o sufrágio feminino não será a maior reserva conservadora da França? (Lefevre-Pontalis, 1902, p. 37)

À utilização em sentido conservador do sufrágio feminino começam a recorrer, no fim do século XIX, os nativistas americanos, que esperam deste modo combater "as tendências corruptoras da metrópole poliglota" manchada pelos imigrantes (Burnham, 1970, p. 76 ss.): este é um momento em que, nos Estados Unidos, o acesso à cidadania política das mulheres das classes superiores se entrelaça com a exclusão de negros, imigrados e até brancos pobres. A tentação de utilização em sentido conservador do sufrágio feminino também se faz sentir por ocasião da Primeira Guerra Mundial e é em tal contexto que talvez deva ser inserida a já mencionada proposta de Barres. No outro prato da balança, além do peso dos preconceitos difíceis de erradicar, coloca-se a preocupação com as turbulências que poderiam derivar, no plano social, da concessão dos direitos políticos às mulheres e da consequente ruptura de uma tradição de subalternidade secular ou milenar: depois do fim do conflito, a desmobilização agravava o problema do desemprego; seria possível limitar novamente ao papel de anjos do lar as mulheres que, depois de ter participado do esforço de mobilização total, também se tornavam cidadãs para todos os efeitos? O remédio do voto das mulheres ameaça ser pior do que o mal que é chamado a curar. É por isto que, em países como a Itália e a França, o sufrágio feminino só conseguiria triunfar depois de uma nova onda de gigantescas turbulências, das quais as mulheres participariam ativamente, na Resistência, até mesmo com armas na mão.

4. *Democracia, partidos e representação proporcional em Kelsen*

É significativo que a afirmação do princípio de representação proporcional, em países como a Itália, a Alemanha e a Áustria, corresponda à crise, já grave, das explícitas discriminações censitárias, raciais e sexuais, que ainda regulam o exercício dos direitos políticos, e ao processo impetuoso de emancipação política. Por um momento, parece que este sistema eleitoral seja indissociável do sufrágio universal, assim como reivindicara o movimento democrático acontecido sobretudo na Terceira República francesa. Na Alemanha, depois da Revolução de Novembro, o conselho dos comissários do povo proclama que "todas as eleições das assembleias representativas devem ser realizadas com base num voto igual, secreto, direto, universal, concedido a todos aqueles que tenham feito 20 anos, de ambos os sexos, e segundo os princípios eleitorais de proporcionalidade" (Ortino, 1970, p. 48). Talvez seja Kelsen o teórico mais significativo deste desenvolvimento da democracia verificado em alguns importantes países do Ocidente. Ao publicar numa revista, no imediato pós-guerra, um ensaio posteriormente reelaborado e lançado como livro autônomo, Kelsen é polêmico, por um lado, com relação ao movimento comunista e, por outro, com relação àqueles que observam com mal-estar ou hostilidade o processo de democratização que, depois da revolução e do fim da dinastia dos Habsburgos, está mudando a face da Áustria.

Neste quadro deve-se inserir a clara tomada de posição em favor da democracia, entendida também no seu significado clássico e etimológico: ela implica o sufrágio universal e a participação nas escolhas políticas e, neste sentido, Rousseau deve ser considerado um "apóstolo da liberdade" e "o mais importante teórico da democracia". Kelsen não tem dúvida de que "a hostilidade da velha monarquia contra os partidos [...] é uma hostilidade maldisfarçada contra a democracia"; trata-se de uma atitude que, na Áustria, sobrevive ao colapso da velha dinastia, mas resta inalterado o fato de que "só a ilusão ou a hipocrisia pode considerar a democracia possível sem partidos políticos" (Kelsen, 1970a, p. 11, 9 e 24 ss.). Os inimigos do sistema de partidos e do pluripartidarismo hostilizam "o sistema da representação proporcional, [que] pressupõe, mais do que qualquer outro sistema, a organização dos cidadãos em partidos políticos e, onde a organização dos partidos ainda não está suficientemente evoluída, tem uma forte tendência a acelerar e reforçar sua evolução". Mas esta é uma razão a mais para tomar posição em favor deste sistema eleitoral, que é a consequência lógica do sufrágio universal e da democracia:

> Este é o princípio da liberdade, o princípio da democracia radical. Assim como quero obedecer somente à lei para cuja criação contribuí, também na formação da vontade do Estado somente posso reconhecer como meu representante – se devo reconhecer um representante – alguém que tenha sido designado como tal por mim e não contra minha vontade. (Kelsen, 1970a, p. 71 e 69)

Mas uma observação adicional do grande jurista merece atenção particular: ao contrário do colégio uninominal (por ele assimilado ao sistema majoritário, dado que, no plano da circunscrição eleitoral ou no nacional, ambos discriminam fortemente a minoria), que se baseia no "princípio antinatural de territorialidade", a representação proporcional faz valer o "princípio de personalidade" (Kelsen, 1970a, p. 67). Kelsen menciona aqui um problema de extraordinária importância. O sistema eleitoral baseado no colégio uninominal é o herdeiro, na Inglaterra, de uma longa tradição pré-moderna que vê como titular da representação não o indivíduo, mas as comunidades e as corporações. Neste sentido, o sufrágio universal igual, baseado na representação do indivíduo e no princípio "uma cabeça, um voto", exige a representação proporcional. Só assim é que se realiza a democracia, a qual "implica que todos os indivíduos tenham igual valor político" (KeIsen, 1970b, p. 165).

Compreende-se, então, que nem a América possa constituir um modelo, e não só pelo fato de que este país tomou emprestado da Inglaterra um sistema eleitoral que deita suas raízes numa concepção pré-moderna da representação. Há também um outro aspecto. Contrariamente a Weber e a tantos contemporâneos seus, Kelsen não tem nenhuma simpatia pelo cesarismo mais ou menos democrático. Critica as práticas "plebiscitárias", que mesmo um autor "fundamentalmente liberal", como Pareto, sugere ao fascismo, e vê "na chamada república presidencial", com o poder executivo confiado a um presidente não eleito pelo Parlamento, mas diretamente pelo povo, "um enfraquecimento do princípio da soberania popular. De fato, quando diante do povo de eleitores, que conta com milhões de indivíduos, só existe um único indivíduo eleito, a ideia de representação do povo perde necessariamente a última aparência de fundamento". Isto também vale, em escala reduzida, para o colégio uninominal, que cria um líder local, marginalizando os partidos que, para Kelsen, são a estrutura básica da democracia. O líder nacional não controlado pelo Parlamento é ainda mais perigoso: "as perspectivas de uma autocracia – ainda que limitada no tempo – podem, em certos casos, ser maiores no regime presidencial do que na monarquia hereditária" e a "investidura" popular agrava ainda mais o perigo, longe de bani-lo ou atenuá-lo. (Kelsen, 1970a, p. 46 ss. nota e 91).

Também Weber está de acordo com a afinidade entre colégio uninominal e regime bonapartista ou, de um modo ou de outro, fundamentado numa personalização radical do poder, mas com base num juízo de valor diferente e contraposto; para ele, a "democracia cesarista" *(Führerdemokratie)* é incompatível com o sistema proporcional, que só é capaz de produzir uma "democracia sem líder" *(führerlose Demokratie)*. Uma tal democracia pode servir para os "cantões suíços" e em "períodos normais", não para uma grande potência que deve estar pronta para situações de emergência no plano interno e internacional. O sistema proporcional é "o exato contrário de qualquer ditadura". Se se quiser dar um basta à "mísera impotência do presidente francês", recorrendo a "um 'ditador' [...], a um homem de confiança das massas, por elas eleito", deve-se ter como referência países como a América e a Inglaterra e seu sistema político e eleitoral (Weber, 1971, p. 543 ss., 474 e 499). Teórico da democracia como participação política, Kelsen é contrário a toda forma de bonapartismo e é por isso que, enquanto desconfia do regime político que se desenvolve progressivamente até mesmo em países como a América, reconhece-se nos regimes democráticos que, na Austria e na Alemanha, seguiram-se ao colapso das dinastias dos Habsburgos e dos Hohenzollerns.

5. Parlamento corporativo e voto plural

Não se consegue compreender adequadamente a história do século XX se se faz abstração da luta entre emancipação e des-emancipação que caracteriza nosso século assim como o mundo contemporâneo no seu todo. Também quanto ao sufrágio universal masculino, as resistências são fortes: vemos assim que, no esforço de cerceá-lo, ressurgem as diferentes sugestões e propostas apresentadas, no início do século, pelo estudioso francês já citado mas por ele mesmo consideradas como impraticáveis. Portanto, se é realmente necessário conceder o sufrágio a todos, sem exceção, não se deve, pelo menos, tentar "organizá-lo" e controlá-lo no âmbito de uma Constituição corporativa? Ideias e sugestões do gênero circulam na Alemanha no curso da guerra e dir-se-ia que circulam amplamente, a julgar pelo esforço que Max Weber emprega para refutar as múltiplas propostas de "representação profissional e por estamentos" *(berufsstandische Vertretung)*, por ele corretamente consideradas nostálgicas de uma ordem social já desaparecida e incompatíveis com a mobilidade própria da sociedade industrial moderna (Weber, 1988, p. 160 ss.).

Por outro lado, não se deve esquecer que é possível surpreender uma tendência à representação corporativa mesmo no âmbito da tradição liberal: o voto plural caro a Mill – observa um dos seus adversários no final do século XIX – faz valer também na comunidade política o modelo da sociedade por ações: mas, se as classes inferiores precisassem de um número dobrado de votos, em relação às superiores, para eleger um deputado, ou se, no Parlamento, cinquenta deputados do Partido Agrário dispusessem de cem votos, tal como cem deputados socialistas e operários, de fato se terminaria por reintroduzir o voto por estamentos ou ordens (Saripolos, 1899, v. 2, p. 149 ss.). De resto, a representação corporativa caracteriza até o fim do primeiro conflito mundial o Parlamento da Prússia dominada pelos nacional-liberais: e o sistema político-eleitoral aqui vigente é considerado "verdadeiramente razoável" por não poucos intelectuais e acadêmicos da América do início de século (Weber, 1971, p. 495). Compreende-se, então, o fascínio que, ainda na Itália do primeiro pós-guerra, a representação corporativa exerce em certos ambientes liberais, antes mesmo de se tornar uma palavra de ordem univocamente fascista.

Em 1919, Benito Mussolini, que ainda faz pose, de "revolucionário", ao se pronunciar a favor do "sufrágio universal, para homens e mulheres", e até a favor da "representação proporcional", acrescenta significativamente:

> A atual representação política não nos pode bastar; queremos uma representação direta dos interesses particulares, uma vez que eu, como cidadão, posso votar segundo minhas ideias, mas como trabalhador devo poder votar segundo minha condição profissional. Poder-se-ia dizer contra este programa que se retorna às corporações. Não importa. Trata-se de constituir conselhos de categorias que complementem a representação puramente política. (Mussolini, 1951, v. 12, p. 326)

E, imediatamente depois da Marcha sobre Roma, aquele que já se tornou o líder do fascismo reitera: "Mesmo mantendo uma centralização absoluta em Roma, quero criar uma espécie de Parlamento corporativo, eleito pelos agricultores, pela gente do mar, pelos trabalhadores de cada grande indústria" (Mussolini, 1951, v. 19, p. 12). A proposta das "representações profissionais", além do círculo dos fascistas, encontra apoio no católico Murri (Gobetti, 1983, p. 142) e também num expoente da direita liberal, como Antonio Salandra, o qual cultiva o projeto de "reformas decisivas, que complementem o sistema das instituições representativas" existentes mediante o recurso a formas de representação corporativa (De Felice, 1966, v. 2, I, p. 478 nota).

Às vezes, como antídoto ao sufrágio universal é proposto o voto plural, um sistema – observa criticamente Weber em 1917 – que goza de "grande popularidade" na Alemanha (Weber, 1988, p. 156). Bem se compreendem as razões disto: pode-se continuar a marginalizar as classes populares, mesmo lhes reconhecendo formalmente os direitos políticos, através de um mecanismo eleitoral ainda vigente na Inglaterra e, portanto, consagrado pelo prestígio de um país que assegura ter se empenhado na guerra como numa cruzada pela democracia! Logo depois da Marcha sobre Roma, Mussolini, que neste meio tempo mudou de ideia sobre a concessão dos direitos políticos às mulheres, expressa-se a favor do voto plural:

> Sou partidário do sufrágio universal, mas não do sufrágio feminino [...]. Nossa reforma dirá respeito particularmente à desigualdade do direito eleitoral; é absurdo conceder os mesmos privilégios a um homem inculto e a um reitor de universidade. Não é abaixando as classes elevadas que se cria a igualdade [...]. Atribuem-me a ideia de restringir o sufrágio universal. Não! Todo cidadão conservará seu direito de voto ao Parlamento de Roma. Mas um professor universitário ou um grande técnico deve ter mais uma palavra a dizer do que um carregador e um analfabeto. (Mussolini, 1951, v. 19, p. 9 ss. e 12)

Na sua tomada de posição a favor do voto plural, com argumentos que parecem retirados de John Stuart Mill, Mussolini não está só; em sentido análogo se pronuncia o liberal-nacionalista Maffeo Pantaleoni, que, partindo da exigência de "golpear a demagogia na sua origem", propõe, em abril de 1924, uma combinação de voto plural e representação corporativa (De Felice, 1966, v. 2, I, p. 593). No final de 1924, o chefe de Governo recebe carta de um deputado fascista, Agostino Lanzillo, que se pronuncia pelo "voto duplo dos eleitores que têm mais de cinquenta anos" e "um voto plural dos dirigentes de homens, capitães de indústria, presidentes de organizações, etc." (De Felice, 1966, v. 2, I, p. 700 nota:). É interessante observar que, até 1925, Mussolini continua fiel à ideia de voto plural, explicitamente previsto no projeto original de lei eleitoral que consagra a supressão da democracia e a instauração da ditadura. Mas Rossoni intervém no debate da Câmara; representando as corporações, reivindica para estas "a honra de ter reconciliado parte considerável das massas operárias com a Pátria" e expressa o temor de que o voto plural, discriminando ou pondo em situação de desvantagem precisamente as massas operárias, possa de novo afastá-las do regime (De Felice, 1966, v. 2, I, p. 51).

6. *Nacionalistas, fascistas e colégio uninominal*

Mesmo desenvolvendo-se no plano europeu ou até mundial, o debate sobre o sufrágio universal adquire particular importância na

Itália às vésperas do golpe de Estado fascista. As razões se compreendem facilmente: trata-se de um país agitado por profundas perturbações sociais e políticas e no qual o perigo vermelho parece na ordem do dia, aquele perigo que a própria Alemanha de Weimar parece ter esconjurado, conseguindo um certo grau de estabilidade – destinada, em seguida, a ser varrida pela crise de 1929 –, precisamente graças à legitimação eleitoral e popular de que os novos governantes podem se valer contra a persistente agitação comunista. No início de 1919, assim se expressa e exulta o órgão nacionalista italiano:

> O povo alemão falou. Convocado nos comícios para a Constituinte, com sufrágio universalíssimo, mediante um extraordinário percentual de votantes que alcançou a proporção hiperbólica de 98% dos inscritos – e os inscritos representavam a totalidade da população adulta –, o povo alemão deu a grandíssima, a esmagadora maioria dos seus sufrágios aos partidos burgueses. Não se trata mais de uma oligarquia – seja da corte, seja das ruas – que, usurpando a soberania legitimamente expressa pelo povo convocado em comícios livres, instaura o próprio privilégio de casta ou de classe com a tomada violenta do Estado. Tanto o domínio dos Hohenzollerns quanto a ditadura de *Spartakus* terminaram. Hoje, é todo o povo alemão, com todas as suas camadas e todas as suas classes, que, contra qualquer regime de privilégio, instaura nas formas mais liberais e mais legítimas, por meio do sufrágio universal, direto e secreto, a própria soberania na Constituinte, que deverá fundar o novo regime da Alemanha. (Gaeta, 1965, p. 158 ss.)

Mas as eleições que pouco depois se desenvolvem na Itália, com sufrágio universal e sistema proporcional, longe de legitimar a ordem social existente, parecem colocá-la radicalmente em discussão. Eis que a extensão dos direitos políticos e as mudanças no sistema eleitoral verificadas entre 1913 (advento do sufrágio "quase" universal em termos de população masculina) e 1919 (introdução da representação proporcional) se tornam o objeto de uma obsessiva campanha de imprensa por obra dos mesmos ambientes que haviam exultado com o êxito das eleições na Alemanha. E, no entanto, a violência da polêmica não anula a consciência de que não é mais possível restabelecer a discriminação censitária aberta, como o próprio órgão nacionalista é obrigado melancolicamente a reconhecer no final de 1922: "Abaixamos demais o nível moral e intelectual do eleitor político, concedendo o direito de voto também aos analfabetos; talvez não se possa voltar a elevá-lo, restringindo o direito, sem grave perturbação (Gaeta, 1965, p. 400)".

Para evitar as reações populares, deve-se recorrer, portanto, a outros métodos suscetíveis de esvaziar internamente o sufrágio universal. Quais? Na revista *Politica* de 31 de janeiro de 1920, Alfredo Rocco continua a vociferar contra uma reforma que concedeu à massa "uma função que não compreende, não valoriza e não está em condições de exercer"; tal reforma, no caso da Itália, parece que deve ser debitada à "decadência senil" de Giolitti (Rocco, 1981, p. 302 e 295). No entanto, mais do que sobre o sufrágio universal, o expoente nacionalista e futuro jurista do regime fascista concentra o fogo sobre o sistema proporcional, "o novo sistema eleitoral" imposto por uma "breve, mas incisiva campanha de imprensa lançada pelos socialistas e pelos católicos" e que comete o grave erro de favorecer os partidos organizados de massa:

> O escrutínio de lista, com amplas circunscrições e com representação proporcional, só podia se mostrar favorável a partidos como o socialista e o católico, que são os únicos a possuir uma ampla organização estendida a todo o território nacional e têm grupos mais ou menos numerosos em cada centro, até os muito pequenos.

Ao contrário, os notáveis tradicionais é que são fortemente castigados: "Como era facilmente previsível e como a experiência demonstrou, numa luta eleitoral não mais circunscrita ao âmbito restrito do colégio uninominal mas estendida a toda uma província, em alguns casos a várias províncias, não são mais suficientes a ação e a influência pessoal do candidato", ainda mais que "o escrutínio de lista, tendo multiplicado as despesas com a organização e a propaganda, deixou reduzida margem para a corrupção individual".

Por mais influente, rico e rodeado de prestígio que possa ser, o notável de província se vê em dificuldade diante de um partido presente, às vezes de modo ramificado e capilar, em todo o território nacional: "Ora, uma tal organização não se improvisa"; e, se os populares "podem dispor da organização milenar da Igreja Católica", por sua vez "os socialistas, em trinta anos de trabalho, recolheram em torno de si a maior parte dos operários da indústria e, em algumas áreas da Itália, até um bom número de camponeses, de modo que, na Itália Setentrional e Central, a seção socialista, a liga, a cooperativa chegam até os centros mais remotos e a eles levam a palavra e a vontade do partido" (Rocco, 1981, p. 299 ss. e 303).

Mas é particularmente significativo o artigo que, pouco mais de um ano depois, um outro fervoroso nacionalista, Armando Zanetti, dedica ao desmascaramento de um lugar-comum central entre aquelas que define como "as muitas mentiras ou ilusões da mentalidade democrático-reformista", o lugar-comum relativo à "chamada representação proporcional". Este sistema eleitoral é culpado, antes de mais nada, por atentar contra a vida sonolenta das zonas agrícolas à sombra do campanário e sob a influência dos notáveis locais, tranquilamente aceita ou passivamente sofrida. Em vez disso, eis que surge

> a perturbação de regiões inteiras por meio de comícios, demonstrações, conflitos, cujos responsáveis nem sempre é fácil identificar, confusões de ideias nos bons provincianos e, especialmente, nos camponeses, entre os quais inocula o veneno da politicalha de forma pouco acessível à sua mentalidade simples e sob a forma delituosa e ruinosa da instigação ao ódio de classe [...]. Deixem que as províncias e as regiões agrárias voltem a mandar-nos seus proprietários e seus advogados, seus pequenos potentados e seus conselheiros provinciais acostumados às demandas e às administrações locais; seus socialistas cor-de-rosa, também eleitos com os votos burgueses e também burgueses no ânimo e nos modos [...]. Um pouco de tradicionalismo sadio, um pouco de verdadeiro espírito conservador farão muito melhor à Itália do que todos os programas, todas as reformas e todas as sutilezas da representação proporcional, ao calcular o peso relativo dos diferentes elementos de uma consciência política que nem sempre existe em toda parte. E talvez não seja nem desejável que se desenvolva além da conta.

Junto com a representação proporcional, "duas lendas, dois preconceitos democráticos devem ser destruídos [...]: o primeiro é que a fortuna, o nascimento, a grande propriedade agrária, que constituem em muitos casos, no colégio uninominal, a base eleitoral de um candidato, sejam um resíduo de feudalismo a ser combatido. Erro gravíssimo: estas também são realidades humanas, realidades históricas, diria, inegáveis, úteis e praticamente indestrutíveis por meio de uma lei eleitoral democrática (Gaeta, 1965, p. 395-397). O grave erro da representação proporcional é o de substituir a liderança, de algum modo natural, dos notáveis locais sobre uma população contente com a própria sorte e distante da agitação política pela direção artificiosa e demagógica do partido de massa e, além disso, do "partido entendido em sentido puramente classista" (Gaeta, 1965, p. 401).

Portanto, logo depois de introduzido, ou melhor, de conquistado no rastro das agitações provocadas pela guerra mundial e pela Revolução de Outubro, o novo sistema eleitoral começa a ser violentamente colocado em discussão, não só e não tanto mediante o recurso ao argumento (que também não falta) segundo o qual ele tornaria difícil a formação de sólidas maiorias parlamentares, quanto com base na consideração pela qual ele assinala a passagem do governo de notáveis, ou das camadas iluminadas, segundo a generosa definição ou autodefinição dos nostálgicos do bom tempo antigo, ao governo dos partidos de massa e das massas organizadas em partido.

Inicialmente, setores consistentes do movimento e do partido fascista se pronunciam pelo retorno ao colégio uninominal. Particularmente interessante, inclusive pelo seu caráter de "autoridade", é a tomada de posição de Farinacci, que assim se expressa numa carta aberta a Mussolini de fevereiro de 1923:

> Tenho a plena certeza de que só com esta volta ao colégio uninominal será possível formar aquela maioria de governo que é necessária a fim de que o fascismo possa, digna e completamente, realizar sua alta missão no supremo interesse não de um partido, mas da Nação.

Não se trata só de consolidar o Executivo e o poder do novo governo, mas também de reforçar as relações pessoais entre candidatos e eleitorado, fora da mediação dos partidos:

> Antes de mais nada – com a volta ao sistema eleitoral anterior –, a seleção dos candidatos, além de ser obra do

partido, seria também do corpo eleitoral, cuja confiança no eleito se alimentaria do conhecimento pessoal que dele teria, além do conhecimento do partido, e da avaliação direta das suas qualidades: dupla garantia, esta, para possuir a certeza objetiva de que, realmente, ele é a expressão da vontade popular e da nossa fé política (De Felice, 1966, v. 2, I, p. 521 ss.).

É por todas estas razões que o expoente ultrafascista se pronuncia por um sistema uninominal sem segundo turno, tal como no modelo inglês.

7. Colégio uninominal e controle político e social do eleitorado

Existe um momento, entre o assassinato de Matteoti e a instauração aberta da ditadura fascista, em que o próprio Mussolini é quem ventila o retorno ao colégio uninominal, bem consciente do fato de que, também com este sistema eleitoral, conseguiria "dizimar as oposições socialistas, populares e comunistas" e recolher em torno dos candidatos fascistas um bloco esmagador que lhe permitiria fazer calar na prática qualquer oposição. Ainda mais que o colégio uninominal apresenta vantagens adicionais do ponto de vista dos detentores do poder, dado que o governo, "se não tiver escrúpulos de ingerência e de prepotência, não encontra no colégio uninominal, salvo talvez nas maiores cidades, massas políticas organizadas para resistir a ele". Quem explica é Antonio Salandra (De Felice, 1966, v. 2, I, p. 698-700), que certamente bem conhece o espaço que este sistema eleitoral concedeu a Giolitti e aos seus violentos cabos eleitorais (cf. infra, cap. 8, § 7) e, no entanto, continua a ser um opositor inflexível da representação proporcional.

Desde a fundação da Terceira República francesa, os adversários do colégio uninominal observam que ele favorece poderosamente o sucesso de "candidaturas oficiais" impostas pelo alto, como já acontecia durante o regime bonapartista. Não é preciso pensar necessariamente em violência ou em formas de pressão ilegal, mesmo que estas não faltem, por parte dos *préfets* e das outras autoridades, às vezes responsáveis pelos "piores arbítrios". Na realidade – explica um dos protagonistas do debate parlamentar que naqueles anos se desenvolve na França –, no âmbito do sistema eleitoral em questão, um deputado, tendo recebido "uma espécie de mandato privado, especial, para os interesses locais", é facilmente levado a tentar resolver os problemas que lhe foram confiados e assegurar a reeleição, entrando em relação com o poder existente:

> Pode-se recear que um representante tenha tantas coisas a acertar com o poder executivo, do qual dependem as questões de que trata, que não possa ser fiscal incômodo ou opositor da política de um governo do qual precisa. Se ele tiver uma atitude complacente (justificada, aos seus olhos, pelos seus deveres com os eleitores), o poder só pode desejar a volta ao Parlamento de um deputado tão governista ou frequentador de ministérios, segundo a linguagem do tempo; e deste desejo à ajuda existe um plano inclinado pelo qual sempre se desliza. Verifica-se assim, entre os eleitores, o eleito e os ministros do poder, uma troca de favores na qual se leva em conta menos do que o devido o país, seus interesses gerais, sua política e seu futuro. Se este regime durar por algum tempo, o poder ficará sem controle, o mandato de deputado sem autoridade e o sistema representativo voltará a ser uma ficção. (Lachapelle, 1911, p. 1-6)

Mas outras vantagens derivam do sistema uninominal para o poder, que, graças a ele, tem a possibilidade de estabelecer de forma perspicaz os colégios eleitorais, de modo que, sempre na Terceira República, em alguns casos bastam 1.478 votos para eleger alguém, enquanto em outros se precisa de 20.286 (Lachapelle, 1911, p. 14)! E não se trata de um fenômeno limitado à França. Na Alemanha de Bismarck e ainda depois, até a Primeira Guerra Mundial:

> sem representar proporcionalmente o número de eleitores, a desigualdade entre as circunscrições só fez aumentar. Assim, na cidade de Berlim, uma circunscrição que tem apenas 30 mil habitantes é representada por um deputado, tal como outra que tem 142 mil, e esta irregularidade, sem a qual os socialistas poderiam duplicar o número dos seus deputados, não está perto de desaparecer. (Lefevre-Pontalis, 1902, p. 127)

Do outro lado do Atlântico, a prática do *gerrymandering*, isto é, da divisão instrumental e manipulatória dos colégios eleitorais, que, de resto, tem uma consolidada tradição atrás de si, adquire uma nova dimensão no final do século XIX e se torna um dos instrumentos do processo de des-emancipação que se desenvolve nestes anos (cf. supra, cap. 1, § 9): os operários e os imigrados, já punidos pelas leis sobre registro e pelas novas dificuldades interpostas à naturalização, veem-se ainda mais discriminados por uma redefinição dos colégios eleitorais que desfavorece as cidades e as aglomerações urbanas em favor das coletividades rurais (consideradas mais maleáveis) e dos "verdadeiros americanos" (Burnham, 1970, p. 81; Toinet, 1988, p. 297). Só em 1981 é que a Corte Suprema dos Estados Unidos declara a inconstitucionalidade destas práticas (Kerjan, 1991, p. 125).

8. Gobetti, a representação proporcional e a Inglaterra

O significado reacionário da volta ao colégio uninominal, defendida, na Itália do primeiro pós-guerra, por uma coalizão ampla e variada, é percebido com clareza pelos diferentes partidos de massa, que manifestam, ao contrário, seu apoio ao sistema proporcional. Neste sentido também se expressa o recém-nascido Partido Popular de Luigi Sturzo, o qual, significativamente, junto com a rejeição ao colégio uninominal, formula no seu programa a reivindicação do "reconhecimento jurídico e [da] liberdade de organização de classe na unidade sindical" (Sturzo, 1992, p. 42 ss.). O peso crescente dos sindicatos e das organizações políticas das massas populares assinala o ocaso da Itália liberal dos notáveis, cara também aos nacionalistas, empenhados, na primeira linha, em denunciar os efeitos ruinosos e subversivos do abandono do colégio uninominal. Mais tarde, nos *Cadernos do cárcere*, Gramsci observaria:

> Numa medida muito maior e mais orgânica do que em 1913 (quando o colégio uninominal restringia as possibilidades e falseava as posições políticas de massa, com a artificiosa delimitação dos colégios), em 1919, em todo o território, num mesmo dia, toda a parte mais ativa do povo italiano se propõe as mesmas questões e busca

resolvê-las em sua consciência histórico-política. (Gramsci, 1975, p. 2.005)

Portanto, não se trata simplesmente de um sistema eleitoral diferente do anterior, mas do fato de que, com a representação proporcional, as massas são chamadas pela primeira vez a se expressarem não para escolher, localmente fracionadas, entre este ou aquele candidato ou entre este ou aquele notável, mas entre partidos e opções políticas diferentes e contrapostas, de relevo nacional. E, naturalmente, tudo isto não pode deixar de contribuir para politizar em profundidade o país, inclusive nos seus recantos mais remotos, até então protegidos, para grande alegria dos nacionalistas e dos nacionalliberais, contra as inquietações da política e da modernidade.

Mas a intervenção mais articulada no debate sobre o sistema eleitoral se deve a Piero Gobetti, esta singular figura de revolucionário liberal que, na realidade, se revela sob muitos aspectos mais próximo de *L'Ordine Nuovo* do que do Partido Liberal oficial. Alguns elementos da sua análise retomam temas e argumentos já vistos: o colégio uninominal "vem a ser o ideal mais acessível aos camponeses, arredios a participar da vida do Estado, satisfeitos por eleger o deputado, incapazes de controlá-lo"; a representação proporcional é defendida e celebrada por Gobetti não como "instrumento de conservação", isto é, de integração de minorias de outro modo condenadas a ser excluídas dos órgãos representativos, mas como o sistema eleitoral mais adequado à "democracia", dado que ela "obriga os indivíduos a se baterem por uma ideia, fazendo com que os interesses se organizem, que a economia seja elaborada pela política". Aqui já surge um elemento de novidade, sobretudo se se 'tem presente a condenação que Gobetti pronuncia de toda forma de "representação profissional": pois bem, também o colégio uninominal é denunciado como instrumento de "corporativismo" e de fracionamento das "classes" em "categorias". Compreende-se, então, o porquê da "luta contra a representação proporcional" empreendida pelos fascistas (não por acaso explicitamente alinhados a favor do corporativismo), que têm absoluta necessidade da dissolução corporativa da classe operária para levar a cabo a conquista do poder. Eis a drástica alternativa formulada por Gobetti: ou "viver num regime de democracia moderna", sob o signo da representação proporcional, ou regredir para "a Idade, Média de Mussolini", ainda que este pretenda mascarar seus "estratagemas de vulgar restauração como descobertas futuristas" (Gobetti, 1983, p. 141-143).

E, no entanto, uma objeção se impõe. Afinal de contas, os fascistas se alinham a favor de um sistema eleitoral com uma longa tradição no país clássico da tradição liberal. Gobetti não hesita em escrever:

> O colégio uninominal foi o sistema ideal num país (a Inglaterra), que tinha renunciado ao feudalismo, para ter garantias contra um soberano estatólatra; ainda é, econômica e politicamente, uma forma feudal, pressupõe o voto limitado e a existência de uma classe aristocrática, adapta-se a um tipo de vida tradicional e sedentária, destituída do espírito de aventura. (Gobetti, 1983, p. 141)

Um juízo à primeira vista paradoxal, mas que também já vimos implicitamente formulado por um grande jurista como Kelsen. Não se deve esquecer o quadro que, nestes anos, a Inglaterra apresenta no plano da política e do direito eleitoral. Já anteriormente, tinha ficado claro que, graças ao sistema uninominal vigente (o qual atribui imediatamente a vaga em disputa no colégio ao candidato que consegue, ainda que com uma vantagem mínima, o número mais alto de votos e, portanto, representa na realidade uma minoria em relação ao eleitorado no seu todo), uma maioria no Parlamento bem pode corresponder a uma minoria no país. Mas, em seguida, as eleições de 1924 evidenciam um desequilíbrio particularmente gritante. Comparemos a distribuição de cadeiras efetivamente ocorrida na Câmara dos Comuns com a distribuição que ocorreria com base no sistema proporcional e, portanto, de acordo com as reais relações de força no país:

	Cadeiras calculadas com o sistema proporcional	Cadeiras efetivamente distribuídas com base no sistema uninominal
Conservadores	288	413
Trabalhistas	206	151
Liberais	110	40

Também é significativo o cálculo efetuado pela *Proportional Representation Society* sobre os votos necessários a cada um dos três partidos para conquistar uma cadeira

Conservadores	20.000
Trabalhistas	39.000
Liberais	90.000

Trata-se de dados e cálculos mencionados, nos anos da República de Weimar, por um respeitado estudioso alemão, o qual corretamente observa que, no âmbito de um tal sistema deitoral, dada a gritante "contradição entre vontade popular e sua expressão representativa", a "teoria do mandato" se torna inteiramente destituída de sentido; antes, "a vontade popular, que se manifesta com as eleições, é falsificada no plano da representação em tal medida que todos os princípios da democracia ficam ridicularizados" (Loewenstein, 1925, p. 62, 55 e 47 ss.). Os trabalhistas parecem se dar conta disto e, no congresso de junho de 1918, ao reivindicar a plena realização do sufrágio universal (que, neste momento, ainda apresenta insuficiências no tocante ao voto da própria população masculina), também se pronunciam a favor de "medidas oportunas" e reformas capazes de garantir "a toda minoria uma representação proporcional e nada mais do que isto" (Millband, 1968, p. 69 ss.). Em seguida, os liberais é que publicam um manifesto por uma reforma eleitoral voltada para "assegurar uma correspondência real entre representação parlamentar e força eleitoral". Mas, neste meio tempo, os trabalhistas, depois de se tornarem, por sua vez, beneficiários do bipartidarismo, parecem esquecer o nexo por eles mesmos instituído entre sufrágio universal e representação proporcional e abandonam na Câmara dos Comuns o projeto liberal de lei de reforma do sistema eleitoral (Loewenstein, 1925, p. 49 e 65 ss.).

Convém investigar as razões básicas pelas quais a Inglaterra permanece imune à onda que leva ao triunfo da representação proporcional em inúmeros países, entre os quais a Itália, a Alemanha e a Áustria. Neste ponto, somos obrigados a voltar ao juízo de Gobetti.

Tradicionalmente, na Inglaterra, não é o indivíduo o titular do direito de representação mas uma comunidade ou uma corporação: e esta herança feudal de algum modo foi conservada através das sucessivas leis de extensão do sufrágio. Assim se pode explicar o fato de que, ainda até a metade do século XX, continuaria a haver traços não desprezíveis de voto plural (cf. supra, cap. 1, § 12), cujos laços com a representação profissional e corporativa já vimos. É nesta tradição que se insere, sem solução de continuidade, o colégio uninominal, que, falsificando tranquilamente a vontade popular no plano parlamentar e na distribuição das cadeiras, certamente está no polo oposto ao da democracia, embora se mostre em perfeita harmonia com uma visão política que continua substancialmente a ver como titulares de representação não os indivíduos, mas as comunidades ou os colégios eleitorais.

9. O sufrágio universal, a "tragédia atual da burguesia" e os possíveis remédios

Compreende-se então que, na Itália, a campanha contra a representação proporcional refira-se à Inglaterra, algumas vezes apontada como exemplo até pelos nacionalistas, que declaram conduzir sua batalha em nome do "correto funcionamento das instituições parlamentares" e tendo presente o exemplo de "países sérios, ainda que tipicamente parlamentaristas", onde não há lugar para a "abstração democrática" e para o sistema proporcional (Gaeta, 1965, p. 401 ss.). Não casualmente, trata-se de um movimento político que, alguns anos antes, havia declarado no seu órgão de imprensa pretender ser "iniciador de alianças dos partidos constitucionais, especialmente dos católicos e dos liberais, contra o socialismo", ao qual devota um sentimento de "ódio implacável" (Gaeta, 1965, p. 7 ss.). Por outro lado, até personalidades liberais de primeiro plano participam ativamente da batalha daqueles anos contra a representação proporcional. Para Giolitti, trata-se, em primeiro lugar, de dar fim à "maldita lei eleitoral" (De Felice, 1966, v. 2, I, p. 392), àquele "verdadeiro desastre" que é a representação proporcional (De Rosa, 1957, p. 19), reintroduzindo o colégio uninominal sem segundo turno, segundo o modelo inglês. Como se vê, é a mesma proposta de Farinacci.

Mas isto não é o essencial. Mais importante é o fato de que, seja nos ambientes fascistas, seja nos liberais, a preferência por este sistema eleitoral está motivada, algumas vezes até de modo explícito, pela intenção de neutralizar o sufrágio universal. Voltemos à carta à Mussolini escrita por Agostino Lanzillo, o qual, ao desenvolver seus projetos de reforma eleitoral, parte de uma premissa importante: "Não se pode, parece-me, tocar no conceito de voto universal". É significativa a frase, que indica um sentimento de nostalgia por uma situação anterior e de lamento por um dado de fato que parece imodificável. O deputado fascista não esconde seu ardente "espírito antidemocrático"; e, no entanto, se não é possível reintroduzir de modo explícito a discriminação censitária, pode-se e deve-se imaginar alguns remédios: o voto plural é um, mas se pode pensar em outros. Poder-se-ia tentar

> modificar e restringir a elegibilidade. Hoje, são elegíveis quase todos aqueles que são eleitores, o que não faz sentido porque ser legislador é tão difícil quanto poucas funções na vida. Seria preciso uma série de qualificações, sobretudo morais, para poder ser candidato à deputação política [...], como, por exemplo, prática profissional, vida no exterior, experiência de trabalho, publicações, indicação por parte de órgãos de classe, etc., tudo com o objetivo de demonstrar que o candidato possui um mínimo de condições que o capacitem. (De Felice, 1966, v. 2, I, p. 700 nota)

Eis, portanto, uma nova proposta: dissociar a cidadania ativa da passiva e ligar esta última a requisitos de censo e de cultura ou a um sistema eleitoral de segundo grau, de base profissional ou corporativa ("indicação por parte de órgãos de classe"). As várias sugestões que nascem do debate neste momento em curso na Itália remetem, todas, à história da tradição liberal e nascem num terreno preciso: a preocupação com a tumultuosa entrada das massas populares na cena política e o desejo, com ela relacionado, de desativar o dispositivo do sufrágio universal, procedendo de modo cauteloso e indireto, dado que um ataque frontal implicaria o risco de precipitar e tornar mais ruinosa a explosão.

Mas, nesse mesmo período de tempo, não muito diferente é a atitude tomada por um liberal ou liberal-conservador como Gaetano Mosca, o qual, retomando a imagem cara a Constant, sublinha existirem "intelectos que são e serão eternamente menores de idade" (Mosca, 1953, v. 2, p. 239). Nesta perspectiva, a concessão do sufrágio universal só pode ser julgada um "erro colossal". O ideal seria retornar à situação na qual os não proprietários e, naturalmente, os proletários são excluídos dos direitos políticos, mas, desgraçadamente, não é fácil proceder "a uma restrição do sufrágio político": "a concessão do sufrágio universal foi um daqueles erros que são cometidos com leviandade, obedecendo às sugestões da lógica, mas depois é difícil e perigoso corrigir" (Mosca, 1953, v. 2, p. 240 nota). Assim se explica

> a presente tragédia da burguesia [...] prisioneira da mentira que aceitou quando quis realizar o sufrágio universal, acreditando que seria sempre possível torná-lo inócuo com as conhecidas escamotagens e, agora que se encontra com a água no pescoço, não pode mais renegar o princípio que aceitou. (Mosca e Ferrero, 1980, p. 308)

O sufrágio universal, resultado de um longo processo, "produto quase seguro da lógica democrática", a longo prazo torna impossível o funcionamento do regime representativo porque termina por colocar em discussão as próprias bases econômicas e sociais sobre as quais repousa (Mosca, 1953, v. 2, p. 242 nota):

> Desde a época de Aristóteles [...], tem se apontado a dificuldade de conciliar a igualdade política, que dava aos pobres preponderância sobre os ricos, com a desigualdade econômica. Logo, não pode surpreender que as classes dirigentes europeias e americanas tenham se visto diante da mesma dificuldade, depois da concessão do sufrágio universal; se elas, antes da grande guerra, puderam enfrentá-la com relativa facilidade e superá-la até um certo ponto, isto se deveu em parte à não preparação política das classes populares, que em muitos países, em princípio, se deixaram arregimentar dentro dos quadros dos partidos burgueses. (Mosca, 1953, v. 2, p. 207 ss.)

Prisioneiro de um pessimismo básico, que algumas vezes o leva a comparar as turbulências do seu tempo com o ocaso do mundo antigo (Mosca e Ferrero, 1980, p. 307 ss.), o teórico elitista não se detém na análise dos diferentes sistemas eleitorais. No entanto, uma indicação de base decorre da identificação, a que procede, das causas da crise do "regime parlamentar":

> Infelizmente, nos anos que decorrem entre 1919 e 1922, a Itália sofreu uma degeneração deste sistema, [...] foram cometidos dois erros grandíssimos, o primeiro imediatamente antes da guerra e o outro imediatamente depois: aludo ao sufrágio universal e à representação proporcional. (Mosca, 1949, p. 283)

Os "dois erros grandíssimos" aqui denunciados parecem estar estreitamente relacionados e, se é possível indicar um remédio aos enormes danos provocados pela concessão dos direitos políticos a indivíduos "eternamente menores de idade", ele só pode consistir na supressão da representação proporcional. Vimos os nacionalistas atribuir ao colégio uninominal o mérito de barrar, sobretudo no campo, uma difusa politização de massa. Pois bem, a eficácia deste sistema eleitoral, segundo Mosca, deveria ser reforçada por providências legislativas que, sem lesar o "regime representativo" e deixando "intacta a liberdade de pesquisa científica e o exercício de uma honesta crítica aos atos dos governantes"; impeçam e tornem muito difícil "aquela corrupção de intelectos que são e serão eternamente menores de idade, corrupção que foi livremente realizada até agora em algumas nações europeias". Mediante uma restrição da liberdade de imprensa, bem como de associação, deve ser impedida a politização em sentido socialista da multidão "criança" anteriormente excluída dos direitos políticos. Assim, a volta ao colégio uninominal, amparada por estas medidas legislativas, é o sucedâneo da abolição do sufrágio universal desgraçadamente impossível ou desaconselhável por causa do espírito do tempo (Mosca, 1953, v. 2, p. 230-240).

De fato, o significado da atitude assumida na Itália por liberal--conservadores, nacionalistas e fascistas tinha sido explicado alguns anos antes, com a costumeira lucidez, por Max Weber, o qual, ao considerar como inevitável o sufrágio universal reivindicado pelo cidadão mais humilde até na sua condição de soldado (cf. supra, cap. 5, § 5), observa:

Enquanto outras questões do direito eleitoral (por exemplo, o sistema proporcional), não obstante toda a sua importância política, são percebidas como "técnicas", a questão da igualdade do direito eleitoral, mesmo subjetivamente, é uma questão tão puramente política que se deve dar fim a ela, se se quer evitar lutas estéreis. (Weber, 1988, p. 156)

De tal declaração emerge o reconhecimento implícito do nexo existente entre sufrágio universal e sistema proporcional. Mas se trata de um nexo de que não se tem consciência difusa e que, portanto, pode ser rompido sem provocar violentas reações de massa, desde que, naturalmente, o princípio da igual capacidade eleitoral de todos os cidadãos continue a ser formalmente respeitado.

10. *Liberalismo, fascismo e des-emancipação*

Uma coalizão bastante ampla e variada termina assim por identificar como alvo privilegiado o sistema proporcional, posto violentamente em discussão como principal obstáculo ao projeto de des--emancipação que se cultiva. O debate que precede a instauração da ditadura fascista não é muito diferente daquele, por exemplo, ocorrido na França depois da Revolução de 1848: num caso e no outro, trata-se de achar um remédio para um exercício dos direitos políticos, por parte das massas populares, considerado subversivo e inaceitável política e socialmente. A crise na França desemboca, primeiro, numa redefinição do sufrágio universal (não atacado frontalmente), que reduz sensivelmente o corpo eleitoral, em prejuízo das camadas mais pobres; a segunda etapa é constituída pelo bonapartismo, que suprime a discriminação censitária (reintroduzida de modo camuflado pela burguesia liberal), mas, ao mesmo tempo, substitui o voto em lista pelo càlégio uninominal, e isto no âmbito de um regime caracterizado por um Executivo de ferro. Quanto à Itália, antes de instaurar uma ditadura e um bonapartismo de guerra e depois de ter zombado pela boca do seu líder, em 1923, do "sufrágio universal e coisas afins" (Mussolini, 1951, v. 19, p. 195), o fascismo acalenta a ideia de neutralizá-lo, limitando o peso político sobretudo da classe operária, mediante reformas ou contrarreformas que vão do voto plural ao colégio uninominal, ou então à cisão entre cidadania ativa e passiva (com o consequente agravamento dos requisitos necessários para a elegibilidade), para não falar da representação profissional e corporativa, à qual continuaria fiel até o fim. Visto nesta perspectiva, o fascismo, pelo menos na sua fase inicial, é um dos momentos de des--emancipação que acompanham a história, atormentada e tortuosa, do sufrágio.

Também neste caso, os projetos de des-emancipação política alcançam diretamente o âmbito econômico-social: trata-se de reassegurar a inviolabilidade da propriedade privada, suprimindo o perigo da redistribuição de renda relacionada constantemente pela tradição liberal com a "excessiva" extensão dos direitos políticos. No seu discurso de investidura como chefe de Governo, Mussolini – que no ano anterior efetivamente se pronunciara pelo "reforço do Estado" como aparelho de polícia e de repressão, mas também, ao mesmo tempo, pela "desmobilização gradual do Estado econômico" e a volta ao "Estado manchesteriano" – ilustra um programa de desmantelamento da intervenção estatal na economia, de abolição do Ministério do Trabalho, de redução da tributação direta e aumento da indireta: "Tudo isto – comenta, satisfeito, Luigi Einaudi no *Corriere della Sera* – é liberalismo clássico" (Salvatorelli e Mira, 1972, v. 1, p. 429; De Felice, 1966, v. 1, I, p. 62 e 127).

Naquele momento, a Itália parece "voltar ao paraíso da economia clássica"; ministro das Finanças do novo governo é De Stefani, "um rígido individualista do *laissez-faire*" (Cobban, 1971, p. 129), que, não casualmente, no segundo pós-guerra se reciclaria como economista liberal na grande imprensa (Lanaro, 1992, p. 32). É nesta base que se realiza o encontro inicial do fascismo com os liberais, também muitas vezes críticos, com variada gradação e intensidade, do sufrágio universal e, sobretudo, do sistema proporcional. Pantaleoni, favorável à combinação de voto plural e corporativo, elogia nestes termos o já citado discurso liberal do chefe de Governo e líder fascista: "Na Câmara italiana, em vinte anos, não me lembro de um discurso mais radicalmente antissocialista e antidemagógico, mais manchesteriano, do que aquele que Mussolini pronunciou em 21 de junho" (De Felice, 1966, v. 2, I, p. 127 nota). Quando Salandra, que vimos querer combinar representação individual e representação profissional, ao subscrever, ainda em 1927, a condenação feita por Mussolini de todo "regime demoliberal", se define como "antigo liberal de direita (sem *demo)*" (De Felice, 1966, v. 2, II, p. 429 e 430 nota), e quando, no ano seguinte, numa carta a Benedetto Croce, escreve que "na Itália o liberalismo foi extinto pela democracia" (Croce, 1966, p. 390 ss.) – quando o estadista liberal afirma tudo isto, expressa a nostalgia por um mundo ainda não contaminado pela democracia e pelo sufrágio universal.

"Os fiéis do 'Sufrágio Universal'", "os fiéis da Santa Democracia", os seguidores da "benéfica representação proporcional" também são objeto da zombaria de Vilfredo Pareto (Pareto, 1988, § 2.183; Pareto, 1974, v. 2, p. 902 e 797), também liberal e fervoroso *liberista*, o qual, porém, como solução da crise, sugere em primeiro lugar o recurso a medidas de perfil bonapartista (cf. supra, cap. 5, § 7).* Este será, afinal, o caminho tomado por Mussolini, com um radicalismo, aliás, não desejado pelo sociólogo. Depois de várias hesitações, o fascismo prefere confiar sua sorte a uma lei destinada a assegurar um esmagador prêmio de maioria ao bloco nacional-fascista. Giolitti vota a favor, com base no reconhecimento de que se trata, apesar de tudo, de uma medida que "atenua [...] os defeitos da representação proporcional" ou, antes, daquele "verdadeiro desastre" que é este sistema eleitoral, cujos danos podem ser mais bem superados, e definitivamente, segundo o estadista liberal, com o retorno ao colégio uninominal por ele considerado inevitável, mais cedo ou mais tarde (De Rosa, 1957, p. 19 ss.). É significativo que, como vimos, Mussolini por sua vez pense, ainda em 1925, com a ditadura já instaurada, na introdução do voto plural, como demonstração da tenacidade do seu apego aos projetos de des-emancipação nascidos no terreno de uma crítica ao sufrágio universal igual, bem como ao sistema proporcional, uma crítica que tinha visto a agitação e o esforço

---

* Na cultura italiana, o termo *liberismo* – derivado de *libero scambio* – indica, muito precisamente, o liberalismo propriamente econômico, com a limitação do Estado e a afirmação da ordem privada. [N. do T.]

de uma coalizão multiforme constituída de liberais, liberal-nacionalistas e fascistas.

A longa crise que se abriu na Itália com a guerra desemboca, enfim, na instauração de uma espécie de bonapartismo de guerra baseado num estado permanente de exceção; e é um desfecho que, apesar das suas características peculiares, bem se insere num quadro geral caracterizado pela aceleração ou pelo triunfo das tendências bonapartistas.

7. O SÉCULO XX ENTRE EMANCIPAÇÃO
E DES-EMANCIPAÇÃO

1. A multidão "criança", a democracia e o mercado

Não é um fenômeno isolado a reação que se desenvolve na Itália contra o movimento de emancipação surgido das turbulências da guerra e do processo revolucionário na Rússia. Na Áustria, Mises polemiza com Kelsen. Contrariamente a este, Mises se sente bastante desconfortável na sociedade do seu tempo e lança um impiedoso libelo contra o pluripartidarismo e, sobretudo, contra os partidos de classe, o "destrutivismo" dos sindicatos e até contra "a proteção legal do trabalho" e a regulamentação jurídica do horário de trabalho recomendada pelos "escritores estatizantes", mas que, reduzindo "a quantidade de trabalho fornecida e o lucro do processo de produção econômica", também se inserem no âmbito da "política destrutivista" (Mises, 1927, p. 149; Mises, 1922, p. 469 e 460 ss.). A preocupação com o que a nova situação política causa à ordem social existente é tal que, ainda em 1927, isto é, quando está diante dos olhos de todos o espetáculo da ditadura terrorista aberta e permanente instaurada por Mussolini, Mises homenageia o fascismo por ter salvo a "civilização europeia", obtendo deste modo um "mérito" que "viverá eternamente na história". Apesar de tais palavras de reconhecimento, estamos sempre em presença de um autor liberal que vê no fascismo um "remédio momentâneo ditado pela situação de emergência" e chamado a lançar as bases para o retorno aos tempos dourados do regime liberal e da economia de mercado (Mises, 1927, p. 45).

Resta o fato de que a crítica de Mises alcariça, no seu conjunto, a democracia surgida do colapso de um mundo liberal que, em toda a Europa, ainda trazia marcas visíveis do Antigo Regime (Mayer, 1982). E da tradição liberal clássica o autor austríaco retoma a denúncia da multidão sempre "criança": "A grande massa não possui a capacidade de pensar logicamente [...]. A maior parte dos homens não tem aquela capacidade espiritual que é necessária para compreender os problemas bastante complicados da vida social". Ainda que, por acaso ou milagre, fosse capaz de se elevar a tal altura, não teria a firmeza e a força de vontade indispensáveis para colocar os interesses gerais e permanentes acima dos próprios interesses particulares e momentâneos. A massa demonstra sua permanente imaturidade política com a propensão ao socialismo e ao "intervencionismo" do poder político no campo econômico ou até apenas com a reivindicação do imposto de renda progressivo (Mises, 1927, p. 138; Mises, 1922, p. 481). Estes são os anos em que, na Alemanha, um protagonista da revolução conservadora, que precede o advento do nazismo, vocifera contra o "bolchevismo fiscal" *(Steuerbolschevismus)* (Spengler, 1933b, p. 263). Trata-se de um motivo que, com algumas variações, também se encontra em Mises (1922, p. 481), no entanto, coloca-se sobretudo numa linha de continuidade com a tradição liberal clássica, que justifica a discriminação censitária como instrumento indispensável para defender a propriedade contra os "impostos funestos" a que inevitavelmente os não proprietários recorreriam, uma vez obtido ou conquistado o acesso aos direitos políticos e aos órgãos representativos (cf. supra, cap. 1, § 1). E, com efeito, o autor austríaco, referindo-se a Thiers e à sua polêmica contra a tributação progressiva, procede a uma crítica severa da democracia:

> Quem se levanta contra os ricos, quem busca suscitar de algum modo o ressentimento dos mais pobres pode contar com um grande número de seguidores. A democracia cria apenas as condições para a explicitação deste espírito, que, latente, está sempre presente por toda parte. Este é o escolho contra o qual até agora naufragaram todos os Estados democráticos. A democracia do nosso tempo está no caminho certo para seguir o destino deles. (Mises, 1922, p. 60)

Transparente é a desconfiança ou a hostilidade em relação ao sufrágio universal, ainda reiterada décadas depois, quando Mises faz a denúncia daquela que, para ele, é a contradição fundamental do Estado assistencial, que só pode ser justificado com base na consideração de que "os assalariados não têm a clarividência e a força moral necessária para prover espontaneamente ao próprio futuro"; mas, então, não é lícito fazer exatamente destes incapazes os árbitros do país. Por um lado, o sistema estatal de segurança social parte do pressuposto de que os assalariados têm necessidade de "um tutor que os impeça de desperdiçar os próprios ganhos"; por outro lado, os próprios assalariados é que decidem, em última análise, sobre a ordem estatal e a formação do governo chamado a remediar sua imprevidência infantil. Mas "será talvez razoável conferir aos pupilos o direito de eleger os próprios tutores?" (Mises, 1966, p. 617). É o caso de dizer que este raciocínio pode ser tranquilamente invertido: por um lado, a tradição liberal clássica, tão cara também a Mises, exclui os não proprietários dos direitos políticos com o argumento de que, em última análise, tratar-se-ia de menores de idade; por outro, aqueles que se autoproclamam tutores destas eternas crianças negam a elas qualquer assistência. Mas, apesar das aparências, há coerência plena nas posições seja dos defensores, seja dos adversários do sufrágio popular: se, em Robespierre, a teorização do "direito natural" ao voto caminha *pari passu* com a afirmação do "direito à vida", nos seus antagonistas lança-se sobre a superação da discriminação censitária a suspeita, precisamente, de favorecer a afirmação do direito à vida por via legislativa, através de uma redistribuição de renda.

Da desconfiança ou hostilidade em relação ao sufrágio universal decorre imediatamente a rejeição à representação proporcional: é absurdo pretender que o Parlamento seja, "em medida reduzida, o espelho da estratificação social do país". Se se quer evitar que a democracia se reduza a "oclocracia", deve-se agir no sentido de que nos órgãos representativos tomem assento, em primeiro lugar, os membros das "camadas sociais superiores", que fornecem "as melhores cabeças políticas da nação", antes do que os "elementos de menor valor" e "os dirigentes sindicais e camponeses, que imprimiram a marca do deserto espiritual aos Parlamentos alemães e eslavos". Certamente, as "camadas sociais superiores" constituem uma minoria mas sua "influência sobre os espíritos" é nitidamente superior ao seu "número" e, se não estiverem adequadamente presentes nos órgãos representativos, abrir-se-á uma contradição, fatal para seu correto funcionamento, "entre a opinião pública do país e a opinião dos corpos parlamentares". Estes últimos, portanto, estão fadados apesar de tudo a espelhar alguma coisa, a saber, a hegemonia que as camadas sociais superiores exercem já na sociedade civil e na distribuição da riqueza. Mais uma vez a continuidade com a tradição liberal clássica fica evidente e, com efeito, Mises parece considerar o *"gentleman* sem profissão, que tem um grande papel no Parlamento inglês", como a figura mais digna de desempenhar uma função política (Mises, 1922, p. 57 ss.). De fato, o modelo explicitamente apregoado é "anglo--saxão", com particular referência à Inglaterra do século XIX: o regime parlamentar pode funcionar quando estiverem presentes apenas dois partidos, nenhum dos quais, de resto, deve expressar interesses de classe, ou seja, deve se referir ao movimento organizado das classes subalternas (Mises, 1927, p. 149).

A partir da desconfiança e da hostilidade em relação ao sufrágio universal, Mises critica não só a representação proporcional mas também a própria ideia de representação: o deputado "me 'representa' tanto quanto o médico que me cura ou o sapateiro que me conserta os sapatos". Mas, então, como fica a democracia? Embora não hesite algumas vezes em tomá-la explicitamente como alvo, o autor austríaco prefere, em geral, proceder de modo mais cauteloso, limitando-se a uma radical reinterpretação: o mercado é a democracia autêntica e pacífica, em cujo âmbito "cada centavo representa um voto" e qualquer mandato pode ser revogado a qualquer momento pelo consumidor, o qual, portanto, é o verdadeiro "dono da produção" (Mises, 1922, p. 57 nota e 435 ss.). Não há outra democracia a reivindicar além do mercado que já existe e que, caso necessário, trata-se de proteger contra uma democracia que, baseada no sufrágio universal e até na representação proporcional, termina inevitavelmente por revelar a tendência pueril e egoísta da multidão a interferir ou intervir no mundo da economia, da propriedade e do mercado.

2. *Crítica e redefinição da democracia em Schumpeter*

A teoria da democracia como mercado nos conduz a um outro autor de origem austríaca. Mas pode ser interessante observar, preliminarmente, que também em Schumpeter o ponto de partida é constituído pela crítica ao sufrágio como direito subjetivo irrenunciável. O chamado sufrágio universal só vale, na realidade, para pessoas "acima do limite de idade" estabelecido pela lei. Mas, então, por que não deveriam ser lícitos ou justificáveis outros tipos de restrição?

> Se não for concedido o voto a pessoas abaixo deste limite, chamaremos de antidemocrática uma nação que exclui do voto, pelo mesmo ou por análogos motivos, outros cidadãos? Observe-se: pouco importa que nós, observadores, consideremos válidos estes motivos ou as normas práticas em razão das quais se excluem do direito determinados setores da população; importa que a sociedade em questão os admita. E não se objete que, aplicável a exclusões justificadas pela incapacidade (a "menoridade"), este critério não pode ser aplicado à exclusão em bloco por razões que não têm nenhuma relação com a capacidade de servir-se de modo inteligente do direito de voto, porque a "capacidade" é questão de opinião e de grau e, para estabelecer sua presença ou ausência, certas normas são necessárias. Sem cair no absurdo ou na hipocrisia, pode-se dizer que a capacidade é medida pela possibilidade de prover-se a si mesmo. (Schumpeter, 1964, p. 233)

Como se vê, ressurgem aqui todos os temas da polêmica contra o sufrágio universal desenvolvidos pela tradição liberal a partir de Constant: se pode estabelecer um limite de idade para o exercício dos direitos políticos, a lei pode prescrever outras limitações e restrições. Segue-se daí que o sufrágio é uma função social e não um direito subjetivo: a democracia – insiste o sociólogo austro-americano – não é "definida pela extensão do direito de voto" (Schumpeter, 1964, p. 263 nota). Por outro lado, "um certo grau de discriminação nunca faltará": por exemplo, nos Estados Unidos – estamos nos anos 1940 –, estão excluídos "da cidadania plena os orientais" e, no Sul, algumas vezes nem os negros "têm o direito de voto" (Schumpeter, 1964, p. 233 e 234 nota). Pôr no mesmo plano a exclusão dos menores de idade, por um lado, e dos negros e dos orientais, por outro, significa de fato retomar a categoria da eterna criança, que Constant fazia valer para os trabalhadores assalariados, e aplicá-la, na trilha de Mills, a uma "raça menor de idade", com as implicações racistas que é supérfluo sublinhar. Nos anos em que Schumpeter escreve, além de ser excluídos dos direitos políticos, os negros são submetidos a linchamento pela tentativa de inscrição nas listas eleitorais ou por atividades sindicais.

Observações análogas valem para os orientais, objeto de uma discriminação que não se limita ao âmbito estritamente político: na segunda metade do século XIX, os chineses, depois de terem sido privados da possibilidade de testemunhar em processos nos quais brancos estejam implicados, também estão expostos ao perigo de linchamento (Gosset, 1965, p. 270 e 290); para não mencionar que tal ódio contra os orientais culmina, no curso da Segunda Guerra Mundial, numa deportação em massa dos americanos de origem japonesa que não é motivada exclusivamente por razões de segurança militar (cf. supra, cap. 5, § 2). Fica evidente a impossibilidade de propor a assimilação da *momentânea* exclusão dos menores de idade da esfera dos direitos políticos, que certamente estão fadados a conseguir, à exclusão *permanente* de uma classe social ou de um grupo étnico considerado (em virtude de uma racialização que, exatamente por isso, é levada a se desenvolver muito além do âmbito estritamente político) para sempre incapaz de se elevar ao nível da maturidade e da plena capacidade de compreender e querer.

Como demonstração do fato de que o sufrágio é uma função social e não um direito subjetivo, Schumpeter aduz um novo exemplo: a exclusão dos judeus da esfera dos direitos políticos na Alemanha hitleriana (Schumpeter, 1964, p. 234 nota). Este último exemplo é duplamente infeliz: de início, atua neste caso não a categoria da eterna criança, privada, para usar a linguagem de Schumpeter, da "capacidade de servir-se de modo inteligente do direito de voto", mas uma outra categoria, que, no entanto, sempre remete de algum modo à tradição liberal, a do estrangeiro não assimilável à nação em que vive e, portanto, equiparável a um cúmplice, a um agente de potência estrangeira ou a um elemento patogênico que, de fora, agride e infecciona um organismo sadio. Trata-se de uma categoria certamente não estranha ao tratamento reservado a negros e orientais nos Estados Unidos, mas que se torna central e decisiva sobretudo na história do antissemitismo. Mas o novo exemplo aduzido por Schumpeter é desconcertante sobretudo por uma outra razão, isto é, pelo fato de remeter à condição terrível de um grupo étnico sobre o qual já se projeta a sombra sinistra da "solução final". Naturalmente, objeto de discussão não são aqui as opções políticas imediatas do grande economista, ele mesmo judeu, que já em 1932 chega aos Estados Unidos. Resta o fato de que, a partir dos seus pressupostos teóricos, que são, afinal, os da tradição liberal clássica, assim como não é possível reivindicar o sufrágio como direito subjetivo irrenunciável, também não é possível condenar a des-emancipação, nem aquela em prejuízo dos negros e dos imigrados, além dos brancos pobres, que se desenvolve nos Estados Unidos no final do século XIX, nem a outra que tem lugar, no Terceiro *Reich,* em prejuízo dos judeus. Ao encaminhar a des-emancipação destes, com as leis de Nuremberg que os privam dos direitos políticos e os submetem a uma espécie de *apartheid,* a Alemanha hitleriana significativamente se refere algumas vezes, através dos seus expoentes mais "moderados" (como Hjalmar Schacht, presidente do *Reichsbank),* às práticas discriminatórias em vigor na América contra os negros e os judeus! (Hilberg, 1988, p. 39).

Mas vejamos, nas suas grandes linhas, como Schumpeter continua a fundamentar sua reinterpretação da democracia. Do fato de que não é possível definir de modo unívoco nem o povo chamado a decidir (podem ser excluídas as crianças, os negros, os imigrados, os judeus, etc.) nem o "bem comum" que deveria ser objeto de uma suposta "vontade popular" (não só os interesses são diferentes e conflitantes, mas a satisfação das necessidades também pode ser definida de modo diferente e conflitante), segue-se a necessidade de uma reformulação da democracia que, renunciando à velha ideia e reivindicação do governo do povo, entenda-a, em vez disso, como competição pacífica entre líderes ou lideranças diversas. Neste sentido, no plano político a democracia é análoga ao mercado, com a concorrência e a pluralidade de escolhas que ele comporta. E, no entanto, em momentos particularmente difíceis tal competição e tal pluralidade podem ser suspensas, sem que, com isto, o país deixe de ser democrático:

> Na realidade, democracias de todos os tipos são praticamente unânimes em reconhecer que existem situações nas quais é *razoável* abandonar a liderança competitiva e adotar uma liderança monopolista. Na Roma antiga, um cargo não eletivo que implicava um semelhante monopólio de comando em casos de emergência era contemplado pela Constituição: quem o assumia era chamado *magister populi* ou *dictator.* Soluções análogas são previstas praticamente por

todas as Constituições, inclusive a dos Estados Unidos: aqui, em certas condições, o presidente assume um poder que o transforma, para todos os efeitos, em ditador no sentido romano, malgrado as diferenças seja na estrutura jurídica, seja nas particularidades práticas. (Schumpeter, 1964, p. 281 ss.)

Evidenciei, com o grifo, o termo *razoável* para sublinhar o fato de que, depois de todos os argumentos sobre a impossibilidade de definir em termos unívocos "um bem comum [...] acessível a toda pessoa normal com os meios do raciocínio e da discussão" (Schumpeter, 1964, p. 239), aqui é de fato pressuposta a categoria antes banida e ironizada. É em nome do "bem público" *(public good)* ou do "bem da comunidade" *(benefit of the community)* que Locke (1974, § 160 ss.) justifica o "poder discricionário" previsto pelo estado de exceção, assim como é em nome da "salvação pública" *(public safety)* que os Estados Unidos justificam a suspensão das liberdades constitucionais no curso, por exemplo, do primeiro conflito mundial (cf. supra, cap. 5, § 2). E este também é o significado substancial do adjetivo usado por Schumpeter, que termina por recorrer à categoria de "bem público", tanto que o economista austro-americano atribui o mérito de ter se empenhado na "defesa dos interesses gerais da nação" (Schumpeter, 1964, p. 347) ao governo trabalhista encabeçado por MacDonald, que se declara "solícito e orgulhoso guardião do império" britânico (Millband, 1968, p. 126).

Recorrer a uma categoria às escondidas comporta inevitavelmente seu uso acrítico. Para fazer face ao estado de exceção constituído pela guerra, o presidente americano Wilson instaura uma espécie de ditadura, a qual, no entanto, só pode ser considerada "razoável" na condição de considerar "razoável" – isto é, conforme aos interesses do país no seu, todo – a intervenção na gigantesca carnificina em curso. Eis então que, em vez de resolver os problemas inerentes à teoria da democracia, o elitismo agrava-os ainda mais: reduzindo o papel do povo à escolha do líder ou de um grupo de líderes, confere a este ou a estes o poder de provocar um estado de exceção que não só comporta gravíssimos sacrifícios para os cidadãos obrigados a combater e morrer, mas implica, no plano interno, o recurso à ditadura e a suspensão daquela "liderança competitiva" que deveria consolar o povo por causa da renúncia à soberania a ele atribuída pela teoria democrática clássica. Dei aqui o exemplo da guerra externa; mas talvez ainda mais significativo seja o de uma guerra civil ou de uma situação de grave crise político-social que pareça poder provocá-la: também neste caso, a instauração de uma ditadura só pode parecer "razoável" sob a condição de pressupor a necessidade da defesa de um "bem comum", o qual, portanto, é tido como válido por Schumpeter precisamente no momento em que seu caráter de mentira é evidente, dado que a sociedade está dividida em frações antagônicas. Por outro lado, se o estado de exceção pode ser invocado pelo poder existente para suspender as regras do jogo, não se vê por qual razão não possa ser também invocado por classes sociais ou organizações políticas que se coloquem na oposição e considerem intoleráveis, além de qualquer medida, situações como uma guerra sangrenta ou como uma crise, que levem à miséria desesperada e até à morte por inanição uma massa considerável de pessoas. O que aqui se evidencia é o limite básico de toda definição da democracia a partir exclusivamente de critérios formais e de regras do jogo. Sua validade pressupõe, ao contrário, a existência de um mínimo denominador comum numa sociedade, de modo que esta possa enfrentar unitariamente eventuais estados de exceção externa e evitar o surgimento de estados de exceção interna, isto é, conflitos político-sociais tão agudos que determinem uma situação de emergência, a qual, segundo o reconhecimento dos próprios autores empenhandos numa definição meramente formal da democracia, termina por colocar em crise ou anular estas mesmas regras do jogo que deveriam definir a essência irrenunciável do regime político em questão.

Mas as dificuldades inerentes à teoria de Schumpeter também surgem mesmo se quisermos concentrar a atenção exclusivamente nos períodos de normalidade. No âmbito do mercado político-democrático, "pelo menos em princípio, cada qual é livre para propor sua candidatura ao comando político" (Schumpeter, 1964, p. 259). Se esta é um condição absolutamente necessária para que se possa falar de democracia, nela não se encaixariam os Estados Unidos, onde, no momento em que o grande economista escreve, os negros e os orientais são excluídos da cidadania política e, portanto, não têm a possibilidade, evidentemente, de "propor sua candidatura ao comando político". Se, ao contrário, tal condição pode ser tranquilamente evitada, não se compreende bem em que sentido possa ser definido como livre um mercado político que exclui, *a priori*, consistentes grupos sociais e étnicos. Mas, afinal, o que significa exatamente a afirmação de que, no âmbito da democracia-mercado, "pelo menos em princípio, cada qual é livre para propor sua candidatura ao comando político"? Em relação ao "cada qual" de que se fala, podem ser postas as mesmas objeções formuladas por Schumpeter a propósito do sujeito titular de um direito subjetivo irrenunciável ao voto, tematizado pela reivindicação clássica do sufrágio universal: num caso e no outro, devem ser excluídas as crianças e outras categorias, e a definição de livre mercado político encontra as mesmas dificuldades e oscilações que o grande economista austro-americano sublinha a propósito da definição de "povo".

3. Da sociedade por ações ao mercado

Se, por um lado, Mises reduz a democracia a mercado, por outro critica os partidos (em primeiro lugar, os socialistas e comunistas), os quais, fazendo referência a uma classe determinada em contraposição às outras, rechaçam "a doutrina liberal da solidariedade de todos os interesses" e esquecem o fato de que, "acima das diferentes opiniões, deve permanecer firme a convicção segundo a qual existe, em última análise, uma identidade das intenções e dos desejos, enquanto a divergência só se refere aos meios capazes de conseguir o fim desejado" (Mises, 1927, p. 142 e 149). É um pouco a teoria do "bem comum", que mais tarde Schumpeter atribui à concepção clássica da democracia, que deste modo demonstraria toda a fragilidade dos seus pressupostos. Mas, nos anos do primeiro pós-guerra, ela é defendida por um fervoroso liberal ou neoliberal em polêmica contra o democratismo radical. Em outras palavras, é interessante observar que se chega à redução da democracia a mercado a partir de pressupostos diferentes e até contrapostos.

Na realidade, a teoria cara a Schumpeter (e Mises) é a redefinição da democracia nos termos clássicos da tradição liberal. Um elemento central de continuidade já está claro, a negação do sufrágio como direito subjetivo irrenunciável. Podem ser identificados outros. Segundo Schumpeter, em vez de remeter à vontade popular, como na concepção clássica da democracia, o Parlamento é um órgão do Estado: viu-se que, no âmbito da tradição política inglesa, a representação política jamais remete a indivíduos, mas a comunidades e sujeitos coletivos aos quais se requer a função de contribuir, por meio dos seus representantes, para um melhor equilíbrio dos poderes; neste sentido, Câmara Alta e Câmara Baixa são, precisamente, órgãos do Estado e nada mais. Mais ainda: como antes para Mises, também para Schumpeter o Parlamento, mais do que expressar a vontade popular, responde à exigência de divisão do trabalho própria de uma sociedade complexa. É interessante observar que, além de regime representativo, Sieyes fala de "trabalho representativo": assim como no mundo político os deputados, mesmo que só provenientes do círculo dos cidadãos ativos, representam de algum modo toda a nação, também no mundo econômico, invertendo os papéis, a massa de trabalhadores ativos realiza o trabaiho em representação de toda a nação e cada trabalhador realiza o próprio trabalho em representação dos outros (Sieyes, 1985, p. 62). Neste sentido,

> tudo é representação *(représentation)* no Estado social. Ela se verifica por toda parte, tanto no âmbito privado quanto no público; ela é a mãe da indústria produtiva e comercial, tal como dos progressos liberais e políticos. Vou mais além: ela se confunde com a essência mesma da vida social.

Poder-se-ia traduzir *représentation* antes como *rappresentazione* do que como *rappresentanza,* dado que em Sieyes o termo em questão ainda está ligado à ideia de ficção e de representação teatral. *

---

* Em italiano, distingue-se *rappresentanza* e *rappresentazione*. O primeiro termo pertence à área político-jurídica e aparece, por exemplo, numa expressão como *Rappresentanza nazionale,* aplicada à Câmara dos Deputados; o segundo termo indica, entre outros sentidos, "encenação", "espetáculo teatral". Em português, "representação" traduz as duas palavras. [N. do T.]

Corretamente, o editor do discurso aqui citado observa que a ideia de representação se confunde, no liberal francês, com a de "divisão de trabalho. Os homens se representam reciprocamente à medida que exercem atividades diferentes, das quais nasce uma utilidade recíproca" (Bastid, 1939, p. 16 e 57).

Também a leitura da comunidade política segundo o modelo do mercado não é destituída de precedentes históricos. Ao lado da categoria de divisão do trabalho, existe uma outra, igualmente extraída do mundo da economia, que acompanha como uma sombra a história da tradição liberal: aquela que assimila a sociedade propriamente dita a uma sociedade por ações. Segundo Burke, certamente "todos os homens têm direitos iguais", sem prejuízo do fato de que o "dividendo" é repartido "proporcionalmente" ao capital aplicado. Por sua vez, Sieyes sublinha que os "verdadeiros acionistas da grande empresa social" são "os verdadeiros cidadãos ativos, os verdadeiros membros da associação", enquanto os outros, os não proprietários, não tendo aplicado nenhum capital, não têm direito de participar da gestão da sociedade por ações e, portanto, só podem ser cidadãos passivos (Sieyes, 1985, p. 199). Agora está claro o significado político-social da metáfora em questão, que permite reverenciar a reivindicação de *égalité* surgida da Revolução Francesa, ao mesmo tempo que justifica a exclusão da maioria da população da esfera dos direitos políticos. Segundo um outro adepto da teoria da sociedade por ações, Justus Maser, que é como um Burke alemão, são as "teorias filosóficas" do Iluminismo radical e dos revolucionários franceses que, substituindo o conceito de "acionista" pelo de "homem", reduzem e nivelam arbitrariamente a diferente posição contratual dos diferentes membros da sociedade (Losurdo, 1992a, cap. 8, § 6).

Análogo é o significado da categoria de mercado político, que novamente reduz a ideia de igualdade à igualdade existente entre os produtores ou consumidores de mercadorias. Além de produzir uma tendencial deslegitimação da discriminação censitária dos direitos políticos, a reivindicação de *égalité* surgida da Revolução Francesa introduz um elemento de defasagem e de tensão entre o mundo político e aquele reino da desigualdade que é o mundo econômico, deslegitimação, defasagem e tensão que, graças à metáfora da sociedade por ações ou do mercado, podem ser eliminadas ou reabsorvidas reduzindo a figura do cidadão ou do homem à do acionista ou do consumidor. Esta última figura é bem mais ampla do que a do acionista e é natural que a substitua num tempo histórico caracterizado pelo sufrágio universal ou pela sua generalizada reivindicação. E, dada a atual tendência à extrema personalização do poder (o bonapartismo *soft*), também se compreende que, enquanto Sieyes indica como sujeito real do poder uma elite mais ou menos ampla, Schumpeter indica um líder mais ou menos carismático, que também exerce "uma liderança formativa sobre a opinião pública, uma liderança nacional" que se coloca "ao mesmo tempo fora do partido e do Parlamento" *(outside of both party and Parliament)* (Schumpeter, 1964, p. 264).

E, no entanto, apesar de tais diferenças, o elemento central de continuidade surge com toda a clareza. Aquilo que defini como individualismo repressivo (cf. supra, cap. 4, § 5) é que pretende compreender a comunidade política a partir exclusivamente da divisão do trabalho e segundo o modelo de uma sociedade por ações ou do mercado. Partindo destas premissas, no tempo de Sieyes a burguesia francesa veta os sindicatos como elemento de perturbação do mercado e da divisão do trabalho; e nos nossos dias, como vimos, acusações análogas ressoam num teórico da democracia como mercado, como é Mises. Se Schumpeter reduz a democracia à simples escolha entre lideranças concorrentes, Sieyes afirma que o regime representativo consiste simplesmente na delegação da plenitude de poderes a uma "elite representativa", que não é lícito incomodar mediante petições ou pressões de espécie alguma (cf. supra, cap. 3, § 3). E esta é também a opinião do economista austro-americano (Schumpeter, 1964, p. 281), segundo o qual não há lugar para "pressões de baixo" numa sociedade democrática (tal como ele a define), a qual, antes, exige que "o público fique tranquilo enquanto seus interesses mais vitais ou seus ideais mais caros são tomados como meta". Como o médico, o sapateiro ou o engenheiro, também os parlamentares e os governantes devem poder desempenhar seu trabalho sem sofrer a pressão das ruas. Aos olhos de Schumpeter, elemento de perturbação do tranquilo e ordenado desenrolar da divisão do trabalho e do mercado político devem se revelar, se não os sindicatos, em todo caso os partidos organizados. Mas, naturalmente, como o próprio Smith reconhece, sufocar as coalizões operárias significa favorecer nitidamente as coalizões patronais, assim como – podemos acrescentar – limitar ao máximo o espaço dos partidos organizados, ou suprimi-los, significa fazer calar em ampla medida a voz das classes subalternas, em benefício integral dos *lobbies* e dos grupos industriais e financeiros mais poderosos.

Reduzindo a comunidade política a uma sociedade por ações e compreendendo-a sem resíduos na divisão do trabalho, Sieyes confere plena legitimidade à distinção entre cidadãos ativos e passivos, enquanto declara destituída de fundamento a reivindicação de um direito subjetivo ao sufrágio. Também Schumpeter, partindo da redução da democracia ao mercado, justifica a exclusão de negros, orientais, judeus, deste ou daquele grupo étnico ou social, da esfera dos direitos políticos. Mas hoje, num momento em que não parece mais possível recolocar abertamente em discussão o princípio do sufrágio universal, a redefinição e a limitação da democracia revelam-se importantes sobretudo sob um outro ponto de vista. Em virtude da assimilação da comunidade política a uma sociedade por ações ou a um mercado, as classes subalternas, que aspiram a ver garantidos o direito à vida e a dignidade de uma existência humana, são remetidas àquele mesmo mundo da distribuição das mercadorias que contavam transcender.

Deve-se acrescentar que a própria teoria que condena como arcaica e incompatível com a complexidade da atual sociedade industrial a concepção clássica da democracia revela conotações pré-modernas, quando Schumpeter, num discurso de 1945, todo permeado pela angústia da "decomposição social": da "desorganização atual", da "desorganização moral" surgida da "filosofia 'utilitária' do século passado" baseada no "egoísmo individual': sugere çomo remédio não só o "princípio corporativo" e a "organização corporativa" mas também uma teoria da liderança que não se refere só ao âmbito político: a causa da trágica situação deve ser buscada na falta de líderes conscientes e reconhecidos "nas famílias, nas fábricas, nas sociedades"; em particular, o "chefe de empresa", longe de poder ser considerado um adversário ou um inimigo como na teoria marxiana da "luta de classes", é "essencialmente um operário que é o líder de outros operários" e, portanto, deve ser comparado antes a um "comandante militar" (Schumpeter, 1945, p. 105-107). São evidentes os ecos pré-modernos e a nostalgia por um mundo sem sindicatos e partidos de classe, ainda por cima baseado numa relação de confiança entre chefes e seguidores tanto na sociedade quanto nos postos de trabalho. E é um discurso ainda mais curioso porque, embora pronunciado em Montreal, provém de um exilado da Áustria, isto é, de um país anexado pelo Terceiro *Reich* e submetido a um regime em cujo âmbito, "eliminada" a luta de classes, tinha sido introduzido também nas fábricas o *Führerprinzip,* o princípio com base no qual o dirigente industrial devia ser considerado um líder militar que podia contar com a confiança e a fidelidade dos seguidores.

4. *Processo de emancipação e teorização dos "direitos sociais e econômicos"*

A Segunda Guerra Mundial termina com uma nova expansão da democracia, e não só por causa do colapso das ditaduras fascistas: o sufrágio feminino triunfa em países como a Itália e a França; com o desaparecimento dos traços residuais de voto plural, afirma-se com vigor, até na Inglaterra, o sufrágio universal igual e o princípio "uma cabeça, um voto"; nos Estados Unidos, começam a ser recolocadas em discussão as discriminações contra os negros e os brancos pobres introduzidas pelo movimento de des-emancipação ocorrido no final do século XIX; a volta à representação proporcional na Itália democratiza ainda mais o sistema eleitoral e político, barrando o caminho às tentativas de retorno ao regime de notáveis anterior à Primeira Guerra Mundial e à Revolução de Outubro. Não só se assiste à universalização dos direitos políticos mas a eles também se atribui um conteúdo material: a Constituição da República Italiana institui uma relação entre liberdade e remoção dos "obstáculos de ordem econômica e social" que a suprimem ou ameaçam suprimi-la: em inúmeros países, os governos declaram querer buscar uma política de pleno emprego e de segurança social para todos. Até nos Estados Unidos, onde a tradição *liberista* é mais enraizada, Franklin Delano Roosevelt fala, em 1940, da "liberdade em face da pobreza" *(freedom from want)* como uma das liberdades essenciais e até irrenunciáveis para a democracia (Commager, 1963, v. 2, p. 449). A teorização dos "direitos sociais e econômicos" teria depois sua consagração na *Declaração Universal dos Direitos do Homem*, adotada pela ONU em 1948. Comentando a aprovação deste texto, Eleonore Roosevelt, que havia se tornado sua defensora, declara que ele deve ser acolhido "como a Magna Carta internacional de toda a humanidade" (Bobbio, 1989, p. 71). A tudo isto deve-se acrescentar o processo de descolonização, que, iniciado com a Primeira Guerra Mundial e a Revolução de Outubro, agora adquire novo impulso. É o momento em que o movimento de emancipação do século XX, vencido o obstáculo do fascismo e superadas igualmente as resistências e contratendências já vistas, toca seu ponto mais alto.

É neste quadro que deve ser inserida a reflexão de um autor como Laski. Se Schumpeter não tinha encontrado nada de novo para dizer sobre a exclusão dos negros da esfera dos direitos políticos no Sul dos Estados Unidos, o liberal-socialista inglês denuncia o fato de que a décima quinta emenda da Constituição americana (que deveria vetar a discriminação racial no exercício dos direitos políticos) continua como letra morta, dado que nem o Executivo nem a Corte Suprema têm realmente a intenção de fazê-la respeitada. Mas Laski vai além: levando a sério a palavra de ordem rooseveltiana da "liberdade em face da pobreza", julga intolerável o fato de que nos Estados Unidos, "hoje mais ricos do que qualquer outro país no curso da história", uma considerável massa de cidadãos viva na indigência ou nas suas margens. Com referência ao Terceiro Mundo, observa em seguida que, em países como o Egito ou a Arábia Saudita, tão ligados ao Ocidente liberal, só se pode falar de liberdade para um círculo bastante restrito de homens, enquanto a massa da população está em condições de vida e de trabalho não muito diferentes daquelas dos "escravos da Grécia antiga ou da Roma antiga". Em todo caso, ao examinar o problema da liberdade, não se pode manter a separação entre "economia e política" (Laski, 1948, p. 77, 16 ss: e 22).

Neste mesmo contexto deve ser colocada a reflexão que Bobbio desenvolve nos anos 1950-1960. É interessante ver de que modo se empenha na polêmica com Togliatti: mesmo insistindo, corretamente e com clarividência, como hoje se mostra evidente, sobre o caráter irrenunciável da liberdade "formal" e das suas garantias jurídico-institucionais, o filósofo turinense considera mérito dos Estados socialistas ter "iniciado uma nova fase de progresso civil em países politicamente atrasados, introduzindo institutos tradicionalmente democráticos, de democracia formal, como o sufrágio universal e a eletividade dos cargos, e de democracia substancial, como a coletivização dos instrumentos de produção". Neste momento, tão claramente positivo e lisonjeiro é o juízo sobre as transformações políticas e sociais ocorridas que o "Estado socialista" só é chamado a transplantar em si os mecanismos liberais de garantia, colocando "uma gota de óleo na máquina da revolução já realizada" (Bobbio, 1977, p. 164 e 280). Não me interessa aqui a radical mudança, que aconteceria em seguida, do juízo sobre a fase histórica iniciada com a Revolução de Outubro; mais importante é o fato de que, neste momento, ao lado de uma "democracia formal", também seja teorizada uma "democracia substancial".

Nestes anos, a reivindicação de uma democracia que também tenha conteúdos econômico-sociais é tão difusa que ela termina por se fazer presente em autores que pretendem se colocar no sulco da tradição liberal clássica e, sucessivamente, se tornam até um ponto de referência da publicística neoliberal. Em 1948, o próprio Popper se pronuncia a favor do "objetivo da 'garantia do pleno emprego e de altos salários para toda a população trabalhadora'" (Popper, 1972, p. 586). Em *A sociedade aberta e seus inimigos,* podemos ler uma consideração de caráter geral sobre a relação entre dimensão formal e dimensão material da liberdade:

> Ainda que o Estado proteja seus cidadãos contra o risco de ser tiranizados pela violência física (como ocorre, em princípio, sob o sistema do capitalismo desenfreado), ele pode não atingir nossos fins se não conseguir proteger contra o abuso do poder econômico. Num Estado deste tipo, quem é economicamente forte é ainda livre para tiranizar quem é economicamente fraco e privá-lo da sua liberdade. Nestas condições, a liberdade econômica ilimitada pode ser autodestrutiva do mesmo modo que a liberdade física ilimitada e o poder econômico pode ser quase tão

perigoso quanto a violência física; com efeito, aqueles que dispõem de um excedente de bens podem forçar aqueles que têm penúria a uma servidão "livremente" aceita, sem usar violência. (Popper, 1981, v. 2, p. 163)

O teórico da sociedade aberta faz questão de classificar Marx entre os "falsos profetas". Tenha ou não consciência, direta ou indiretamente, do filósofo alemão Popper termina por extrair a crítica ao liberalismo formulada neste texto: não há só uma coação física, há também uma coação econômica que pode reduzir a uma condição de substancial "servidão" até indivíduos juridicamente livres.

Nos primeiros anos do segundo pós-guerra, tão irresistível parece ser a reivindicação dos "direitos sociais e econômicos" proclamados e consagrados também pela ONU, que ela, mais do que ser abertamente contrariada, eventualmente é privada do seu potencial crítico mediante uma leitura tranquilizadora e, às vezes, até edulcorada da realidade existente. Popper reconhece a dívida que contraíram com Marx as "democracias modernas" (obrigadas a levar em conta a relação entre política e economia e a dimensão também material da liberdade), mas só para acrescentar que elas teriam tornado obsoleto o *Manifesto do partido comunista,* exatamente ao colocar em prática "a maior parte" das suas reivindicações programáticas (Popper, 1981, v. 2, p. 186). Assiste-se nesses anos a um fenômeno paradoxal. A utopia denunciada em Marx se contrapõe uma espécie de utopia realizada: com efeito, a realidade política e social do tempo não só é vista e celebrada como uma sociedade que também realizou, ao lado das demais liberdades, a "liberdade em face da pobreza", mas é até caracterizada pela atenuação progressiva do privilégio de classe e, segundo certas descrições particularmente apologéticas, pelo desaparecimento já consumado das próprias classes sociais como tais. Assim Dahrendorf sintetiza, nos anos 1950, as metas alcançadas pelo sistema capitalista: "A atribuição das posições sociais se tornou hoje cada vez mais uma prerrogativa do sistema de ensino". A propriedade perdeu todo e qualquer peso, sendo substituída pelo mérito: "A posição social de um indivíduo [agora depende] das metas escolares que ele conseguiu alcançar". E não só; existe "uma similaridade cada vez maior entre as posições sociais dos indivíduos" e é inegável a tendência a um "nivelamento das diferenças sociais" (Dahrendorf, 1963, p. 112 ss. e 120). Por outro lado, o autor deste quadro convencional é forçado a polemizar contra outros sociólogos, segundo os quais se caminharia espontaneamente para "uma situação em que não mais existiriam classes nem conflitos de classe pela simples razão de que não mais existiriam temas conflituosos" (Dahrendorf, 1963, p. 121).

Não é o caso de insistir sobre o caráter radicalmente errôneo destas previsões, que às vezes pretendem ser pura e simples constatação. Mas não se deve perder de vista o fato de que, embora de modo distorcido e mistificatório, neste pequeno e reconfortante quadro da realidade se expressa a consciência de que, depois das turbulências políticas verificadas no século XX, numa sociedade caracterizada por um grande desenvolvimento das forças produtivas e da riqueza social, não mais é lícito restringir o significado da liberdade à sua dimensão formal, ainda que esta seja essencial. Até na descrição edulcorada da realidade existente emerge um reconhecimento objetivo dos "direitos sociais e econômicos" que, nesses anos, parecem ter passado a fazer parte da consciência comum.

5. *Hayek e a nostalgia de um mundo não contaminado pelo sufrágio universal*

Como todos os outros momentos de expansão da democracia que o precederam, o segundo pós-guerra também vê ao mesmo tempo a manifestação de resistências e o surgimento de tentações des-emancipadoras, que se expressam com particular evidência num autor como Hayek. Pode ser interessante examinar sua releitura da história contemporânea. É a partir de 1848 que a "democracia 'social' ou totalitária" inicia sua luta funesta contra a "democracia liberal"; em 1870, já estão claros os sinais de "declínio da doutrina liberal", que, no entanto, o patriarca do neoliberalismo pretende restabelecer na sua pureza e autenticidade (Hayek, 1969, p. 76). Esta periodização tem grande interesse, ao fazer coincidir a primeira manifestação da crise do liberalismo com o primeiro aparecimento da democracia moderna. Se 1848 assinala a afirmação do sufrágio universal masculino na França, a segunda data nos remete aos anos em que, depois do colapso da ditadura bonapartista e das labaredas da Comuna de Paris, fracassadas as tentativas seja de restauração bourbonista, seja de des-emancipação mediante a volta à discriminação censitária aberta ou à introdução do voto plural (cf. supra, cap. 1, § 9), a Terceira República começa a funcionar como democracia parlamentar baseada no sufrágio universal (masculino).

Estes dados de fato não perturbam minimamente Hayek, que não esconde de modo algum a soberana atitude de indiferença ou superioridade em relação àquilo que comumente se chama de "liberdade política" (as aspas já são do patriarca do neoliberalismo), isto é, em relação à "participação popular na escolha do próprio governo, no procedimento e no controle sobre a administração [...]. Um povo que seja livre neste sentido não é, necessariamente, um povo de homens livres; e não é indispensável gozar desta liberdade coletiva para ser livre como indivíduo" (Hayek, 1969, p. 31 ss.). Ou seja, a liberdade tomada no seu significado mais autêntico, aliás, no único significado aceitável para o patriarca do neoliberalismo (a autonomia e a inviolabilidade da esfera individual) não requer necessariamente a democracia e o reconhecimento para todos dos direitos políticos. Eis por que Hayek não tem dificuldade de propor uma datação que faz coincidir o início da crise da "doutrina liberal" com o advento do sufrágio de massa. A extensão dos direitos políticos nada tem a ver com a liberdade. "Decerto, não se pode afirmar que [...] os residentes estrangeiros nos Estados Unidos ou as pessoas jovens demais para ter o direito a voto não usufruam da mais ampla liberdade, mesmo não participando da liberdade política" (Hayek, 1969, p. 32).

Significativamente, os exemplos aqui aduzidos (estrangeiros e menores de idade) são os mesmos a que Constant recorre para justificar a exclusão dos não proprietários da esfera dos direitos políticos: "Nenhum povo considerou como membros do Estado todos os indivíduos que residem, seja como for, no seu território"; mesmo a "democracia mais absoluta" exclui dos direitos políticos "os estrangeiros e aqueles que não alcançaram a idade prescrita pela lei". Por fim – sublinha Laboulaye numa nota –, "às crianças é preciso acrescentar as mulheres, isto é, a metade da nação. Portanto, o sufrágio universal é exercido apenas por uma minoria de cidadãos. Isto prova com toda a evidência que ele é uma função política e não um direito natural" (Constant, 1970, p. 99 nota). Se dos direitos políticos se podem excluir as mulheres (para não falar das crianças), por que não poderiam ser excluídos os não proprietários? De modo análogo, Hayek argumenta:

> É útil recordar que, no país europeu em que a democracia é mais antiga e mais bem-sucedida, a Suíça, as mulheres ainda são excluídas do voto e, pelo que parece, com a aprovação da maior parte delas. Também parece possível que, numa situação primitiva, um sufrágio limitado, por exemplo, somente aos proprietários de terra consiga formar um Parlamento tão independente do governo que possa controlá-lo de modo eficaz. (Hayek, 1969, p. 493 nota)

Vimos Laboulaye defender a tese pela qual o sufrágio é só uma "função política", não certamente um "direito natural". Mais uma vez, esta é a opinião do patriarca do neoliberalismo, que insiste sobre o fato de que a negação da cidadania política a determinados grupos sociais e, como veremos, até mesmo étnicos (cf. infra, cap. 7, § 11) não só não prejudica a liberdade dos excluídos, mas nem sequer viola o princípio da "igualdade diante da lei". E, portanto:

> Se no mundo ocidental o sufrágio universal dos adultos parece a solução melhor, isto não demonstra que ele seja consequência necessária de um princípio fundamental qualquer [...]. Por mais forte que seja o processo geral de desenvolvimento na sua direção, a democracia [entendida como reconhecimento dos direitos políticos de todos os adultos] não é um valor último ou absoluto e deve ser julgada a partir do que realizar. Provavelmente, é o melhor método para alcançar certos fins, mas não é um fim em si. (Hayek, 1969, p. 129 ss.).

Agora está claro: Hayek retoma os argumentos com que no século XIX a tradição liberal justificou a discriminação censitária, combatendo passo a passo o movimento de reivindicação do sufrágio e também deixando aberta a porta para uma restrição adicional mediante medidas de des-emancipação. Nos anos da Monarquia de Julho, no país em que ainda está viva a memória dos direitos políticos gozados pela população masculina adulta quase inteira durante a fase jacobina da Revolução, Thiers afirma: "Nós não acreditamos que se possa ser eleitor por direito. Pode-se ser eleitor por utilidade para o país. Os únicos eleitores são aqueles que o país considera úteis e assim os declara mediante uma lei" (Huard, 1991, p. 23). Depois de Luís Napoleão ter reintroduzido o sufrágio universal, nos anos mais ou menos liberais do Segundo Império, Laboulaye insiste no fato de que "nem na Inglaterra, nem na América, nem em nenhum outro país do mundo, supôs-se que o direito eleitoral fosse um direito natural"; esta última ideia, tão extravagante, surgiu exclusivamente num país devastado por um ruinoso processo revolucionário (Laboulaye, 1866, v. 3, p. 319-322). Por sua vez, Hayek, depois de contrapor a tradição política anglo-saxã à francesa, responsável por ter favorecido a partir de 1848 a infeliz ascensão da "democracia 'social' ou totalitária", denuncia o regime político naquele momento dominante na França como uma "ditadura dos *ouvriers*" ou uma "intransigente aristocracia dos *ouvriers*" (Hayek, 1969, p. 76).

É um juízo retomado, para ser compartilhado plenamente, de um autor americano que o formula precisamente em 1848, o ano da introdução do sufrágio universal masculino com a extensão dos direitos políticos até para os operários, aqui denunciados como uma nova casta privilegiada e tirânica! (Lieber, 1966, p. 35). E o juízo em questão é formulado no âmbito de um escrito republicado depois, nos anos 1960, na *New Individualist Review*, a revista na qual também colabora, junto com Hayek, Milton Friedmann, um outro nome ilustre da corrente neoliberal. A nostalgia que aqui transparece por um mundo ainda não contaminado pelo sufrágio igualitário de massa não é uma fraqueza meramente individual. Hayek evita contestar as restrições censitárias, "culturais" ou raciais em curso, no momento em que escreve, nos Estados Unidos, onde, ainda em 1975, não falta quem pense numa des-emancipação complementar a ser realizada mediante a introdução do voto plural (cf. supra, cap. 1, § 7). Mas como custa a morrer a desconfiança ou a hostilidade em relação ao sufrágio universal igual!

6. A crítica à democracia do século XIX ao século XX e seu ponto de chegada

Não só Hayek retoma os argumentos elaborados pela tradição liberal clássica em apoio à discriminação censitária dos direitos políticos, mas, mais exatamente, se liga, de modo direto e explícito, àqueles autores ingleses que no fim do século XIX observam com horror o processo de extensão do sufrágio então em curso. Neste contexto deve ser colocado o juízo positivo sobre Lecky (Hayek, 1969, p. 445) – um autor que considera essencial à "liberdade britânica" a exclusão da esfera dos direitos políticos daqueles que não pagam os impostos (cf. supra, cap. 1, § 6) – e, sobretudo, sobre o "eminente pensador", aliás, um dos "maiores pensadores políticos do século XIX", Lorde Acton, repetidamente citado e de cuja obra várias vezes se extraem trechos postos como epígrafe deste ou daquele livro (Hayek, 1969, p. 205 e 267; Hayek, 1986a, p. 1, 10,76, 100, 163; Hayek, 1990, p. 52). Pois bem, trata-se de um autor que não se cansa de sublinhar os resultados "abomináveis" do sufrágio universal, que por toda parte se revela "absolutista e retrógrado" (Acton, 1985, v. 1, p. 524 e v. 3, p. 355). Dados os laços com tal tradição, bem se compreende o fato de que Hayek (1969, p. 511 nota) gostaria de cancelar o termo "democracia" para substituí-lo por aquele menos comprometedor de "isonomia".

Depois de ter sublinhado a plena licitude das discriminações censitárias caras à tradição liberal, Hayek conclui: "E não é óbvio que a representação proporcional seja preferível por ter aspecto mais democrático" (Hayek, 1969, p. 129). De modo análogo procede Schumpeter, que – mesmo considerando legítima a exclusão da esfera dos direitos políticos deste ou daquele grupo étnico ou social – não rechaça de modo explícito o princípio do sufrágio universal, mas, ao contrário, coloca no banco dos réus a representação proporcional que, permitindo "a afirmação de todo tipo de idiossincrasia", seria um fator de instabilidade (Schumpeter, 1964, p. 260). Por outro lado, observou-se várias vezes a dívida que Schumpeter tem com o elitismo italiano e com autores como Mosca e Pareto (Albertoni, 1990, p. 719), que vimos fazer uma crítica ao sufrágio universal igual e à representação proporcional, denunciada como o sistema eleitoral que, realizando aquele sufrágio na sua inteireza, põe a nu seus efeitos subversivos e catastróficos. A condenação da representação proporcional é o ponto de chegada da crítica e do mal-estar que, tanto na Itália quanto na Áustria, depois das colossais agitações revolucionárias que se seguem ao primeiro conflito mundial, se manifestam em relação à democracia.

Os elitistas italianos remetem, por sua vez, à lição de autores como Bryce e Ostrogorski, empenhados, observando os Estados Unidos, numa inflamada denúncia dos profundos danos provocados pelos partidos organizados que sufocam as elites iluminadas e as personalidades vigorosas com uma "máquina" tão mais ruinosa quanto mais arrasta atrás de si a massa amorfa de negros, imigrados e analfabetos, imprudentemente admitidos ao exercício dos direitos políticos e propensos a provocar desordens sociais e sindicais. Num certo sentido, partindo da reflexão sobre a América, onde, antes do que em outros lugares, o sufrágio universal masculino ainda que limitadamente foi introduzido, a teoria elitista retorna com Schumpeter ao seu ponto de partida depois de ter passado pela Itália e pela Europa.

Cada etapa deste acidentado percurso é marcada por uma des--emancipação ou por um projeto que vai nesta direção. Na América do final do século XIX, a crítica à democracia desemboca na exclusão explícita da esfera dos direitos políticos de negros, imigrados e brancos pobres ou na aprovação das leis sobre registro que dificultam o acesso às urnas das classes inferiores da sociedade; na Itália do primeiro pós-guerra, depois de um debate que leva em consideração as medidas mais diversas (voto plural, voto corporativo, etc.), às vésperas da instauração da ditadura fascista (que, com sua brutalidade, faria com que o debate anterior perdesse qualquer significado), a crítica à democracia desemboca na denúncia do sistema proporcional, dada a impossibilidade de atacar diretamente o sufrágio universal, já por demais enraizado na consciência das pessoas. Assim como, no rastro da conquista do sufrágio universal, o movimento democrático e socialista tinha reivindicado, sobretudo na França da Terceira República, a introdução da representação proporcional, também a crítica mais ou menos explícita ao sufrágio universal, que parte do primeiro pós-guerra e se prolonga até o segundo pós-guerra, desemboca na condenação deste sistema eleitoral.

Nesta perspectiva, devem-se colocar as diferentes reinterpretações (que não casualmente partem, com Mises, do debate verificado em polêmica com o processo de emancipação subsequente ao primeiro conflito mundial e à Revolução de Outubro) da democracia e do regime representativo como mercado político e como mecanismo procedimental para a produção de líderes ou como simples "isonomia". Estas reinterpretações (que, suprimindo a própria ideia de representação, constituem a crítica mais radical à reivindicação da representação proporcional) não só expurgam os direitos "sociais e econômicos" do catálogo dos direitos, mas compatibilizam a democracia com a exclusão da esfera da cidadania política de determinadas camadas sociais e étnicas.

Ao pronunciar a condenação da representação proporcional, tanto Schumpeter quanto Hayek se referem a Ferdinand Hermens, estudioso germano-americano de sistemas eleitorais. E também neste é possível surpreender uma atitude de certo modo fria, ou reservada, em relação ao sufrágio universal igual. O livro em questão é precedido por uma introdução que inscreve como mérito do "incomparável senso prático" dos ingleses o fato de terem conservado "cadeiras especiais no Parlamento para as grandes universidades". Não se diz explicitamente, mas se trata de uma instituição ligada ao voto plural (em benefício tanto das "universidades" quanto dos "centros de negócio"), que continuaria a sobreviver até 1948 (cf. supra, cap. 1, § 12). De resto, o autor desta introdução reconhece que se trata de uma instituição que remete à "representação corporativa dos tempos medievais" e, no entanto, realiza magnificamente "tarefas modernas" (Friedrich, 1972, p. XXVII nota).

7. *Sufrágio universal e "democracia 'social' ou totalitária"*

Segundo o patriarca do neoliberalismo, a teorização da "liberdade em face da pobreza", bem como dos "direitos sociais e econômicos" deve ser debitada na conta do ruinoso contágio desenvolvido a partir da "revolução marxista russa" (Hayek, 1986b, p. 310). Na realidade, já em Robespierre a reivindicação do direito de sufrágio para os proprietários e os não rentistas caminha *pari passu* com a teorização do "direito à vida"; sucessivamente, a Revolução de 1848, que sanciona o sufrágio universal masculino, também vê surgir a reivindicação do direito ao trabalho; seja como for, o certo é que este desenvolvimento não pode ser compreendido sem a lição de Marx. Reflitamos por um momento na crítica fundamental que este último dirige à sociedade burguesa que nasce da Revolução Francesa. Ela "levou a termo a transformação das classes *políticas* em *sociais,* ou seja, fez das *diferenças de classe* da sociedade civil somente diferenças *sociais,* diferenças da vida privada que não têm significado na vida política" (Marx e Engels, 1955, v. 1, p. 284). Até na forma mais desenvolvida, até onde anula as restrições censitárias do direito eleitoral, o Estado burguês se limita, na realidade, "a fechar os olhos e a declarar que certas oposições *reais* não têm *caráter político,* que elas não o perturbam" (Marx e Engels, 1955, v. 2, p. 101). Neste sentido, ao considerarmos a miséria, inclusive desesperadora, de amplas massas como uma questão meramente privada, os direitos do homem são formais. A teorização da "liberdade em face da pobreza" e dos "direitos sociais e econômicos" não pode ser compreendida sem a lição de Marx e se desenvolve, mesmo em ambientes políticos dele distantes, como resposta ao desafio constituído pelo movimento real amplamente inspirado pelos autores do *Manifesto do partido comunista,* que desembocou na Revolução de Outubro, com as esperanças ou ilusões que esta suscita em amplíssimos estratos populares em todo o mundo.

Neste sentido, Hayek tem razão em ligar a teorização dos "direitos sociais e econômicos" com uma tradição cultural e política que lhe é odiosa. Mas, ao proceder à negação deles, o patriarca do neoliberalismo é um teórico da des-emancipação. Também o é num outro sentido: ainda que sem questionar abertamente o sufrágio universal, até por razões de oportunidade política, deslegitima-o de alguma maneira, denunciando-o como o fundamento e a premissa das pretensões, despóticas e liberticidas, de realização dos supostos "direitos sociais e econômicos" e da chamada "liberdade em face da pobreza". O caminho que conduz à nova servidão e ao novo despotismo é marcado pelo crescente intervencionismo estatal, pela pretensão de redistribuição coerciva da renda, e tal pretensão, por sua vez, é o resultado da indiscriminada concessão dos direitos políticos:

Enquanto o número dos empregados e proletários aumentava rapidamente, também lhes foi atribuído o direito de voto do qual até então tinham sido quase todos excluídos. Como consequência, nos países do Ocidente (salvo algumas exceções), a opinião da grande maioria dos eleitores se viu determinada pela posição dependente em que estavam. Dado que hoje sua opinião, em geral, domina a política, adotam-se providências que tornam relativamente melhores as posições dependentes e cada vez piores as independentes. Que os trabalhadores assalariados desfrutem assim do seu poder político é mais do que natural. O problema é se, a longo prazo, seja do seu interesse que a sociedade se transforme assim, progressivamente, numa única e ampla hierarquia de empregados e assalariados. (Hayek, 1969, p. 144)

Inúmeros autores liberais do século XVIII e do XIX não afirmaram que o direito de voto nas mãos dos não proprietários comporta um grave perigo para a propriedade? E Constant não denunciara o imposto progressivo como uma medida não só despótica mas que transforma os pobres numa nova "casta privilegiada" (cf. supra, cap. 1, § l)? Com um vigor ainda maior, Hayek insiste em condenar o imposto progressivo como um atentado não só à liberdade mas também à igualdade jurídica, uma vez que ele discrimina e pune os rendimentos mais altos (Hayek, 1988, p. 158). E, como para Constant, também para o neoliberal dos nossos dias esta odiosa discriminação é a consequência, ruinosa, do sufrágio universal: "A tributação vem a ser baseada numa concepção da renda que, essencialmente, é a do trabalhador subordinado. As providências paternalistas dos serviços sociais são adaptadas quase exclusivamente às necessidades do trabalhador subordinado" (Hayek, 1969, p. 149), o qual, agora, fruindo direitos políticos, controla os órgãos legislativos.

Direta ou indiretamente, a pretensão liberticida de impor a "justiça social", de perseguir "a miragem da justiça social" (Hayek, 1969, p. 148; Hayek, 1986b, p. 181) também termina por implicar o sufrágio universal, numa corrida ruinosa cujo desfecho obrigatório é a "democracia 'social' ou totalitária". Depois de ter citado e subscrito a denúncia que Mises faz do Estado assistencial, culpado por conceder direitos políticos a menores necessitados de assistência, Hayek (1969,

p. 570 nota) afirma que se pode "razoavelmente" considerar oportuna a exclusão da esfera dos direitos políticos de "todos os beneficiários da caridade pública". Aliás, pode-se ir mais além. Até nos países mais democráticos, o sufrágio universal proclamado na teoria é negado na prática, mediante a negação do direito de voto a menores de idade, criminosos, estrangeiros etc.: "Se tivessem direito de voto só as pessoas acima dos quarenta anos, só quem trabalha para ganhar a vida, só os chefes de família ou só quem sabe ler e escrever, a violação do princípio seria bastante pequena em relação às restrições aceitas" (Hayek, 1969, p. 129). Ainda que tal objetivo máximo não possa ser alcançado, trata-se mesmo assim de redefinir a democracia, eliminando dela qualquer ideia de direito subjetivo irrenunciável ao sufrágio e, mais ainda, qualquer ideia de emancipação econômica e social.

8. Des-emancipação e "minimização" da democracia: o caso Popper

Mas não só os autores supracitados procedem a uma redefinição e a uma redução da democracia. Aqui me limito a dois exemplos que podem dar uma ideia daquilo que hoje parece ser a tendência principal. A evolução de Popper é significativa. *A sociedade aberta e seus inimigos* é caracterizada por uma contradição básica. Por um lado, institui um nexo, como vimos, entre liberdade e direitos materiais (os quais se realizaram na prática ou se impuseram à atenção também com a contribuição de Marx e do movimento que dele partiu). Por outro, a definição de democracia é extremamente formal. Na evolução subsequente do filósofo, o primeiro aspecto foi inteiramente posto na sombra e até cancelado pelo segundo. Convém nos ocuparmos agora deste último. O teórico da sociedade aberta apresenta como uma descoberta fundamental, no âmbito da ciência política, a "nova abordagem" que "nos obriga a substituir a velha questão: 'quem deve governar?' pela nova: 'como podemos organizar as instituições políticas de modo a impedir que os governantes maus ou incompetentes causem um dano excessivo?'" O problema que importava a Marx: "Quem deve comandar? Os capitalistas ou os trabalhadores?" mostra-se, então, inteiramente obsoleto (Popper,

1981, v. 1, p. 174 ss.). No momento em que o autor publica o livro aqui em questão, e mais ainda no momento em que o concebe, o sufrágio universal está longe de ter se afirmado em escala mundial, e não só porque em inúmeros países as mulheres continuam a ser excluídas dos direitos políticos: na América, ainda não tinham sido anuladas as leis que sancionaram a des-emancipação de negros, imigrados e brancos pobres; na Inglaterra, continua a sobreviver o voto plural; para não falar de um país como a África do Sul, no qual a discriminação racial se apresenta em toda a sua monstruosidade até quanto ao exercício dos direitos políticos. Mas a luta pelo sufrágio, de fato, chega a ser deslegitimada pelo ponto de vista do teórico da sociedade aberta.

E, no entanto, esta suposta descoberta se tornou o tema central ou único do último Popper, que define a democracia como aquele "tipo de ordenamento político que pode ser substituído sem o uso da violência" ou em cujo âmbito "o governo pode ser eliminado, sem derramamento de sangue" (Popper, 1972, p. 585 e 595). Na realidade, estas duas definições não são de modo algum equivalentes, e está inteiramente por ser demonstrada a tese segundo a qual o sistema político-social hoje dominante no Ocidente permitiria uma passagem pacífica a um sistema político-social realmente diferente. Mas, deixando de lado as oscilações e imprecisões de linguagem, o que o teórico da sociedade aberta quer dizer é que deve ser considerado democrático um regime em cujo âmbito a mudança de maioria parlamentar, de governo e de fórmulas de governo, ocorre de modo indolor e com o respeito às regras do jogo. O que é, substancialmente, a definição que veremos no último Bobbio: se o filósofo turinense, entre as condições para uma "definição mínima de democracia", às vezes parece inserir aquela que exigiria o respeito aos direitos individuais de todos os cidadãos, a formulação de Popper se caracteriza por um formalismo ainda mais radical, de modo que, sem dúvida, também é possível subsumir na categoria de democracia um país escravista, como os Estados Unidos antes de 1865: trata-se, apesar de tudo, de uma sociedade em que os presidentes se sucedem uns aos outros e os partidos se alternam entre si de modo ordenado e pacífico; e esta é a única condição formulada pelo teórico da sociedade aberta para distinguir a "democracia" da "tirania".

Levado ao extremo, o formalismo de uma definição baseada exclusivamente no correto funcionamento das regras do jogo termina por considerar irrelevantes não só os direitos políticos (para não falar dos materiais) mas também os direitos civis dos cidadãos. Não casualmente, Popper (1992, p. 61 ss.) realiza uma apaixonada celebração da "democracia ateniense", cujos "erros" e "crimes" dizem respeito eventualmente à política exterior, mas sobre a qual se esquece de dizer que se baseava na escravidão da grande maioria da população. Singular parábola da tradição liberal, que, ao contestar a reivindicação do sufrágio e do direito à participação política apresentada pelos não proprietários, com Constant observa polemicamente aos jacobinos o fundamento escravista da democracia ateniense a que eles se referem, e nos nossos dias, levada pela obsessão da autocelebração e pelo desejo de rechaçar reivindicações materiais exageradas, realiza com Popper uma definição tão formalista da democracia que pode nela subsumir até um regime escravista!

Com a formulação do teórico da sociedade aberta também se declara de acordo um autor como Hayek (1969, p. 494, nota), que, no entanto, como vimos, é desconfiado diante do próprio termo "democracia". Como esta categoria evoca o direito de participação na vida política por parte de todos os cidadãos, ela se mostra sem dúvida inquietante para o nostálgico de uma sociedade ainda não contaminada pelo sufrágio universal. E, no entanto, pode ser tranquilamente aceita, uma vez submetida a uma redefinição que se presta magnificamente à relegitimação em chave democrática dos regimes liberais mais oligárquicos.

Mas, para apreender todo o alcance da evolução de Popper, voltemos àquelas páginas de *A sociedade aberta e seus inimigos* que, ao sublinhar o nexo entre liberdade e condições materiais de vida, consideram obsoleto o *Manifesto do partido comunista* pelo fato de que as reivindicações por ele propostas teriam sido realizadas no Ocidente. Sobre uma destas (o "imposto sobre a renda fortemente progressivo ou proporcional"), convém determo-nos por um momento. Deixemos de lado a imprecisão terminológica, verdadeiramente singular num autor que fez da clareza e da precisão analítica sua bandeira: fala-se de imposto "fortemente progressivo ou proporcional", como se fosse a mesma coisa! Mas, como faz referência ao *Manifesto do partido comunista*, é presumível que Popper queira indicar, na realidade, o *starke Progressivsteuer*, "o imposto fortemente progressivo" reivindicado precisamente por Marx e Engels (1955, v. 4, p. 481). Esta reivindicação já seria supérflua – observa Popper – pelo fato de ter sido amplamente "realizada" nas "democracias modernas". Mas exatamente este imposto progressivo é condenado como sinônimo de abuso e despotismo e relacionado estreitamente com o advento do sufrágio universal por parte de Hayek, o qual, portanto, não parece considerar irrelevante e enganosa aquela questão ("Quem deve comandar?") que Popper debita aos "inimigos da sociedade aberta".

Como sabemos, o patriarca do neoliberalismo faz remontar indiretamente a tributação progressiva à influência nefasta da "revolução marxista russa", influência que a América quis suprimir o mais possível nos anos de Reagan. Poderia ser uma oportunidade para Popper rever o juízo sobre o caráter obsoleto de certas reivindicações programáticas, ainda mais que também o "objetivo da 'garantia do pleno emprego e de altos salários para toda a população trabalhadora'", por ele atribuído, em 1948, à "política social britânica" (Popper, 1972, p. 586), nesse meio tempo foi claramente posto de lado, em primeiro lugar nos dois países anglo-saxões. Faz algum tempo, abandonadas as fantasiosas constatações-previsões dos anos 1950, Dahrendorf (1988, p. 122) observava que nos EUA se assiste "ao aumento do percentual dos pobres". Neste período mais recente, a situação piorou ainda mais. Mas o teórico da sociedade aberta, em vez de rever seu juízo, prefere se lançar, de lança em riste, contra aqueles intelectuais que ainda ousam assumir uma atitude crítica em face do existente:

> Mal o novo bem-estar foi criado e tudo ia bem no Ocidente, começaram o grande alarido e as imprecações dos intelectuais sobre nossa época malvada, sobre nossa sociedade, sobre nossa civilização, sobre nosso mundo [...].
>
> Mas os intelectuais irresponsáveis só conseguiram ver no nosso mundo ocidental o mal [...]. Estes intelectuais queriam ser originais e dizer coisas que são contrárias à evidência. E conseguiram inverter não só a evidência mas a verdade objetiva.

Mas não pretendo acusar mais os intelectuais. Quero convidá-los a admitir sua responsabilidade pela humanidade e pela verdade. Nossa liberdade lhes permite dizer tudo e até insultar o mundo livre, apresentar o mundo livre como um mundo mau. (Popper, 1992, p. 92-94)

Esta agressividade é um sintoma da agressividade crescente do processo de des-emancipação em curso, que parece querer abater os obstáculos que se interpõem no seu caminho subsequente.

9. Des-emancipação e "minimização" da democracia: o caso Bobbio

Pode parecer estranho que neste mesmo contexto seja inserido o último Bobbio. Mas objeto de discussão, aqui, não são suas opções políticas imediatas. Em vez disso, quero examinar a evolução mais recente do filósofo turinense no plano mais estritamente teórico.

Segundo a "definição mínima" de democracia por ele proposta há alguns anos, este regime pressupõe que: 1) o poder decisório seja atribuído "a um número muito alto de membros do grupo" ou da coletividade; e 2) as decisões no âmbito do grupo ou coletividade, bem como as escolhas entre "alternativas reais" sejam livremente efetuadas com base na "regra fundamental da democracia, [que] é a regra da maioria" (Bobbio, 1984, p. 4-7). É interessante observar que a primeira regra aqui enunciada não exige, de modo algum, que a maioria dos membros de um determinado grupo ou coletividade (considerando os indivíduos que alcançaram a maioridade) esteja habilitada a tomar as decisões. Segundo Bobbio, o "número muito alto" requerido pela primeira condição não pode ser quantificado: "Só se pode dizer que uma sociedade na qual os possuidores de direito de voto são cidadãos homens e maiores de idade é mais democrática do que aquela em que só os proprietários votam e é menos democrática do que aquela em que as mulheres também têm direito de voto" (ibid.). Portanto, mesmo as sociedades liberais do século XIX, nas quais quem decidia era uma minoria, e até uma minoria restrita (com a exclusão não só das mulheres mas também dos não proprietários), devem ser consideradas democráticas. O fato paradoxal é que a regra da maioria enunciada por Bobbio só vale dentro do grupo habilitado a tomar decisões, não no que se refere à relação entre este grupo e o conjunto da população: assim, restringe-se grave e arbitrariamente o âmbito de validade daquela que é definida como "a regra fundamental da democracia". Nesta base, não mais é possível distinguir entre democracia e uma oligarquia capaz de se autoperpetuar, respeitando no seu interior as regras do jogo. São evidentes as aporias desta "definição mínima de democracia": por que os excluídos deveriam reverenciar o princípio da maioria programaticamente pisoteado pela minoria que se autoproclama como a única habilitada a decidir? A possibilidade de participar não seria a condição preliminar que fundamenta a validade das regras do jogo? Por qual razão as classes não admitidas à cidadania política, os "estrangeiros" (segundo a definição de Constant) submetidos a uma legislação que lhes vem de fora, deveriam se sentir vinculados às regras de um jogo que não só não lhes concerne, mas está baseado na sua exclusão?

Ao reivindicar a plena legitimidade e razoabilidade de um regime no qual "32 milhões de homens são governados pelo voto de 240 mil", Thiers rechaça a acusação de todos quantos sustentavam que, na realidade, dada a restrição do sufrágio, com a Monarquia de Julho "a aristocracia burguesa tinha substituído a aristocracia nobiliária" (Thiers, 1879, p. 484). Não no plano das opções políticas imediatas, mas em todo caso no da filosofia da história, Bobbio se mostra mais de acordo com o primeiro-ministro francês do que com seus opositores. E nenhuma objeção de princípio pode ser levantada, a partir das atuais posições de Bobbio, à des-emancipação que se verifica em 1850 na França ou no final do século XIX nos Estados Unidos. Certamente, deste modo a sociedade se torna menos "democrática", mas por que não se deveria dar este passo atrás, tornado necessário pelas condições do tempo, quando, de qualquer forma, não se abandona o terreno da "democracia"? Em vez disso, são deslegitimadas as grandes etapas que assinalam o advento da democracia moderna, a começar pela Revolução de 1848, que, com base na formulação de Bobbio, aparece como um golpe de força inteiramente injustificado contra uma sociedade sempre democrática, ainda que surgida, por sua vez, de um outro golpe de força, ele próprio dificilmente justificável, dado que a França da Restauração contra a qual se levantara a Revolução de Julho também era, embora em medida ainda mais limitada, sempre "democrática", pelo fato de dispor de um organismo representativo (nada homogêneo) que funcionava com base no princípio de maioria. Poder-se-ia objetar que as Revoluções de 1930 e 1948 são provocadas pela decisão, tomada às vésperas de ambas pelo poder dominante, de restringir as liberdades constitucionais; mas, em situações de crise, decisões análogas caracterizam – como vimos – a história de todos os regimes representativos.

No plano da leitura da história, Bobbio não consegue criticar eficazmente Hayek: ambos parecem extremamente distantes das posições dos protagonistas da Revolução de Fevereiro, os quais, ao introduzir o sufrágio universal, declaram querer convocar todo "o povo ao exercício do supremo direito do homem, o da soberania" (Huard, 1991, p. 34). Insistindo no fato de que o sufrágio é não um direito, mas uma simples função regulamentada pela sociedade, Hayek apenas retoma um tema central da tradição liberal, que, apesar de todo o palavreado sobre individualismo e superação de qualquer forma de holismo, frequentemente se recusa, ainda hoje, a reconhecer o sufrágio como direito subjetivo em vez de uma graciosa concessão a ser efetivada segundo as circunstâncias, mas sempre, para mencionar um autor caro a Hayek, "com base na conveniência ou, em outras palavras, para o benefício do Estado" (Lecky, 1981, v. 1, p. 1). É este ponto de vista energicamente afirmado pelo patriarca do neoliberalismo que o último Bobbio, com uma nítida regressão em face das posições por ele anteriormente expressas, se revela incapaz de questionar ou superar. Por um lado, o filósofo turinense expressa a tese pela qual a democracia pressupõe a superação das concepções "holísticas da sociedade e da história" e o reconhecimento do princípio individualista "uma cabeça, um voto" (cf. supra, cap. 1, § 12); por outro lado, subsumindo na categoria de "democracia mínima" até regimes em que o direito de sufrágio compete a uma minoria exígua da população e em que, às vezes, nem existe a figura do indivíduo moderno (como sabemos, por muito tempo, na Inglaterra, titulares do direito de representação foram só as comunidades e as corporações), termina por teorizar uma espécie de democracia holística ou uma democracia que concede os direitos políticos exclusivamente com base no cálculo, holístico, do "benefício do Estado", tal como ele é interpretado pela restrita classe dominante.

Pode-se aqui medir a involução em face das posições expressas pelo filósofo turinense nos anos 1950, quando o "sufrágio universal" era considerado parte integrante da "democracia formal", a qual, de resto, não esgotava o âmbito da democracia como tal, dado que também era teorizada uma "democracia substancial" (cf. supra, cap. 7, § 4). É claro que as opções políticas imediatas do último Bobbio são nitidamente diferentes daquelas de Hayek, mas resta o fato de que, no plano filosófico, a renúncia à categoria de "democracia substancial" é análoga à liquidação dos direitos "sociais e econômicos" por obra do neoliberalismo. Do mesmo modo, o expurgo do sufrágio universal da esfera da "democracia formal" (na sua "definição mínima") é análogo a uma visão que considera a democracia compatível com a exclusão da esfera da cidadania política de amplos grupos sociais e étnicos. Com base na definição "mínima" de democracia, mostra-se tranquilamente possível considerar como democrático um regime que, depois de ter privado de direitos políticos parte considerável dos seus cidadãos, vá ao ponto de condená-los, com sua política econômica e internacional, à morte por inanição ou ao sacrifício de massa na guerra (por mais injustificada que ela possa ser).

10. Debilidade da resistência ao processo de des-emancipação

Seria esquemático e errado traçar um quadro da teoria política dos nossos dias que leve em conta somente a tendência à des-emancipação, que, no entanto, prevalece claramente. Para dar só um exemplo, pode-se contrapor à evolução de Popper e Bobbio a de Dahrendorf, o qual, posto de lado o pequeno e tranquilizador quadro da realidade que pintava nos anos 1950, denuncia a miséria e o desemprego, que se espraiam na própria metrópole capitalista, como uma ameaça e até uma supressão dos "direitos civis":

> A igualdade diante da lei tem pouco significado se não existe sufrágio universal e outras oportunidades de participação política. As *oportunidades de participação* perma-

necem como uma promessa vazia se as pessoas não têm a posição social e econômica que as coloque em posição de se valerem daquilo que as leis e as Constituições lhes prometem. Pouco a pouco à ideia de cidadania foi dotada de *substância*. De quantidade *formal* de direitos a cidadania se transformou em *status,* do qual fazem parte, além do direito eleitoral, um rendimento decoroso e o direito de ter uma vida civilizada, ainda quando se está doente, velho ou desempregado. (Dahrendorf, 1988, p. 122 e 124)

Não só o sufrágio universal mas também os direitos sociais e econômicos passam aqui a fazer parte da definição de democracia. Abandonada por Bobbio, a categoria de democracia substancial termina por ressurgir, inclusive no tocante à terminologia usada, nesta página de Dahrendorf. E, no entanto, mesmo neste caso, a resistência ao processo de des-emancipação deve ser considerada débil e contraditória. De início, nem se tem consciência dele; em geral, continuase aceitando a leitura da história desenvolvida pelos teóricos protagonistas daquele movimento. Dahrendorf, que também inclui na categoria de cidadania os direitos materiais, cuja teorização, segundo Hayek, deve ser debitada à tradição política que desemboca na Revolução de Outubro e abre o caminho para o totalitarismo, formula apenas frágeis reservas diante do patriarca do neoliberalismo (Dahrendorf, 1990, p. 27-30).

O sociólogo anglo-alemão não parece se dar plenamente conta da dívida que sua elaboração teórica mais recente contrai com Marx, nem parece ter a intenção de rever, como também seria necessário, a história comumente traçada da democracia, a qual, se no seu significado mais pleno, implica o sufrágio universal e os direitos sociais e econômicos, remete em primeiro lugar à tradição que conduz da Revolução Francesa e jacobina à Revolução de Outubro, antes do que à "ilha abençoada, embora não inteiramente perfeita" (Dahrendorf, 1990, p. 102); ou seja, à Inglaterra, que, ao contrário, vimos ter chegado com grave atraso histórico à ideia de representação moderna e ao princípio "uma cabeça, um voto". Junto com o país clássico da tradição liberal, Dahrendorf refere-se calorosamente a Edmund Burke, o implacável inimigo dos direitos do homem e da "multidão suína", que subsume o trabalhador assalariado na categoria de *instrumentum vocale* cara aos teóricos antigos da escravidão (cf. supra, cap. 1, § 11), mas que é por ele (Dahrendorf, 1990, p. 26) celebrado como o primeiro teórico da "sociedade aberta", em contraposição às tendências "totalitárias" já provenientes da França de 1789! A referência ao autor do primeiro grande libelo contra a Revolução Francesa deslegitima aquela tradição política da qual surgiu "a ideia de cidadania [...] dotada de substância", que Dahrendorf hoje pretende afirmar e defender; mas que é considerada ruinosa por Hayek. Este último, depois de ter reverenciado o "grande e clarividente" Burke (Hayek, 1986b, p. 32), contrapõe a tradição política anglo-saxã à francesa, posta no banco de réus por causa da sua tendência "totalitária" a teorizar uma democracia social que hoje parece importante até a Dahrendorf, o qual, no entanto, continua a fazer uma leitura da história moderna e contemporânea cara a Hayek.

Dahrendorf (1990, p. 102) também expressa sua admiração pelo teórico mais recente da sociedade aberta, mas, ao analisar realista e criticamente o agravamento da questão social no Ocidente, termina objetivamente por se colocar entre aqueles intelectuais que o último Popper gosta de fustigar.

Estamos, portanto, em presença de um quadro variado e contraditório e, no entanto, a tendência principal, no âmbito de um processo ainda em curso, é a de redução teórica da democracia. Uma vez que esta não consegue realizar suas promessas, nem quanto aos direitos materiais nem quanto à participação dos cidadãos nas escolhas políticas, procede-se a uma redefinição mínima que a adapta ao existente. É assim que em geral se posicionam, em última análise, os teóricos liberais ou liberal-democratas do século XX; e é assim que procedem Bobbio e Popper, o primeiro de modo sofrido, o segundo com grandiloquência de tribunal.

11. *Des-emancipação e "Nova Ordem Internacional"*

Mas onde o processo de des-emancipação não parece encontrar resistência digna de nota é no nível das relações internacionais. O processo em questão não pode ser investigado num âmbito exclusivamente nacional ou limitado ao Ocidente. O quadro se revelaria não só incompleto mas também distorcido, pelo fato de que historicamente, como se viu, a emancipação verificada no contexto de uma determinada comunidade estatal, nacional ou étnica muitas vezes se entrelaçou com uma des-emancipação e até escravização em detrimento de grupos étnicos e populações colocadas fora de tal comunidade. Nos anos da expansão colonial da Europa e do Ocidente, o processo de des-racialização que se desenvolve na metrópole capitalista a favor daqueles que anteriormente, excluídos da cidadania, eram considerados "estrangeiros" e membros de um povo diferente e inferior se entrelaça com um outro que naturaliza pesadamente a diversidade cultural dos povos subjugados ou destinados a ser subjugados, transformando-os em raças infantis e bárbaras, chamadas, portanto, a se inclinarem docilmente diante do "despotismo" pedagógico dos seus tutores, segundo a explícita declaração de John Stuart Mill. Deste ponto de vista, o século XX representa uma reviravolta crucial pelo fato de que, a partir do apelo lançado pela Revolução de Outubro aos escravos das colônias para que rompessem suas cadeias, desenvolveu-se um impetuoso processo de descolonização que pôs em crise o entrelaçamento anterior entre emancipação dentro de uma determinada comunidade (estatal, nacional ou étnica) e des-emancipação fora dela. Pois bem, como podemos representar a situação dos nossos dias?

Depois da Guerra do Golfo e do colapso verificado no Leste europeu, o sistema das relações internacionais parece oscilar entre duas tentações diferentes. A primeira é a que poderíamos definir como bonapartismo planetário. Atualmente, parece haver as condições para realizá-lo. A extrema concentração dos meios de informação – que garante, dentro de cada país capitalista, o monopólio das "trombetas" da burguesia – revela-se ainda mais acentuada no plano da relação entre, por um lado, as ex-potências coloniais, sobretudo a única superpotência hoje restante, e, por outro, os países do Terceiro Mundo:

> o mercado da informação é quase monopólio de quatro agências: Associated Press e United Press (Estados Unidos), Reuter (Grã-Bretanha) e Prance Press. Todas as rádios, todas as cadeias de televisão, todos os jornais do mundo

compram os serviços destas agências. 65% das "informações" mundiais partem dos Estados Unidos. (Latouche, 1992, p. 29)

O desaparecimento ou a extrema fraqueza de organizações internacionais, como a do Comecon e a dos países não alinhados, equivalem ao fenômeno que, em cada Estado, levou ou está levando à liquidação ou à marginalização dos partidos organizados e programáticos de massa: não mais contido por estes aborrecidos anteparos e valendo-se do monopólio dos meios de informação, Bush* se apresentou, segundo a definição de órgãos de imprensa complacentes, como o "presidente do planeta": obtida a investidura formal e plebiscitária da ONU, ele pôde proceder sem entraves de nenhum tipo à definição do tempo, do modo e dos objetivos da guerra por ele firmemente desejada. Neste quadro, bem se compreende o enfado com que é considerada a Corte Internacional de Justiça, já deslegitimada pelos Estados Unidos na época em que foram por ela condenados por causa da colocação de minas nos portos da Nicarágua sandinista e também atropelada por ocasião da recente crise com Kadhafi, tendo Bush decidido não cumprir ou, antes, "ignorar a sentença da Corte Internacional de Haia e seguir uma escalada no confronto com a Líbia" (Caretto, 1992). Embora o veredito, por fim, tenha se mostrado favorável aos Estados Unidos, resta o fato de que sempre se trata de um órgão que reduz a rapidez e a plenitude de poderes do Executivo "mundial" e, sobretudo, dificulta sua relação direta e imediata com a massa dos países do Terceiro Mundo atomizados e numa condição de nítida inferioridade e subalternidade, tanto em termos de economia quanto de informação.

É verdade, as expedições militares nas ex-colônias são hoje conduzidas em nome da "Nova Ordem Internacional"; mas vale a pena lembrar que o tema da instauração da paz e da passagem do "estado de natureza" ao "estado social", com a regulamentação jurídica, se não das relações internacionais como tais, pelo menos

---

* Neste e no próximo capítulos, o autor está referindo-se a George Bush, presidente dos Estados Unidos de 1989 a 1993. [N. da E.]

daquelas relativas à Europa e aos países verdadeiramente civilizados, também é um velho tema da propaganda bonapartista (Napoleão III, 1861, v. 1, p. 155), que, a seu tempo, conseguiu enganar deste modo uma ampla opinião pública e até, por exemplo em 1811, por ocasião da invasão da Rússia, grandíssimos intelectuais, como Johannes von Müller e Goethe, que viram naquele acontecimento o início da realização do belo sonho da "paz perpétua" (Losurdo, 1989a, cap. 6, § 4).

Em parte alternativa, em parte entrelaçada com a tendência do "bonapartismo planetário", apresenta-se a tendência a transformar de modo definitivo a ONU num instrumento explícito da hegemonia dos países ricos. Nos anos em que se fazia sentir nesta organização a influência do Terceiro Mundo (a esmagadora maioria da população mundial), não faltavam as vozes que, nos Estados Unidos, estimulavam uma reforma que de algum modo garantisse o poder de controle dos Estados que faziam as contribuições financeiras mais relevantes. Tratava-se de exigências e aspirações que às vezes expressavam um projeto de des-emancipação a ser sancionado inclusive no plano formal, mediante a consagração no âmbito das relações internacionais do princípio, caro à tradição liberal, segundo o qual a representação compete, em primeiro lugar ou exclusivamente, aos que pagam os impostos ou os impostos mais altos. A seu tempo Churchill havia afirmado: "O governo do mundo deve ser confiado às nações satisfeitas, que por si mesmas não desejam nada além do que já têm. Se o governo do mundo estivesse nas mãos das nações famintas, o perigo seria permanente" (Chomsky, 1991, p. IX). Compreende-se, então, a atual tendência a transformar num clube dos países ricos o Conselho de Segurança, no qual, com efeito, seriam admitidos a Alemanha, o Japão ou um órgão como a Comunidade Econômica Europeia.

A discriminação censitária, por outro lado, se faz sentir já nos nossos dias, em níveis e âmbitos diferentes. No momento de expressar o voto dentro do Conselho de Segurança ou na Assembleia Geral da ONU, os países mais pobres (e mais populosos) estão expostos à chantagem às vezes explícita dos mais ricos. Faz algum tempo, pôde-se ler nos jornais: "A China se opôs às sanções contra a Líbia e as três potências ocidentais ameaçaram represálias comerciais" (Caretto,

1992). E, naturalmente, ainda mais desarmados diante das pressões dos ricos e dos poderosos se mostram os países mais fracos e mais pobres do que a China. Tome-se a questão dos armamentos: não só as armas nucleares mas também as químicas, os mísseis de longo e médio alcance, os supercanhões, etc., tudo isto deve ser mantido distante dos países pequenos e pobres e permanecer monopólio das grandes potências (à parte uma ou outra eventual exceção por eles decidida ou permitida), as quais não se sentem nem mesmo obrigadas a se comprometerem a não usar nunca, em primeiro lugar, as armas de extermínio de massa, que, ao contrário, para os países pequenos e pobres devem ser vetadas já em fase de projeto: tudo isto traz à memória a exclusão dos cidadãos passivos do âmbito da Guarda Nacional. O monopólio da força armada, que, depois da Revolução Francesa, a burguesia se preocupou em estabelecer em nível nacional, constitui hoje o objetivo perseguido pelo clube dos países ricos em nível internacional. E é também o caso de acrescentar que tal monopólio também constitui a regra quando se trata de decidir a direção dos chamados corpos de polícia internacional. Se alguns obstáculos ainda se interpõem à plena explicitação da discriminação censitária, eles parecem ser apenas o resíduo de uma constelação histórica muito particular (o notável peso e prestígio da URSS no fim da Segunda Guerra Mundial e a vitória não prevista da revolução na China) e agora relegada ao passado.

Fundada no momento em que começa a se desenvolver o processo de descolonização e emancipação em nível internacional subsequente à derrota do nazifascismo, a ONU sanciona no seu estatuto (art. 2, § 1) "a igualdade de todos os seus membros". É uma declaração de princípio que jamais espelhou a realidade e, no entanto, teve um papel importante e positivo em promover a superação ou a discussão daquelas relações internacionais também politicamente desiguais que são o legado do colonialismo. Hoje, inúmeros são os sintomas de uma inversão de tendência: a deslegitimação da Corte Internacional de Justiça, reivindicação por parte dos Estados Unidos do direito de capturar e "processar" um chefe de Estado (Noriega) antes mimado e financiado, depois caído em desgraça, a reafirmação da Doutrina Monroe na sua forma mais brutal. Por ocasião da viagem de Bush a

Moscou no verão de 1991, um jornal noticiava: "Sobre Castro, o presidente foi muito explícito: 'Discutimos a este respeito repetidamente. Sua presença a 80 milhas das nossas costas é intolerável'" (Caretto, 1991). Tudo isto parece querer sancionar, mesmo em nível formal, a desigualdade entre grandes potências e pequenos países. É neste quadro que se deve colocar a reabilitação em curso do colonialismo. Depois da triunfal guerra contra o Iraque, eis que na França um professor, Georges Boudarel, é submetido ao escárnio público, culpado por ter se oposto, a seu tempo, à guerra francesa na Indochina: seus perseguidores, entre os quais um ex-ministro de Giscard d'Estaing, tornam-se ainda mais ousados pelo fato de que – declaram – "a opinião pública redescobre hoje o papel civilizador" do Exército francês (Marsili, 1991). Bem se compreende, então, que as revelações sobre o papel central que o petróleo teve, como veremos, na cruzada anti-iraquiana ou sobre a determinação americana de "exterminar os iraquianos em fuga ou desarmados" não suscitem emoções particulares (Bocca, 1992).

Assiste-se ao fato desconcertante de um filósofo como Bobbio (que também manteve silêncio por ocasião da invasão de Granada, do Panamá, da colocação de minas nos portos nicaraguenses e dos próprios crimes cometidos, durante a guerra de agréssão contra o Irã por parte de Saddam Hussein, que então detinha o mandato das grandes potências ocidentais) dar seu aval à expedição anti-iraquiana, para continuar em seguida a calar, por exemplo, sobre o direito repetidamente reivindicado pela administração americana de "libertar" Cuba, contra a qual se impõe, fora da ONU, um embargo mortal que atinge indiscriminadamente a população civil. A desigualdade de tratamento nas relações internacionais entre países ricos e poderosos, por um lado, e países pobres e fracos, por outro, não parece angustiar os atuais teóricos da democracia, nem mesmo os mais problemáticos e sofridos.

12. *Velha e nova ideologia colonial*

Ao contrário, tal ideologia é explicitamente teorizada por Popper. Em duas entrevistas reveladoras *(Der Spiegel,* 1992; Spinelli, 1992), o teórico da sociedade aberta declarou: "Não devemos ter medo de travar guerras pela paz. Nas atuais circunstâncias é inevitável. É triste, mas devemos fazê-lo se queremos salvar o mundo". Mas a que "nós" Popper se refere? A Cruzada deve ser convocada em nome dos "Estados civilizados" ou dos "Estados do mundo civilizado". E quais são estes últimos? Mas é claro, trata-se do "Ocidente", cujos limites geográficos e políticos não são definidos, mas mesmo assim, decide de modo soberano quem é "civilizado" e quem não é.

Mas não é esta a ideologia que tradicionalmente acompanhou o expansionismo colonial e imperial, uma ideologia baseada no pressuposto do primado e da missão das grandes potências "civilizadas"? O teórico da sociedade aberta não recua e, ao reler a história, é tão impávido quanto ao exigir o recurso às armas. A seus olhos, o colonialismo representou um progresso de modo claro e unívoco: e as devastações e as carnificinas que acompanharam as conquistas coloniais? E o "extermínio das raças 'inferiores'", denunciado no início do século XX por um liberal (ainda que de esquerda) como Hobson (1974, p. 214)? Tudo isto é inexistente ou irrelevante para Popper, que não hesita em ir mais adiante: "Libertamos estes Estados [as ex-colônias] de modo muito apressado e simplista"; é como "abandonar uma creche a si mesma". Estamos diante de uma explícita teoria da des-emancipação no plano das relações internacionais, dado que Popper pretenderia fazer com que regredissem a uma condição de subalternidade os povos ex-coloniais, os quais, a partir da Primeira Guerra Mundial e da Revolução de Outubro, iniciaram um processo de emancipação que os levou a se livrarem do jugo a eles imposto pelas grandes potências. Agora retorna a linguagem da época de ouro do colonialismo, quando "raças" inteiras, para usar palavras de Mill, eram consideradas "menores de idade", ou, segundo Kipling, metade crianças e metade diabos. De modo análogo raciocina hoje o teórico da sociedade aberta, para o qual, à medida que os países e os povos do Terceiro Mundo se revelam rebeldes e diabólicos, os países civilizados têm o direito e o dever de convocar contra eles a Cruzada em nome da civilização e da paz, em nome daquilo que Popper chama de *pax civilitatis*.

Mesmo neste caso, encontramo-nos diante de um tema clássico da ideologia colonial. Quem reivindicou para os Estados Unidos e as grandes potências da "sociedade civilizada" um "poder de polícia internacional" (Commager, 1963, v. 2, p. 33) foi Theodore Roosevelt, isto é, um "mensageiro do militarismo e do imperialismo americano" e também de um pouco do "racismo" (Hofstadter, 1960, p. 206), o líder de uma grande potência que explicitamente arroga para si o direito, na sua função de tutor da ordem no hemisfério ocidental, de usar um "grande porrete" contra países e povos latino-americanos recalcitrantes (Roosevelt, 1901, p. 288). Aquele que acredita que a palavra de ordem do "poder de polícia internacional" é algo novo deveria ler todo o capítulo que lhe é dedicado no âmbito de uma brilhante análise global da ideologia do "expansionismo nacionalista na história americana" (Weinberg, 1963, p. 413-450). E, se passamos dos Estados Unidos à Inglaterra, vemos que quem fala de um governo mundial é também um celebrador apaixonado do Império britânico, como Winston Churchill, que, como sabemos, reivindica este governo para as "nações satisfeitas", isto é, as grandes potências antes protagonistas da expansão colonial. E se tenha enfim presente que um brutal empreendimento colonial, conspurcado de massacres, como a expedição conjunta das grandes potências para a repressão da Revolta dos Boxers na China, foi devidamente celebrado – Lenin é que observa e denuncia o fato – como a realização do *"sonho de políticos idealistas, dos Estados Unidos do mundo civilizado"* (Lenin, 1955, v. 39, p. 654).

Junto com a palavra de ordem do "poder de polícia internacional", a expansão colonial constantemente agitou aquela da paz. Foi o caso de um apologista do imperialismo, como Cecil Rhodes (Williams, 1921, p. 51 ss.); o de Mill, que celebra o Império inglês como "um passo no sentido da paz universal, da cooperação e da compreensão geral entre os povos". E, no entanto, apesar das boas intenções nas quais declaradamente se inspira, tal ideologia logo se revela um instrumento de guerra. Dado que "um despotismo vigoroso" é o único método capaz de erguer a um nível superior os povos atrasados ou os "bárbaros", as conquistas (e as guerras) coloniais são do interesse da civilização e da paz e devem ser estendidas até abarcar todo o globo: o "despotismo direto dos povos avançados" sobre os atrasados já é "a condição ordinária", mas deve se tornar "geral" (Mill, 1916, p. 288 e 290 ss.).

Qual seja, afinal, a realidade que ainda hoje corresponde à ideologia colonial da missão civilizadora e pacificadora ou à celebração, cara a Kipling, do "fardo do homem branco" (ou ocidental), é o que emerge com clareza da crônica cotidiana do comportamento das grandes potências: "Na nova divisão das zonas de influência no mundo, os Estados Unidos querem, pelo menos do ponto de vista comercial, que lhes caiba a América Latina" (Elordi, 1991). Mais ainda: "A Somália [...] deveria poder ficar em boa parte na esfera de influência da Itália" (Cianfanelli, 1992).

Pois bem. Que métodos são utilizados para conseguir um objetivo que não é o objetivo altruísta e desinteressado apregoado pela velha e nova ideologia colonial?

> As duas únicas grandes potências [EUA e França] que hoje exercem uma influência sobre aquele continente [África] agora disputam entre si o mercado, inclusive à custa de incrementar os conflitos entre as facções em luta em diferentes países. Apoiam uma ou outra destas facções, segundo sejam consideradas mais capazes de cuidar dos respectivos interesses daquelas potências. É o caso da Libéria, onde grassa a guerra entre a facção de Charles Taylor, o presidente em exercício, e a dos seus adversários. (Fabiani, 1992)

E, assim, antes de se autoinvestirem do papel e da missão de bombeiros a serviço da Nova Ordem Internacional, as grandes potências se comportam como piromaníacos destituídos de escrúpulos. Continuemos a folhear órgãos de informação insuspeitos de terceiro-mundismo:

> A revista *The New Yorker* relata uma missão realizada em 1986 por Georg Bush, que teria pedido ao rei Hussein, da Jordânia, e ao presidente egípcio, Hosni Mubarak, que "exercessem pressões sobre Saddam para intensificar os bombardeios sobre o Irã". Objetivo do plano era forçar Teerã a voltar-se para os Estados Unidos a fim de obter mísseis e armas de defesa antiaérea. Em troca, Washington pediria a libertação dos reféns americanos no Líbano. *(Corriere della Sera, 1992)*

Aqui se toca de leve numa questão que mereceria mais desenvolvimento. Quem se apresenta como fiadoras da paz mundial são as grandes potências, que obtêm enormes lucros no mercado de armas, assim como quem organiza missões humanitárias, com o envio de gêneros alimentares e remédios, são aqueles que reivindicam o direito de impor, às vezes com uma intenção declaradamente hegemônica, um embargo total em detrimento deste ou daquele país rebelde do Terceiro Mundo. E, enquanto isso, a revista oficial do *U.S. Army War College* já prevê a "Segunda Guerra do Golfo" (Riotta, 1992b).

13. *O retorno dos "estrangeiros" e o futuro da democracia*

É também por esta razão que não se pode subscrever o balanço daqueles que veem e celebram o colapso verificado no Leste simplesmente como a derrocada do Antigo Regime (Dahrendorf, 1990) ou o triunfo da "exigência das tradicionais liberdades civis e políticas" (Bobbio, 1990, p. XV). Esta visão apreende, sem dúvida, um aspecto essencial da realidade. Certamente, não podiam sobreviver regimes que, eternizando o estado de exceção, não foram capazes de implantar a normalidade e terminaram por reproduzir a figura da multidão "criança" controlada por uma elite iluminada ou que tal pretendia ser. E, no entanto, não se deve negligenciar outros aspectos, também essenciais. De início, o colapso que se verificou no Leste parece favorecer o processo de des-emancipação em detrimento dos povos ex-coloniais. Quando declara que "o desaparecimento da URSS é uma tragédia para o Terceiro Mundo" (Garzia, 1992), Fidel Castro parece expressar uma opinião e uma sensação amplamente difundidas nos países forçados a sofrer a arrogância das grandes potências. Mesmo prescindindo das relações internacionais, não se pode passar por cima do fato de que, na Europa Oriental, assiste-se à supressão explícita, no catálogo de direitos, dos "direitos sociais e econômicos", não por acaso debitados na conta da Revolução de Outubro por parte de Hayek, agora transformado em profeta dos regimes que tomaram o lugar do "socialismo real". E, portanto, emancipação e des-emancipação se entrelaçam estreitamente. O que fica ainda mais evidente se se reflete sobre o fato de que os excluídos do "direito à vida" ou da "liberdade em face da pobreza" no Leste europeu – na Rússia, "mais da metade da população [está agora] sob o limiar da pobreza"

(Bonanni, 1992) –, forçados à imigração, nos países a que chegam perdem os direitos políticos e, às vezes, veem os próprios direitos civis ameaçados.

A figura do "estrangeiro", em Constant uma metáfora para definir a situação jurídica dos não proprietários privados dos direitos políticos, também começa a se tornar uma realidade palpável na Europa Ocidental, como sempre foi na América. Em fuga de um Terceiro Mundo privado até da esperança de ter acesso ao desenvolvimento, ou dos países ex-socialistas que, em vez de alcançar, como esperavam, o nível dos países mais avançados do Ocidente, correm o risco de regredir para o subdesenvolvimento, massas de imigrados pressionam as fronteiras da Comunidade Econômica Europeia, muitas vezes conseguem aventurosamente atravessá-las e assim passam a constituir a classe dos estrangeiros. Também neste caso venceu, ou está vencendo, o modelo americano. E de novo ocorre um processo de racialização que confina os recém-chegados nos setores mais baixos do mercado de trabalho e tende a exportar o conflito social, identificando os imigrados como um agente patogênico e, eventualmente, um bode expiatório para os problemas irresolvidos ou em curso de agravamento.

Os excluídos da democracia e das garantias das regras do jogo no plano das relações internacionais sofrem uma análoga violação dos direitos dentro da metrópole capitalista. Evidentemente, há uma relação entre a configuração dos países ex-coloniais como "creches" ou, pior; como esconderijo de bárbaros fora do "mundo civilizado", se necessário merecedores de ser atingidos com expedições punitivas das grandes potências, e a agitação racista que se desenvolve nas metrópoles capitalistas, considera os não comunitários indignos dos direitos que cabem aos demais homens e os atinge às vezes com surras e expedições punitivas, que reproduzem em miniatura aquelas organizadas pelos países que reivindicam o "poder de polícia internacional". Quem quiser olhar diretamente a realidade não pode perder de vista o fato de que os *skinheads,* no fundo, radicalizam o discurso caro a Popper e àqueles que, lamentando o fim "precoce" da dominação colonial, justificam e saúdam o processo em curso de recolonização do Terceiro Mundo.

Também na segunda metade do século XIX, a ideologia da "missão" ou do "fardo do homem branco" acompanhou, ao mesmo tempo, a política de canhoneiras das grandes potências e o linchamento de negros e orientais promovido pela Ku Klux Klan e por outros grupos racistas (Handlin e Handlin, 1986, p. 131).

Mas não só os imigrados que vivem no interior do mundo capitalista desenvolvido são "estrangeiros"; também o são aqueles que contribuem para produzir sua riqueza material sem poder influir nas suas escolhas. No início do século XX, críticos liberais ingleses do imperialismo forneceram alguns elementos para uma história da figura do estrangeiro, sobre a qual ainda vale a pena refletir. Por séculos, o Ocidente se empenhou em caçar força de trabalho servil ou semisservil (primeiro, escravos negros, depois cules ou indianos) nos países atrasados:

> Na antiguidade, o empreendedor, ainda que pudesse, não sairia do país para empregar os líbios e os citas no seu lugar de nascimento. Se deixasse a pátria, não era tão fácil voltar. Estava praticamente no exílio. Em segundo lugar, não era suficientemente dono dos escravos no próprio país destes. Se eram todos de uma mesma nacionalidade e estavam todos na sua pátria, podiam rebelar-se e recuperar a liberdade.

Mas depois, com o desenvolvimento da indústria e dos meios de comunicação, não seria mais necessário deportar para o coração da metrópole capitalista a força de trabalho nativa, que, ao contrário, é empregada na exploração das matérias-primas locais (Hobson, 1974, p. 210 ss.). A figura do estrangeiro que vive dentro do mundo capitalista não desaparece, mas passa a segundo plano diante do estrangeiro que vive fora dele. Certamente, em relação ao momento em que esta análise é desenvolvida, a partir sobretudo da Primeira Guerra Mundial e da Revolução de Outubro, verificaram-se colossais perturbações que mudaram a face da terra, também eliminando em amplíssima medida, junto com o colonialismo, pelo menos na sua forma clássica, aquelas formas de trabalho servil cuja permanência, no início deste século, Hobson constatava.

E, no entanto, não faltam alguns elementos de continuidade. O liberal inglês publica a primeira edição do seu livro em 1902; pouco mais de dez anos depois, mediante um acordo com o Império

Otomano em crise, o Império inglês dá vida ao Estado ou ao protetorado do Kuwait, de cujo petróleo precisa absolutamente, enquanto se empenha num gigantesco programa de rearmamento naval no âmbito da crescente rivalidade com um outro Império, o de Guilherme II, da qual em breve surgiria a Primeira Guerra Mundial (Santarelli, 1992, p. 195 ss.). Façamos agora um salto até nossos dias. No curso da convenção republicana de Houston, imediatamente anterior à campanha eleitoral presidencial de 1992, Bush não escondeu que a operação "Tempestade no deserto" era necessária para impedir que fossem "tomadas como reféns nossas fontes de energia" (*L'Unità*, 1992). Por outro lado, até jornais que a seu tempo se empenharam na primeira linha da cruzada anti-iraquiana agora parecem perder de vista os reais objetivos da Guerra do Golfo: quem decidiu "castigar severamente Saddam Hussein" foram "todas as potências industriais", firmemente decididas a manter baixo o preço do petróleo, "suprimindo a hipótese de uma outra crise petrolífera que teria freado o impulso expansivo do capitalismo ocidental" (Scalfari, 1992). Podemos agora trazer à memória uma observação de Hobson: "O uso mais proveitoso do trabalho das raças inferiores é o de empregá-las para desenvolver os recursos das suas terras sob controle dos brancos e para benefício dos brancos" (Hobson, 1974, p. 210 ss.). O petróleo necessário ao Ocidente capitalista é extraído por trabalhadores que são estrangeiros duas vezes, já que não só não podem influir sobre o destino político dos países em primeiro lugar beneficiários desta fundamental matéria-prima mas também são estrangeiros até no Emirado do Kuwait, que continua a excluí-los dos direitos políticos.

De resto, a conexão entre "estrangeiros" internos e "estrangeiros" externos à metrópole capitalista também termina por surgir da leitura de um clássico do neoliberalismo. Ao proceder à sua obra de desmitificação do sufrágio universal e ao contestar que o voto seja um direito subjetivo irrenunciável, Hayek observa que todos consideram "razoável" a exclusão de "estrangeiros residentes" e "habitantes de territórios e regiões especiais" do âmbito dos direitos políticos (Hayek, 1969, p. 129). Esta última expressão parece aludir à situação de Porto Rico, cujos habitantes são cidadãos americanos mas não têm direito de voto nas eleições dos EUA. É do mais alto interesse a aproximação aqui efetuada entre estrangeiros propriamente ditos e membros da população de uma ilha das Grandes Antilhas, submetida pelos Estados Unidos depois da guerra com a Espanha e ainda mantida numa condição semicolonial. A exclusão da sua população do âmbito dos direitos políticos não constitui um problema para o patriarca do neoliberalismo, o qual, antes, aduz tal exemplo como demonstração do fato de que não haveria motivo de escândalo se também fossem privados da cidadania política os "beneficiários da caridade pública", os não proprietários e os analfabetos, aqueles que a tradição liberal clássica havia precisamente assimilado aos estrangeiros.

Em 1926, depois do gigantesco processo de emancipação e de extensão do sufrágio que se seguira à guerra e à Revolução de Outubro, um grande politólogo reacionário, Carl Schmitt, observa ironicamente que, no âmbito do Império inglês, o chamado sufrágio universal só abrange 100 do total de 400 milhões de habitantes:

> Quando se fala de democracia inglesa, de direito de sufrágio "universal" e de igualdade "universal", ignoram-se estas centenas de milhões com toda a tranquilidade, assim como com toda a tranquilidade ignoravam-se os escravos na democracia ateniense. O imperialismo moderno pôs em funcionamento novas formas de domínio, correspondentes ao desenvolvimento econômico e técnico, que se estendem na mesma medida em que, na pátria-mãe, desenvolve-se a democracia. Protetorados, mandatos, tratados de intervenção e formas semelhantes de dependência tornam hoje possível a uma democracia dominar uma população heterogênea em relação a si, sem nela criar cidadãos, tornando-a dependente do Estado democrático, mantendo-a ao mesmo tempo afastada deste Estado.

Neste sentido, a figura do "estrangeiro" é aqui considerada essencial à democracia e dela inseparável. Mas a Revolução de Outubro não havia promovido e consagrado a revolta dos escravos coloniais e sancionado a dignidade humana conquistada pelos bárbaros estranhos ao Ocidente? Não havia, deste modo, proclamado o fim da figura do "estrangeiro" racializado? Mas vejamos a réplica de Schmitt:

> Em geral, de uma democracia sempre fazem parte escravos ou homens privados de direitos, total ou parcial-

mente, e excluídos do exercício do poder político, sejam eles bárbaros, incivilizados, ateus, aristocratas ou contrarrevolucionários. (Schmitt, 1988, p. 60 ss.)

Claramente, a categoria dos excluídos da democracia é aqui ampla demais, dado que subsume e aproxima tranquilamente figuras tão diferentes, como, por exemplo, os escravos das colônias e os aristocratas no curso da Revolução Francesa, momentaneamente privados dos direitos políticos. Deve-se acrescentar que o grande politólogo depois saudaria o advento do nazismo ao poder: partindo do desmascaramento da escravidão ou da semiescravidão camuflada no interior das democracias, adere, afinal, a um regime que se propunha explicitamente submeter à escravidão as raças inferiores e os sub--homens da Europa Oriental. Neste sentido, para usar palavras do jovem Marx, a crítica reacionária da ideologia "destrói as *falsas flores* das cadeias, para trazer *cadeias autênticas* sem flores" (Marx e Engels, 1955, v. 1, p. 379; Losurdo, 1986, p. 87 ss.).

Mas não é esta uma razão para ignorar o desafio teórico que provém de Schmitt. Apesar das enormes mudanças verificadas, pode--se perguntar se, na autocelebração da democracia ocidental, não continua a se manifestar de algum modo uma ilusão análoga à de Tocqueville, que considerava que nos Estados Unidos as restrições censitárias haviam desaparecido simplesmente pelo fato de que ocorriam através da discriminação racial e étnica. Decerto, contrariamente ao que Schmitt parece sugerir, não é verdade que não exista nada de novo sob o sol. No fundo, o Terceiro *Reich* constituiu a tentativa de impor uma gigantesca des-emancipação, como de algum modo termina por sugerir o próprio politólogo quando, em 1936 (imediatamente no rastro da aprovação da legislação que priva de direitos políticos os judeus, como raça diferente da alemã e ariana), assinala como mérito do nazismo ter operado a "substituição do conceito de 'homem' mediante os conceitos de 'cidadão' e 'estrangeiro'" (Losurdo, 1991, cap. 3, § 1). Na Europa Oriental, assimilada às colônias tradicionais, a des-emancipação buscada por Hitler visava a impor, como na época de ouro do colonialismo, o trabalho servil ou semisservil, que também poderia ser introduzido no centro do Império, à custa, naturalmente, das "raças inferiores", a ser privadas dos direitos políticos e a ser confinadas nas margens inferiores do mercado de trabalho, como na América anterior à Guerra de Secessão ou nas décadas da des-emancipação dos negros e da sua nova subjugação a uma condição "comparável à servidão" (cf. supra, cap. 1, § 10). Apesar dos gigantescos meios materiais de que pôde usufruir e da extrema brutalidade (que se fez sentir pesadamente até sobre a "raça dos senhores", ela própria obrigada a sofrer uma ditadura terrorista imposta pelo estado de guerra permanente e total, necessário para atingir o objetivo perseguido) com que foi conduzida, a tentativa nazista enfim fracassou. Por outro lado, a própria história que aqui estou reconstruindo demonstra como se tornou na prática impossível, nos nossos dias, pôr de novo abertamente em discussão o princípio do sufrágio universal e igual, de modo que os movimentos e as tentativas de des-emancipação, ainda que continuem existindo, são forçados a se moverem com cautela, fazendo concessões ao princípio que, na verdade, se propõem neutralizar.

Observando bem, a história da luta pelo sufrágio é só um aspecto particular de uma série de eventos mais ampla: não por acaso, os não proprietários que, com a Revolução de 1848, conquistam os direitos políticos, se sentem finalmente elevados ao "patamar de homens" (cf. supra, cap. 1, § 11). E Marx identifica o significado da *égalité* nascida da Revolução Francesa não como reivindicação da simples igualdade de compradores e consumidores no mercado, mas como "unidade essencial dos homens", os quais desenvolvem uma consciência e um comportamento como membros do mesmo gênero (Marx e Engels, 1955, v. 2, p. 41; Losurdo, 1989b). Assim, a série de eventos mais ampla em que se devem inserir as lutas pelo sufrágio, pelos direitos políticos e sociais e contra a racialização da diferençatal série é a da construção do conceito universal de homem e da humanidade como gênero, que constitui o fio condutor das revoluções do mundo contemporâneo e está bem longe de ter se concluído.

8. O TRIUNFO DO BONAPARTISMO *SOFT* E O TEMPO LONGO DA DEMOCRACIA

1. *Democracia, mercado, manipulação total*

O século XX se abre e conclui com duas vitórias do bonapartismo *soft*. Da primeira já se falou (cf. supra, cap. 5, §§ 1 ss.). Antes de tratar da segunda, convém determo-nos em algumas características do regime político em questão, retornando por um momento a Le Bon, que, depois de ter sublinhado a emotividade e a irracionalidade das multidões, propõe como antídoto ao sufrágio universal um regime cesarista capaz de fazer uso inteligente de uma propaganda absolutamente destituída de argumentos racionais e desenvolvida segundo o modelo da publicidade comercial (cf. supra, cap. 2, § 6). Para Schumpeter, trata-se de registrar, de uma vez por todas, o "duro golpe" que o sociólogo francês, demonstrando a irracionalidade das multidões, do que deveria ser o sujeito da soberania popular, desferiu nos pressupostos que estão "na base da teoria clássica da democracia" (Schumpeter, 1964, p. 245).

Na realidade, algo deveria ser novamente dito sobre esta demonstração. Em apoio à sua tese, Le Bon (1980, p. 62) cita, entre outras coisas, a excitação chauvinista de massa que, em 1870, arrasta a França "a uma guerra terrível" com a Prússia e à derrota de Sédan; por ocasião do primeiro conflito mundial, vimos Guido Dorso, um expoente do elitismo democrático (Stoppino, 1974, p. VII), censurar a massa pela sua relutância em aceitar a intervenção na gigantesca carnificina (cf. supra, cap. 5, § 1). "Um imposto indireto – prossegue Le Bon (1980, p. 39) na sua peça acusatória –, ainda que exorbitante, será sempre aceito pela multidão", a qual, fazendo escândalo por causa de um imposto "sobre os salários ou sobre os rendimentos", imediatamente visível, mas não se importando com as variações modestas e quase imperceptíveis dos preços dos gêneros de consumo, confirma mais uma vez sua irracionalidade. Ao contrário, esta irracionalidade é demonstrada por Mises a partir do apoio de massa que a reivindicação do imposto de renda progressivo encontra (cf. supra, cap. 7, § 1). Sempre segundo Le Bon (1980, p. 83), "as multidões que entram em greve o fazem muito mais para obedecer a uma palavra de ordem do que para obter um aumento de salário"; por outro lado, é o próprio sociólogo francês quem sublinha criticamente que "o fato de se associarem" e organizarem em sindicatos "permitiu às multidões ter uma ideia, se não muito correta, pelo menos muito precisa dos próprios interesses e de tomar consciência da própria força" (cf. supra, cap. 4, § 5).

Mas, afinal, qual é a alternativa à irracionalidade das multidões? Certamente, não é constituída pelos intelectuais, os quais, para Le Bon, como antes para Constant, são destituídos de senso prático, cheios de *ressentiment* em face das classes superiores e propensos a seguir quimeras e utopias, e, portanto, constituem um elemento a mais de perturbação passional da vida política (cf. supra, cap. 2, § 6). Uma vez derrubado o monopólio dos direitos políticos detido pelos proprietários (os únicos, segundo a tradição liberal clássica, capazes de dar garantias de racionalidade e maturidade política), só resta entregar-se aos líderes de que fala Bagehot, ou aos "césares" a que faz referência o sociólogo francês, isto é, àqueles que, num caso e no outro, são explicitamente chamados não só a explorar, mas também a alimentar a irracionalidade, agitando algum "vago sonho de glória" através de uma insistente campanha no país que veja a participação de "milhares de oradores", ou, melhor ainda, recorrendo a uma obsessiva "repetição" segundo o modelo de uma publicidade comercial onipresente (cf. supra, cap. 2, § 5 ss.).

A atitude de Schumpeter também apresenta aspectos singulares. A irracionalidade das multidões, demonstrada por Le Bon de uma vez para sempre, impõe uma nova definição de democracia, a ser entendida só como mercado político no qual se enfrentam líderes concorrentes. Mas qual é o grau de racionalidade e de democracia deste mercado? Já no âmbito estritamente econômico, vemos que os consumidores "são de tal modo expostos à influência da publicidade e de outros modos de persuasão que muitas vezes os produtores parecem lhes ditar leis, em vez de se deixarem dirigir". No âmbito do mercado político, ainda pior é a situação dos consumidores-eleitores, para os quais se mostra mais problemática a verificação da qualidade do produto comprado ou votado: "A longo prazo, a fotografia da moça mais graciosa que jamais nasceu nesta terra se mostrará impotente para sustentar a venda de um cigarro ruim; não existe salvaguarda igualmente eficaz no caso de decisões políticas" (Schumpeter, 1964, p. 246 e 251). Mas desta constatação não decorre, em absoluto, a conclusão – que logicamente seria preciso extrair – de que um regime deste tipo tem muito pouco de racional e de democrático; nem se deduz a necessidade prática de operar para ampliar o mais possível este mercado político, de modo que a multiplicidade dos produtos políticos e das campanhas publicitárias concorrentes reduza o mais possível o efeito de sedução sobre os eleitores-consumidores. Menos ainda se deduz a necessidade de combater ou atenuar de algum modo o bombardeio publicitário, favorecendo o desenvolvimento de partidos e organizações políticas que, promovendo internamente a formação e a discussão política, rompam ou abram brechas no monopólio da comunicação detido pelos *mass-media* fortemente centralizados.

Vimos Mises considerar o bipartidarismo como um requisito indispensável da democracia-mercado por ele teorizada. E na mesma direção se move Schumpeter, quando condena a representação proporcional. O processo de concentração oligolipolista, já nitidamente mais avançado e menos controlável no plano político do que no plano econômico, em vez de ser dificultado – como em teoria, na esfera da economia propriamente dita, as leis antitruste se propõem fazer – é claramente favorecido com toda uma série de medidas, relativas inclusive ao sistema eleitoral, que tendem a introduzir ou realizar o bipartidarismo, e um bipartidarismo que vê como concorrentes não dois programas nitidamente caracterizados mas sim dois aspirantes a líderes. Neste ponto, pode-se considerar definitivamente concluída a redução da comunidade política a mercado, o qual decide entre dois produtos políticos que, mesmo em concorrência recíproca, se assemelham como um dentifrício ou um sabonete se assemelham a um outro dentifrício ou sabonete de marca diversa:

> Os modos pelos quais os problemas e a vontade popular quanto ao mérito destes são manipulados correspondem exatamente aos da publicidade comercial. Neles

encontramos a mesma tentativa de se apoiar no inconsciente, a mesma técnica de criar associações favoráveis ou desfavoráveis, e tanto mais eficazes quanto menos racionais, as mesmas evasivas e reticências, o mesmo estratagema de produzir uma opinião mediante afirmações repetidas que têm sucesso à medida que evitam o raciocínio e o perigo de despertar as faculdades críticas do público, e assim por diante, com a única diferença de que estas artes dispõem de possibilidades de ação infinitamente maiores na esfera dos negócios públicos do que naquela da vida privada e profissional. (Schumpeter, 1964, p. 251)

Le Bon já insiste na "repetição" sistemática de uma afirmação, na ausência de qualquer argumentação racional, como instrumento fundamental de propaganda do "césar" ou do "herói" chamado a domesticar o sufrágio universal, do qual também surge. É em termos análogos que Schumpeter analisa a democracia-mercado. Poderia parecer que se trata de uma constatação crítica, mas, na medida em que tal realidade é considerada insuperável e sem alternativas, o elemento crítico se dissolve inteiramente e a nova teoria do economista austro-americano se reduz à descrição empírica da realidade de fato existente num país como os Estados Unidos e, em seguida, impingida como a essência da democracia.

Tal regime político, então, parece reduzir-se à "sutil manipulação do mercado transformado em universalmente capitalista. Através dos *mass-media* inflados de maneira inaudita, a publicidade do consumo se tornou o modelo do 'esclarecimento' político". A observação é de Lukács, que vai adiante ao acrescentar que Hitler já "considerava a 'boa propaganda de sabonetes' como o modelo de qualquer propaganda política. Naturalmente, não se trata de uma conexão direta; ao contrário, existe de imediato uma verdadeira discrepância. De fato, a propaganda política de Hitler era abertamente ideológica" (Lukács, 1987, p. 45 ss.).

Obviamente, regimes políticos radicalmente diferentes não podem ser aproximados de maneira irrefletida ou, pior, assimilados sob o signo da manipulação, como às vezes a Escola de Frankfurt tende a fazer (Horkheimer e Adorno, 1982, p. 126 ss.). Mas existe um problema real que não se pode ignorar: Le Bon, este autor sob tantos aspectos ligado à tradição liberal, também fez escola em ambientes bastante diferentes daqueles de Schumpeter. O sociólogo francês, como observa Gramsci (1975, p. 1.145 ss.), torna-se o modelo de Mussolini, que se vangloria de ter lido toda a sua obra e, em particular, de ter meditado longamente sobre *A psicologia das multidões* (De Felice, 1966, v. 2, II, p. 298). Goebbels também se ocupa desse texto, (Reuth, 1991, p. 112); ele estava plenamente convencido da eficácia de uma propaganda baseada no modelo da publicidade comercial, da repetição sistemática e destituída de argumentos racionais. No entanto, desenvolvendo-se entre dois conflitos mundiais e na preparação de uma guerra total, a propaganda nazista (e fascista) não pode deixar de ser imediata e explicitamente ideológica. E, ao contrário, é no âmbito do bonapartismo *soft* e dos períodos de normalidade que a propaganda política tende não só a se modelar de acordo com a publicidade comercial, mas a se identificar com ela.

2. *O século XX e a nova vitória do bonapartismo* soft

A guerra fria, que se concluiu com a derrocada dos regimes da Europa Oriental, viu como protagonistas dois aparelhos de propaganda com características bastante diferentes. Observou-se que "a eficácia persuasiva dos *mass-media* atua muito mais em profundidade nos países com democracia pluralista (e com economia de mercado) do que nos países totalitários". De fato,

> a atenção consciente representa mais um obstáculo do que um veículo para a transmissão das mensagens persuasivas. E é por isto, paradoxalmente, que os *media* maximizam seu poder de influência precisamente nos países democráticos, nos quais o conteúdo ideológico *explícito* das mensagens é relativamente escasso e, ao contrário, muito elevado é seu potencial de persuasão indireta.

Particularmente instrutiva é a comparação entre os dois países separados por um muro artificioso, que pretendia dividir uma nação com uma longa tradição nacional: "Os velhos métodos do despotismo marxista-leninista foram derrotados pelos meios de comunicação alemães-ocidentais, que exerceram por anos, silenciosamente, sua influência persuasiva sobre os cidadãos da 'Alemanha democrática'" (Zolo, 1992, p. 201, 199 ss., e nota 78). A vitória conseguida pelos Estados Unidos no curso da guerra fria – é a formulação usada pelo próprio Bush – também é a vitória dos *mass-media* sobre a escola de partido, das mensagens subliminares e da persuasão-oculta sobre a doutrinação consciente e declarada.

Assim como o século XX se abre com a demonstração da superioridade do modelo americano no momento da intervenção no primeiro conflito mundial e, depois, no curso do seu desenvolvimento, ele também se conclui com uma nova e brilhante vitória do bonapartismo *soft*, que tem no centro um líder, fortalecido pela sua investidura popular de tipo plebiscitário, pelos amplíssimos poderes que exerce e pode estender enormemente com o estado de exceção, pela auréola sagrada que lhe deriva do fato de ser intérprete de uma missão sagrada de liberdade, pela possibilidade de dispor de um gigantesco aparelho propagandístico e de persuasão oculta. Identificar imediatamente esta vitória com a marcha da democracia significa subscrever acriticamente a ideologia da guerra e a ideologia do império da liberdade que acompanharam constantemente a história dos Estados Unidos, marcando sua ascensão mundial, e que nos nossos dias consagram o triunfo do bonapartismo.

Os teóricos do regime político que hoje triunfou procederam a uma redefinição e a uma redução drástica da democracia, da qual foi expurgada qualquer ideia de emancipação e até somente de participação dos cidadãos nas decisões e nas escolhas políticas. Mas o bonapartismo *soft* conseguiria pelo menos garantir plenamente o que a escola liberal define e celebra como a liberdade negativa? Para responder a esta pergunta, convém partir de um autor que costuma ser considerado um clássico do pensamento liberal-democrata:

> O que é um monarca *absoluto*? É aquele que, quando ordena: "Deve haver guerra", a guerra acontece. Em vez disso, o que é um monarca *limitado*? É aquele que, antes, tem de perguntar ao povo se deve haver guerra ou não, e, se o povo diz: "Não deve haver guerra", ela não acontece [...]. Ora, o monarca britânico fez inúmeras guerras sem pedir o consenso do povo. Portanto, ele é um monarca absoluto, mesmo que não devesse sê-lo segundo a Cons-

tituição, que ele, no entanto, pode sempre contornar pelo fato de que, graças ao aparelho estatal (tem o poder de conceder todos os cargos e funções), pode considerar-se seguro do consenso dos representantes do povo. (Kant, 1965, p. 225 nota)

Portanto, dever-se-ia considerar despótico um regime como aquele vigente nos Estados Unidos, o qual, segundo o que declaram seus apreciadores, que até gostariam de propô-lo como modelo para nosso país, concede ao presidente uma "tão ampla autonomia decisória em face do órgão legislativo" que ele pode "ordenar um ataque bélico mesmo sem uma prévia decisão do Congresso" (Messina, 1992, p. 59). Por outro lado – prossegue Kant na sua denúncia –, só crianças podem se deixar ludibriar pelo ditado constitucional que exige serem as despesas de guerra aprovadas pelo Parlamento. De início, este é chamado a intervir tarde demais, quando as hostilidades já se abriram por iniciativa do Executivo que, em seguida, tem amplas margens de manobra para fazer ratificar o fato consumado. Um povo que vive no âmbito de um tal regime, e que é enviado para a guerra sem seu consenso ou o dos seus representantes, não é "livre" mas "oprimido" (Kant, 1900, v. 19, p. 606 ss.).

Devemos considerar obsoleta e inútil esta análise e argumentação? Na realidade, os desdobramentos históricos acrescentaram ainda mais validade e atualidade a uma denúncia formulada num tempo em que era ainda desconhecido ou bastante limitado o alistamento obrigatório, que, segundo um filósofo liberal inglês do século XIX, reduz efetivamente a uma condição de escravidão o soldado submetido a uma rígida disciplina e obrigado até a correr para a morte (Spencer, 1981, p. 72). Agora sucede que, no âmbito do atual regime de bonapartismo *soft*, depois de tomar a iniciativa de um envolvimento do próprio país num conflito internacional, o Executivo tem a possibilidade de impor a conscrição a amplas camadas da população e até à população no seu todo. Em caso de conflito armado – observa sempre o filósofo de Königsberg, no âmbito da sua denúncia do caráter despótico de um regime que atribua ao Executivo a iniciativa, se não da declaração formal, pelo menos da imposição de fato do estado de guerra –, "*todas* as forças do Estado devem ser postas a serviço do chefe de Estado" (Kant, 1965, p. 225 nota); e este, nos nossos dias, chega a dispor de uma concentração de poder muito mais gigantesca do que no final do século XVIII, com a possibilidade de intervir de modo mais ou menos pesado sobre os direitos essenciais dos cidadãos, até a arregimentação total por ocasião de um conflito de amplas proporções.

Depois da experiência do Vietnã, até uma guerra limitada (do ponto de vista da grande potência ou da superpotência que nela está empenhada) comporta a supressão substancial da liberdade de informação. Por ocasião da invasão de Granada, em 1983,

> a Casa Branca impediu os jornalistas de seguir as operações militares, atribuindo a divulgação aos boletins de informação tornados públicos no Departamento de Defesa [...]. Um jornalista depois comentaria: "A Administração parecia querer o monopólio das notícias até se tornar capaz de plasmar a opinião pública". (Brivio, 1992, p. 91)

A mesma técnica foi seguida nos conflitos sucessivos até alcançar o auge da perfeição na Guerra do Golfo: "A gestão da informação durante o primeiro conflito com transmissão direta pela televisão abre uma nova era da comunicação em tempo de guerra, reforçando o controle da administração sobre os meios de comunicação". Limito-me aqui a transcrever o testemunho de jornalistas que muito dificilmente podem ser acusados de antiamericanismo:

> Com uma estratégia precisa, que não hesita em recorrer à censura, à desinformação e ao rígido controle dos jornalistas, a Casa Branca e o Pentágono conseguem assegurar e manter o consenso de uma ampla parcela da opinião pública americana, a despeito de qualquer vocação isolacionista ou pacifista [...]. Se, no século XIX, o general prussiano Karl von Clausewitz afirmava que condição da vitória era a coesão de todos os combatentes, os meios eletrônicos de comunicação demonstraram que, numa democracia moderna, a condição primeira da vitória é a coesão da opinião pública. (Brivio, 1992, p. 105 e 202 *ss.*)

A subordinação da informação às exigências de mobilização e de arregimentação da guerra é tão completa que sugere a imagem de uma "segunda frente" bélica, não menos importante do que o verdadeiro campo de batalha (Macarthur, 1992).

Mas é ainda mais significativo o fato de que as experiências acumuladas na guerra não devem ser perdidas nem mesmo em períodos de paz, de modo que o recurso a um aparelho de propaganda colossal e capilar se torna a condição normal de exercício do poder:

> Não ver este gigantesco mecanismo de construção do consenso político, do poder executivo, da política internacional, das relações públicas significa simplesmente não entender o coração da democracia americana. O presidente americano é mais do que um simples líder político. É um símbolo de unidade nacional, representa o governo mas também o país, é o herdeiro de uma tradição ininterrupta que remete ao pai da pátria, George Washington. (Riotta, 1992a, p. 14)

3. Duas investiduras plebiscitárias concorrentes

O bonapartismo *soft* se configura como um regime não só em virtude da sucessão ordenada e indolor de um líder para outro, mas também pelo fato de que a competição se desenvolve com base numa plataforma substancialmente unitária e comum aos diversos candidatos que concorrem ao cargo de guia e intérprete supremo da nação. É o que se verifica em particular nos Estados Unidos. Deter-me-ei sobretudo nas eleições presidenciais de 1988, não só pelo fato de que já está à disposição a respeito delas uma considerável massa de estudos mas também porque se aproximam muito do modelo típico-ideal aqui objeto de investigação. Comecemos por examinar as convenções dos dois grandes partidos, na esteira de um estudioso que as seguiu com sua análise passo a passo. A convenção democrata ocorre em Atlanta e se conclui com o discurso de aceitação de Dukakis, acolhido com uma "longa ovação":

> Enquanto os delegados cantam *God bless America*, Dukakis, Bentsen [o candidato à vice-presidência], os outros candidatos às primárias e todos os dirigentes democratas se apresentam juntos na tribuna, rodeados por suas famílias. A reunião de todo o partido em torno do seu candidato é aclamada muito vivamente. O bispo ortodoxo de Atlanta recita uma oração de graças, antes que os delegados se separem com um grande espírito de unidade.

Transfiramo-nos agora para a convenção republicana de Nova Orleães, onde Bush, já "designado unanimemente pelos delegados" insiste no seu discurso de aceitação para que seja mantida nas escolas "a obrigação de os professores fazerem com que os alunos prometam fidelidade à bandeira nacional". O entusiasmo é geral: "Depois de uma longa ovação, a convenção termina com uma invocação pronunciada pelo arcebispo ortodoxo de Nova York; até o menor detalhe, os republicanos repetem a convenção de Atlanta" (Gérard, 1989, p. 97 e 123).

Não basta dizer que "as convenções presidenciais, antes fórum de decisões, se tornaram cerimônias de ratificação" (Schlesinger jr., 1991, p. 379). É preciso ir além: num caso e no outro, assistimos a duas investiduras plebiscitárias, consagradas inclusive no plano religioso. Quem se beneficia desta espécie de aclamação cesarista são dois líderes concorrentes entre si, mas cuja competição, até bastante áspera no plano pessoal, não exclui uma profissão de fé comum. É interessante ver os argumentos principais com que se enfrentam. Desta vez, iniciamos com Bush, que assim ataca seu concorrente democrata:

> [Dukakis] vê a América como um dos muitos simpáticos países da relação das Nações Unidas a ser inseridos num lugar qualquer entre a Albânia e o Zimbábue. Eu vejo a América como líder, como única nação com um papel especial no mundo. Nosso século foi chamado de século americano pelo fato de que somos a força dominante para o bem do mundo. Salvamos a Europa, curamos a poliomielite, fomos à lua e iluminamos o mundo com nossa cultura. Agora estamos no limiar de um novo século: de qual país levará o nome? Eu digo que será um outro século americano. Nossa obra não terminou, nossa força não se exauriu.

Uma "missão" compete aos EUA, a "nação sob a proteção de Deus". Seria justificada a acusação aqui dirigida ao candidato democrata de não levar em conta a missão e o papel único que, pela graça de Deus, compete aos EUA? Na realidade, em Atlanta, Dukakis havia declarado que a questão em jogo era constituída não pela "ideologia" e por "etiquetas vazias de significado", mas pelos "valores americanos": "E assim como nós, democratas, acreditamos que não haja limites para o que cada cidadão pode fazer, também acreditamos que não há limites para o que a América pode fazer" (Gérard, 1989, p. 125, 134 e 98 ss.). Ainda mais significativo é o programa oficialmente aprovado pela convenção democrata de Atlanta, que no seu núcleo contém esta profissão de fé:

> Nós acreditamos numa América mais forte, pronta para fazer as duras escolhas próprias de uma liderança num mundo permanentemente perigoso; mais forte militarmente na nossa defesa global, no nosso potencial antiterrorista e na coesão das nossas alianças militares; mais forte economicamente na pátria e nos mercados mundiais; mais forte intelectualmente no desenvolvimento das nossas escolas, da nossa ciência e da nossa tecnologia; mais forte espiritualmente nos princípios que simbolizamos para o mundo. (Gérard, 1989, p. 91)

Os dois candidatos beneficiários da investidura plebiscitária dos respectivos partidos se enfrentam, em seguida, num duelo que deve demonstrar quem é o intérprete privilegiado da missão americana no mundo, que, seja como for, não é posta em discussão. Certamente, não faltam diferenças e contrastes, que, no entanto, não só se desenvolvem com base num terreno comum mas se expressam com uma linguagem e uma ideologia, comum a ambos os partidos, que tendem a exportar o conflito social. Segundo o programa democrata aprovado em Atlanta, o erro dos republicanos consiste em ter transformado "este orgulhoso país na nação mais endividada do mundo", obrigada agora a passar por uma situação caracterizada por "insana dependência das fontes energéticas estrangeiras e de capital estrangeiro, bem como pela crescente propriedade estrangeira do nosso solo e dos nossos recursos naturais" (Gérard, 1989, p. 89). Os graves problemas sociais dos Estados Unidos são debitados de algum modo a uma espécie de invasão estrangeira que os republicanos se mostram incapazes de enfrentar adequadamente.

Ainda que num quadro complicado pela presença de Perot, o duelo que se desenvolve em 1992, desta vez entre Bush e Clinton, apresenta características análogas. Bush pronuncia na convenção republicana de Houston um discurso todo permeado pelo orgulho da superioridade militar e do papel único e excepcional dos EUA, titulares do direito de "libertar" Cuba e intervir em qualquer parte do mundo. Lança até um *slogan* ("A América é a terra onde o sol sempre desponta no horizonte"), que parece ecoar um outro célebre de Carlos V, que se gabava de que seu império era tão amplo que nele o sol nunca se punha. Por sua vez, Clinton conclui seu discurso de aceitação da candidatura evocando a imagem de "uma América com o aparelho de defesa mais forte no mundo, capaz e pronta para usar a força, se necessário [...]. Uma América que não lisonjeia os tiranos, de Bagdá a Pequim [...] Que Deus abençoe a América" *(La Stampa,* 1992). E, assim, a mais recente disputa eleitoral também se desenvolveu com base numa crença comum na liderança americana, que, antes ainda de ser político-militar, é moral e religiosamente consagrada.

Eis então que Clinton desafia o presidente em exercício a intervir também na ex-Iugoslávia e o censura por ter permitido que os EUA perdessem o primado econômico; e eis que Bush, em resposta, acusa o Partido Democrata de enlamear a América, atribuindo-lhe uma fraqueza imaginária e esquecendo que ela é "ainda a economia mais forte do mundo" *(La Stampa,* 1992; *L'Unità,* 1992). E, tal como no curso do seu desafio com Dukakis, Bush havia orgulhosamente sulinhado ter se dado conta do sentido da "missão" americana no mundo já a partir do seu serviço militar na Segunda Guerra Mundial (Gérard, 1989, p. 124). Quatro anos depois também acusa o desafiante Clinton por ter fugido ao dever de combater pelo seu país no Vietnã: não está em questão o significado concreto de uma determinada guerra; qualquer que tenha sido, se nela se envolveram soldados americanos, é transfigurada em termos de missão a que nenhum cidadão pode faltar, mas de que, sobretudo, deve demonstrar ser digno e estar à altura um político que aspira a dirigir a nação encarregada de tal missão. Explica-se assim a confissão de Bush segundo a qual só se sentiu plenamente presidente depois do batismo de fogo representado pela invasão do Panamá (Alter, 1992).

Em 1989, no primeiro discurso como presidente, depois de mencionar inclusive as felicitações recebidas de Dukakis, na "grande tradição da política americana", Bush disse:

> E eu agradeço a Deus a fé que Ele me deu: crescendo, tornei-me mais consciente do elemento espiritual na vida e invoco a ajuda divina [...]. E agora nos empenharemos

de novo por uma América forte e resoluta no mundo, forte e
consciensiosa na pátria. (Gérard, 1989, p. 210)

A disputa eleitoral, iniciada com duas investiduras plebiscitárias concorrentes, se conclui assim como havia começado, com a reafirmação da missão americana no mundo, sempre consagrada religiosamente, mas desta vez por obra de um líder que recebeu a investidura de toda a· nação e, por isso, pode usufruir da extraordinária amplitude de poderes concedida a um presidente; este é o único intérprete do povo – eleitos com base no sistema uninominal, os membros do Congresso representam um único colégio eleitoral e os interesses particulares nele predominantes –, e de um povo com um papel mundial tão peculiar e único que pode ser considerado, para citar um senador americano do século XX (Albert J. Beveridge), como o povo expressamente indicado por Deus "como sua nação eleita para conduzir finalmente o mundo à regeneração" (Weinberg, 1963, p. 459).

A disputa eleitoral de 1992 se concluiu de modo análogo: não por acaso, um dos primeiros atos do vencedor foi a reafirmação da continuidade da política externa do antecessor, bem como da ideologia que a inspirou, a da missão americana no mundo.

4. *Bonapartismo* soft, *monopartidarismo competitivo e poder dos* lobbies

Por causa da ideologia, ou melhor, da religião nacional comum que expressam, os dois concorrentes principais e, como veremos, de alguma maneira oficiais da competição eleitoral parecem remeter, em condições normais, antes a duas frações diferentes de um mesmo partido do que a dois partidos diferentes. A afirmação pode parecer excessiva. Mas já em Tocqueville se pode ler: "Dir-se-ia que aqui haja facções, mas não partidos propriamente ditos. Os homens são tudo, os princípios pouca coisa". É uma opinião expressa no curso de uma conversa com o presidente do Banco dos Estados Unidos, o qual, por sua vez, observa que, pelo menos a partir da presidência Jackson,

> não existem partidos propriamente ditos, opondo-se uns
> aos outros e professando uma fé política divergente. O fato
> é que não existem agora dois modos viáveis de governar

este povo e as paixões políticas podem se exercer sobre detalhes administrativos e não sobre princípios. (Tocqueville, 1951, v. 5, I, p. 122 *ss.*)

Certamente, a imagem da América que surge desta conversa é bastante convencional. Quando Tocqueville sustenta que, no país do "sufrágio universal", "o povo é tudo e ninguém ousa lutar contra ele" e que "as opiniões só diferem por matizes" (Tocqueville, 1968, p. 212 e 232 ss.), é claro que considera exclusivamente a comunidade branca. E, então, a situação descrita pelos dois respeitados interlocutores se explica com a impossibilidade de os negros se expressarem politicamente e com a dissimulação e a atenuação dos conflitos que se desenvolvem na própria comunidade branca mediante a expansão para o *Par West* em detrimento dos peles-vermelhas. Isto é, longe de ser expressão de uma sociedade conciliada e pacífica, a ausência de verdadeiros partidos repousa na exportação violenta dos conflitos e das tensões internas da "raça" dominante, em detrimento de populações condenadas ao silêncio. O acordo substancial sobre a escolha básica da exportação dos conflitos explica o fato de que os dois grupos políticos da comunidade branca se configuram, segundo a linguagem de Tocqueville, antes como duas "facções" do que como verdadeiros partidos políticos e limitam os confrontos, segundo a análise do banqueiro americano, aos "detalhes administrativos". Quando, por uma série de razões, o acordo sobre a exportação dos conflitos entra em crise, tem-se não só o choque político agudo mas uma sangrenta guerra civil; e os dois partidos recompõem sua unidade e voltam a ser, na realidade, duas frações de um mesmo partido graças a um compromisso que, sem reintroduzir formalmente a escravidão, procede a uma impiedosa emancipação dos negros (cf. supra, cap. 1, §§ 9 ss.).

Este sistema político parece fadado a entrar de novo em crise em 1896, quando, em circunstâncias particulares, Bryan torna-se candidato presidencial do Partido Democrata, ele que é um populista ou sente fortemente a influência do movimento populista, dos camponeses pobres e de outras camadas populares. Mas, não por acaso, em tal ocasião, até os votos de setores consistentes do Partido Democrata encaminham-se para o candidato republicano. A lealdade de partido é derrotada pela solidariedade de classe entre as camadas sociais privilegiadas; e, uma vez superada esta última crise, democratas e republicanos passam cada vez mais a se comportarem não como dois partidos, mas como duas frações de um único partido, que tende a se tornar oficial e de Estado. Em 1968, a Corte Suprema deve intervir para declarar inconstitucionais as disposições legislativas de alguns estados que pretendem reservar unicamente aos candidatos dos dois grandes partidos a possibilidade de se apresentarem às eleições presidenciais. E, no entanto, ainda em abril de 1975, uma respeitada revista americana observa que todos os estados limitam o acesso às eleições de outros partidos e de candidatos independentes. A lista dos obstáculos efetivos é interminável: a aceitação da candidatura está condicionada em alguns estados ao pagamento de uma taxa, ao respaldo de um certo número de eleitores ou a um compromisso de respeitar a Constituição, que visa a desestimular os partidos "radicais" *(Harvard Law Review,* 1975).

Por fim, uma real participação na competição eleitoral pressupõe a disponibilidade de cifras enormes. Para as eleições presidenciais, prevê-se uma contribuição federal, da qual, porém, só são beneficiários aqueles candidatos que nas primárias alcançam 10% dos votos (Gérard, 1989, p. 173; Toinet, 1987, p. 423 ss.); e é uma medida adicional de apoio e proteção ao bipartidarismo, ou melhor, ao monopartidarismo competitivo. Quando, afinal, superando os variados obstáculos legislativos e, de fato, um estranho ao sistema político dominante consegue, apesar de tudo, apresentar a própria candidatura em todos os estados, eis que intervém a censura dos meios de informação. Consideremos as eleições de 1988: quem chegou a ter conhecimento, nos próprios Estados Unidos, do fato de que, além de Bush e Dukakis, também concorria ao cargo de presidente uma certa Leonora B. Fulani? Tratava-se de uma mulher de cor, psicóloga de Nova York, apoiada pela comunidade negra desiludida com o Partido Democrata, e que expressava um programa pacifista, de amizade com Cuba e de solidariedade com o povo palestino. As televisões que organizavam os debates eleitorais evitaram convidá-la ou mesmo só mencioná-la. Daí surgiu um recurso à comissão que, teoricamente, deveria garantir "oportunidades iguais" para os diferentes candidatos. As empresas de televisão tinham "privado os eleitores americanos do conhecimento *(knowledge)* do fato de que há um terceiro candidato nacional": nisto se baseava o recurso, recusado, no entanto, com o argumento de que as empresas de televisão tinham considerado, como era seu direito, "insuficientemente digna de notícia" a candidatura da senhora Fulani. No entanto, naqueles mesmos dias, uma pesquisa de opinião (feita pelo *Wall Street Journal* e pela NBC) constatava que 63% dos eleitores não se sentiam representados pelo candidato republicano nem pelo democrata (Gérard, 1989, p. 173-176 e 166). De fato, num país em que a disputa eleitoral se desenvolve em primeiro lugar como duelo televisivo, quem decide sobre os participantes – condenando ao silêncio a senhora Fulani, mas não Perot, e também excluindo nesta oportunidade outros candidatos "menores" – são os grandes grupos monopolistas que controlam as cadeias de televisão e os grandes meios de informação. O regime político de bonapartismo *soft* não se desenvolve no vazio nem muito menos paira acima das relações sociais existentes, que ele, ao contrário, sanciona e tende a eternizar.

Nos países em que o processo de esvaziamento dos partidos foi mais adiante, assiste-se, de fato, ao retorno vigoroso da discriminação censitária:

> O partido perdeu o controle das linhas de informação e de comunicação. Também perdeu o controle da seleção dos principais candidatos [...]. Os partidos, além do mais, estão perdendo o controle das campanhas eleitorais. A televisão e o computador criaram uma nova classe de especialistas eletrônicos [...]. As campanhas eleitorais abandonam os instrumentos tradicionais da democracia de massa: voluntários, simpósios, passeatas, folhetos, *outdoors,* adesivos de automóvel. A ação política, antigamente baseada no ativismo, agora se baseia na disponibilidade financeira. (Schlesinger jr., 1991, p. 379 *ss.)*

Sempre no tocante aos Estados Unidos, os observadores estão de acordo na constatação dos "custos espantosamente altos das recentes campanhas eleitorais", que crescem muito além da taxa de inflação: "Entre 1976 e 1988, as despesas eleitorais legislativas quase quintuplicaram (multiplicaram-se por 4,3), enquanto o índice de preços no mesmo período duplicou, ou pouco mais do que isto, passando de 57 a 119". "O resultado é cada vez mais limitar o acesso à política àqueles candidatos que têm fortuna pessoal ou recebem dinheiro dos comitês de ação política", isto é, em primeiro lugar, dos *lobbies* (Toinet, 1987, p. 429; Schlesinger jr., 1991, p. 377). O funcionamento do modelo americano, frequentemente indicado como exemplo, é claro: "Custa milhões de dólares conquistar a Casa Branca" e, na realidade, o cargo máximo do país "é comprado" com um rio de "dinheiro" (Zucconi, 1992).

5. Um balanço histórico instrumental e o advento da "democracia do chanceler"

O modelo americano, que já havia fascinado a Europa sobretudo a partir do primeiro conflito mundial, nestas últimas décadas exerce uma influência ainda mais concreta sobre nosso continente. No tocante ao regime político que se afirmou na Alemanha do segundo pós-guerra, falou-se de *Kanzlerdemokratie* (um termo calcado na *Führerdemokratie* cara a Weber), de democracia estruturada em torno da figura do chanceler, que também tende a se comportar como intérprete privilegiado da nação e responsável diante dela (Alt, 1975). Neste caso, a liquidação do sistema proporcional foi só parcial; e, no entanto, não se deve esquecer a cláusula de barreira, que impede o acesso ao Parlamento de partidos que não tenham alcançado 5% dos votos, e os vetos e perseguições contra os comunistas, primeiro colocados oficialmente fora da lei e depois, através do *Berufsverbot* (ainda hoje não revogado), mantidos à margem da legalidade e banidos do aparelho estatal e do emprego público. No conjunto, trata-se de medidas motivadas não tanto pela preocupação de assegurar a estabilidade dos governos, que certamente não parece correr grandes riscos na Alemanha, quanto pelo desejo de assegurar a homogeneidade política e social do Parlamento, impedindo o acesso do Partido Comunista, cuja presença seria incômoda não só por causa das suas ideias políticas e da guerra fria mas também pelo fato de que, como partido político organizado, contrariava objetivamente, apesar da sua força exígua, a tendência já vista do bonapartismo a não tolerar barreiras entre líder e nação, bem como a privar as classes subalternas de qualquer representação política autônoma.

Nos primeiros anos de vida da República Federal, as resistências ainda presentes na social-democracia alemã ao desmantelamento ou à limitação da representação proporcional (Ortino, 1970, p. 102) são superadas em virtude de um balanço histórico que debita àquele sistema eleitoral a vitória do nazismo e do fascismo. Esta tese, formulada em 1941 por um sociólogo germano-americano (Hermens, 1972), torna-se em seguida uma espécie de doutrina oficial de Estado na República Federal Alemã. Naturalmente, resta inteiramente por demonstrar a tese segundo a qual Hitler teria sido bloqueado pelo colégio uninominal, isto é, pelo sistema eleitoral invocado na Itália por respeitados ambientes fascistas nas vésperas da instauração da ditadura mussoliniana (cf. supra, cap. 6, § 5). E, de um modo ou de outro, mostra-se bastante instrumental um balanço histórico que, para explicar a irresistível ascensão do nazismo, parte da República de Weimar e não do primeiro e catastrófico conflito mundial, que abre uma crise da qual o país não consegue se recuperar. O balanço assim traçado termina objetivamente por colocar no banco dos réus precisamente as forças políticas e sociais que, depois de 1918, inspirando-se na terrível lição da guerra, pretendem construir uma Alemanha pacífica e democrática, baseada no sistema proporcional e caracterizada por um comportamento de ruptura em relação às tendências imperiais e bonapartistas que se manifestaram, já a partir de Bismarck, no Segundo *Reich* uninominalista, responsável por arrastar o país para uma carnificina sem precedentes. Em vez disso, vimos Weber, até o fim um fervoroso chauvinista (Losurdo, 1991), reivindicar o desenvolvimento integral das tendências bonapartistas e cesaristas e, precisamente com este objetivo, pronunciar-se claramente a favor de um sistema baseado no presidencialismo e no colégio uninominal. Deste modo, a Alemanha estaria em condições de desenvolver, com maior eficácia, um papel de grande potência, respondendo ao desafio das potências que a derrotaram e precederam no percurso coerente do caminho para o cesarismo. E, paradoxalmente, ao condenar a representação proporcional, é precisamente a este Weber – o qual, por outro lado, suscitava o interesse do general Ludendorff – que se refere Hermens (1972, p. 77 nota), que também pretende colocar no banco dos réus, a propósito do triunfo de Hitler, os ambientes democráticos e defensores da representação proporcional na República de Weimar.

Na realidade, nos meses iniciais que se seguem à derrota do Terceiro *Reich,* a permanência do sistema eleitoral vigente nos anos anteriores ao advento de Hitler ao poder parece ser favorecida pelas próprias potências ocidentais de ocupação, inclusive a Inglaterra e os Estados Unidos (Ortino, 1970, p. 101). Uma simples distração? É mais provável uma outra explicação: inicialmente, a preocupação dominante é a de uma possível ressurreição de uma Alemanha revanchista a partir das próprias cinzas e, contra tal perigo, pode bem ser útil o sistema eleitoral que, não por acaso, já tinha sido adotado, na República de Weimar, pelas forças democráticas adeptas das razões da paz. Mas, uma vez que, no âmbito da guerra fria que se acirra, considera-se necessário expulsar os comunistas dos órgãos representativos, o sistema proporcional logo se mostra bastante incômodo.

O pecado capital deste último – observara em 1941 o sociólogo germano-americano caro a Schumpeter e Hayek – é tornar possível, mesmo num país como a Inglaterra, a entrada dos comunistas no Parlamento, eleitos pelos "centros industriais do país" (Hermens, 1972, p. 112). Esta observação nos remete a um tema amplamente presente no debate do século XIX. Foi sobretudo Bagehot, repetidamente mencionado pelo estudioso em questão, quem sublinhou que a representação proporcional tinha o grande inconveniente de permitir que as cidades industriais enviassem ao Parlamento "pessoas que representam crenças e superstições das classes mais baixas das suas cidades". Junto com os operários e artesãos, entrariam nos órgãos representativos os "ismos", as grandes questões políticas e ideológicas (cf. supra, cap. 6, § 1). O sociólogo germano-americano, por sua vez, observa que, mesmo com dimensões bastante reduzidas, a fração comunista que, graças ao sistema proporcional, se formaria no Parlamento inglês dificultaria seriamente o deslocamento do Partido Trabalhista para o centro (Hermens, 1972, p. 112), comprometendo aquele caráter que as eleições têm na Inglaterra, e deveriam ter por toda parte, isto é, de investidura plebiscitária a favor do líder de um dos dois grandes partidos. Ressurge assim a preferência por um regime com características mais ou menos bonapartistas, que Hermens compartilha com Weber mas também com Spengler e outros implacáveis inimigos da República de Weimar, que também a colocam violentamente sob acusação por causa da sua fraqueza na cena internacional.

6. Gaullismo e república presidencial na França

Quanto à marcha do bonapartismo *soft* no segundo pós-guerra, a situação da França é particularmente significativa. Os acontecimentos que levam à mudança constitucional partem de um golpe militar em Argel, em 13 de maio de 1958, sob a palavra de ordem "O Exército no poder", desenvolvem-se com o desembarque, dez dias depois, dos paraquedistas na Córsega, rapidamente ocupada, e terminam com a ascensão ao poder de um general ainda rodeado pela glória conquistada no curso da Segunda Guerra Mundial. É o cenário clássico do bonapartismo. E igualmente clássico é o recurso ao referendo para legitimar os resultados do golpe de Estado e a nova Constituição baseada numa personalização radical do poder. A propaganda oficial esclarece insistentemente que dizer sim a De Gaulle significa dizer "sim à França". É a técnica habitual da exportação do conflito, que busca caracterizar os adversários do golpe de força como substancialmente estranhos à alma nacional. Não por acaso, o general-presidente logo se comporta como intérprete privilegiado da França eterna e da sua *grandeur* nacional. Mas eis como se desenvolve o referendo que assinala o ato de nascimento da Quinta República:

> A campanha foi rápida mas calorosa, à altura da importância da questão em jogo. O "sim" fez submergir o "não", seja pelo número dos movimentos que o sustentavam [...], seja pela superioridade dos meios colocados à disposição destes pelos poderes públicos. Manifestos, panfletos, difusão de milhões de cópias de um jornal redigido para a ocasião impuseram o "sim" com uma insistência obsessiva, denunciada como abuso pelos adversários. Com efeito, a correspondência oficial enviada a cada cidadão continha, além da cédula eleitoral e do texto da Constituição objeto de referendo, o discurso pronunciado em 4 de setembro pelo general De Gaulle, que recomendava sua adoção. (Rémond, 1987, p. 134)

Como esclareceu Weber, o líder cesarista não chega ao poder mediante "uma 'votação' ou 'eleição' normal", mas mediante um plebiscito para cuja produção o poder estatal também intervém, quando não é suficiente para garantir o controle dos meios de comunicação a hegemonia detida no plano da sociedade civil e derivada, em primeiro lugar, do monopólio dos meios de produção material e espiritual. O líder cesarista – Weber sublinha sempre – é guindado ao poder não com base num programa e em conteúdos políticos determinados, mas em virtude de uma "profissão de 'fé'"; e a mais respeitada imprensa francesa, em seguida ao referendo, fala de "cheque em branco" a De Gaulle (Chapsal, 1981, p. 55). Como no tempo de Luís Napoleão, são visados os partidos e qualquer sistema eleitoral que, favorecendo-os, introduzam uma aborrecida barreira na relação direta e imediata entre massa atomizada e líder, perturbando a "profissão de fé" que deve unir a primeira ao segundo.

A nova Constituição, elaborada também com base no estudo da Constituição bonapartista de 1852 (Rémond, 1987, p. 120), logo introduz o colégio uninominal. A este propósito, deve ser registrada uma significativa mudança na atitude de De Gaulle, o qual, em 1945, em polêmica com a instabilidade da Terceira República, baseada no escrutínio uninominal, tinha introduzido a representação proporcional, ainda que alterada e modificada de modo a favorecer os grandes partidos (Chapsal, 1981, p. 58). Treze anos depois, o general muda de ideia radicalmente, tendo já compreendido plenamente a funcionalidade do sistema uninominal em relação ao sistema bonapartista que está prestes a implantar. À diferença de Luís Napoleão, o general--presidente instaura não uma ditadura bonapartista pessoal, incapaz de durar no tempo e de assegurar uma sucessão ordenada, mas um regime, e um regime que funciona tão bem a ponto de ver, depois, a ascensão e a permanência no poder, por dois setenatos, daquele François Mitterand que havia denunciado, num panfleto combativo, a inspiração bonapartista do que, com razão, definia como o "golpe de Estado" de 1958 (Rémond, 1987, p. 19). E até neste caso se pode constatar a agilidade com que, no âmbito do bonapartismo *soft*, é possível passar da normalidade ao estado de exceção: no momento mais agudo da crise aberta em 1968, De Gaulle desaparece misteriosamente, para só reaparecer depois de ter mantido em Baden Baden, fora da França, uma entrevista para ele tranquilizadora com o general Massu, chefe dos destacamentos militares mais eficientes e experimentados: o presidente está pronto para se transformar em ditador por ocasião de um estado de exceção, de cuja circunstância ele próprio é o juiz solitário.

7. Sistema uninominal, bonapartismo e decapitação política das classes subalternas

A Itália, até este momento, constitui uma exceção. De início, estão ausentes ou são mais fracos os impulsos na direção do bonapartismo provenientes de razões de política exterior. Além disso, em defesa da representação proporcional e da democracia baseada no Parlamento e nos partidos operou, até agora, a convergência entre duas tradições políticas, ainda que muito diferentes entre si, as quais, já no primeiro pós-guerra, se opuseram ao heterogêneo bloco (liberais, nacionalistas e até fascistas) que reivindicava o retorno ao colégio uninominal. Uma reivindicação que desponta de novo depois de 1945, mas, no clima político e espiritual do tempo, não tinha muitas possibilidades de sucesso: ainda dominava o espírito da Resistência alimentada e dirigida por partidos organizados de massa em luta contra um regime que havia gozado do apoio, da cumplicidade ou do distanciamento benévolo de ambientes e personalidades do mundo econômico e político que haviam sonhado depois de 1919, e ainda continuavam a sonhar, com a volta à Itália do colégio uninominal e dos notáveis. Na Constituinte, Togliatti declara que os partidos organizados de massa (que se pretendia liquidar sepultando a representação proporcional) "são as novas classes que surgem e se organizam para controlar as próprias representações, para participar da direção política do país". Faz alguns anos, um historiador católico, Roberto Ruffilli, depois vítima de um bárbaro e misterioso delito terrorista, observou que o sistema uninominal tende "ao desmantelamento das posições dos partidos organizados de massa a favor dos partidos de opinião e, provavelmente, daqueles mais capazes de se impor através dos *mass-media* e da política espetáculo" (Messina, 1992, p. 30 e 39).

Pelo menos até há algum tempo, comunistas e católicos tinham consciência do significado não só político mas também social da representação proporcional: o ataque contra ela era visto como parte integrante da tentativa conservadora de colocar as çlasses populares numa posição de subalternidade política e de também garantir aos grandes grupos monopolistas e financeiros o controle dos órgãos representativos.

Mas hoje a situação é completamente diferente. Enfrentam-se e misturam-se ao mesmo tempo três projetos de liquidação da Primeira República. O primeiro é aquele que se expressa na Liga Norte, cujos setores mais radicais e extremistas parecem pensar numa República do Norte, baseado em alguma forma de des-emancipação dos imigrados meridionais: só assim podem ser compreendidas as intimações ameaçadoras contra eles, as denúncias indignadas do fato de que subtrairiam postos de trabalho dos nortistas e estariam sobrerepresentados no setor público e no aparelho administrativo e governamental. Quando se folheia a propaganda da Liga, pelo menos a mais extremista, tem-se a impressão de reler os textos dos nativistas americanos que, no fim do século XIX, exigem a des-emancipação ou, pelo menos, a drástica ampliação dos prazos para a naturalização dos imigrados, descritos como sujos, incapazes de um trabalho sério e honesto e de uma participação séria e honesta na vida política, e sobretudo denunciados como germes de contaminação criminosa. As campanhas dos nativistas americanos dobravam de intensidade nos períodos de crise e, hoje na Itália, bem se compreende o processo de racialização em detrimento dos meridionais, acolhidos de modo muito diferente no tempo do milagre econômico, numa situação de forte expansão da demanda de força de trabalho. Como vimos, mesmo quando não os privava formalmente dos direitos políticos, o processo de des-emancipação verificado na América do final do século XIX confinava os imigrados no segmentos inferiores do mercado de trabalho. Não está excluído que, mesmo em condições diferentes – e, para os adeptos da Liga, objetivamente mais difíceis –, algo do gênero também possa se verificar na Itália.

Dois outros projetos de reforma ou contrarreforma institucional remetem ao modelo americano e, desta vez, de modo consciente. Mais ainda do que à modificação do mecanismo eleitoral, importantes setores sociais e políticos aspiram a uma "república presidencial" baseada, como se observou, numa "modalidade de formação da liderança de governo que rompa o monopólio dos grandes partidos de massa através de uma acentuação da qualidade pessoal e carismática inerente à liderança" (Stame, 1990, p. 40). Por fim, o projeto que remete a Mario Segni foi assim resumido no respeitável *Il Sole-24 Ore:* através do colégio uninominal, possivelmente à inglesa (isto é, sem segundo turno) ou, secundariamente, à francesa, trata-se de realizar "um alinhamento dualista na geografia dos partidos" os quais, de resto, deveriam ser "segura e sinceramente 'burgueses', mesmo na sua diversidade" (Bognetti, 1992). Eis as premissas básicas do monopartidarismo competitivo, cujo edifício poderá ser completado com oportunas "reformas complementares" a ser introduzidas num momento subsequente (ibid.).

Como se vê, estes três projetos, se no plano tático são concorrentes, dadas as diferentes dimensões e os interesses e cálculos diversos e discrepantes dos partidos e das forças políticas em jogo, por outro lado, no plano mais propriamente estratégico, mostram-se entrelaçados e convergentes. Vimos que o sistema uninominal sempre foi o cavalo de batalha do bonapartismo, no qual também faz pensar o recurso sistemático ao "referendo ab-rogativo", que, como foi esclarecido por Weber com autoridade (1982, p. 113), constitui "o meio específico da democracia puramente plebiscitária". Ao recusar a representação proporcional, a propaganda bonapartista também se esforçou constantemente em denunciar o flagelo constituído pelos partidos que se interpõem entre vontade popular autêntica e líder, seja o de cada colégio local, seja aquele supremo da nação. Esta relação imediata é falseada, sempre segundo a propaganda bonapartista, pela presença de partidos organizados. E o alvo comum dos projetos de reforma atualmente concorrentes na Itália é constituído pela "partidocracia", que se quer literalmente liquidar, promovendo a separação da zona do país considerada incuravelmente afetada, ou contrabalançar drasticamente mediante um forte poder executivo ou mediante uma supressão da representação proporcional que só deixe espaço para "estruturas partidárias descentralizadas e 'fracas', um pouco à americana" (Bognetti, 1992). E, dado que se faz referência mais uma vez ao modelo dos Estados Unidos, viu-se que aqui na prática foi reintroduzido o monopólio proprietário da representação política, de modo mais evidente para as eleições legislativas, nas quais não existe forma alguma daquele financiamento público (Schlesinger jr., 1991, p. 377), que agora se pretende suprimir também na Itália. E nesta mesma direção vão as propostas que pretendem penalizar os partidos menores, barrando o acesso aos órgãos legislativos das listas que não alcançarem um determinado limite mínimo de votos: deixando de lado mesquinhos cálculos imediatos dos bastidores eleitorais, estas medidas são análogas à imposição de taxas e garantias sobre a imprensa a que as classes dominantes recorriam no século XIX para desestimular folhas e jornais que eram a expressão das classes subalternas e, portanto, assegurar para si, com meios políticos suplementares, o controle dos meios de informação. Agora que os *mass-media,* sobretudo os de maior impacto, são o monopólio indiscutível da grande burguesia, trata-se somente de forçar o desaparecimento ou a redução aos mínimos termos daqueles partidos que ainda pretendem funcionar como centro autônomo de produção intelectual.

É interessante examinar a ideologia de que se nutre a campanha contra os partidos organizados: eles são acusados de limitar o "individualismo franco e sadio" (Bognetti, 1992); dada "a insuprimível diferença existencial de cada indivíduo", absurda é a aspiração ou pretensão deles de representar classes ou interesses (Flores d'Arcais, 1990). Como vimos, trata-se dos mesmos argumentos dos quais por longo tempo as classes dominantes se serviram para vetar as coalizões operárias (cf. supra, cap. 4, § 5). Recusando-se a fazer qualquer distinção, a campanha contra os partidos declara querer golpear a corrupção. É a palavra de ordem que, no final do século XIX, orienta na América o movimento que desemboca numa des-emancipação de negros, imigrados e brancos pobres (cf. supra, cap. 1, § 9). A seu tempo, Tocqueville (1968, p. 209), longe certamente de ser favorável aos partidos ideológicos e fortemente estruturados no seu interior, atribui à ausência deles um efeito positivo sobre a "felicidade", mas não certamente sobre a "moralidade". E, na América do final do século XIX, o enfraquecimento dos partidos, apregoado como resposta ao fenômeno da corrupção política, termina por ratificar o crescimento vertiginoso da mistura e da troca de favores entre mundo dos negócios e mundo político, bem como o poder excessivo dos *lobbies,* dos quais até um crítico conservador dos partidos sublinha "a cínica audácia com que usam sua riqueza para corromper funcionários e legisladores e desviá-los do caminho da virtude" (Bryce, 1888, v. 3, p. 668).

A quem pensa que a volta ao colégio uninominal, somada ao esvaziamento dos partidos, seria por si só um remédio contra a corrupção, poder-se-ia sugerir a leitura do velho Gaetano Salvemini: na Itália de Giolitti, os colégios uninominais, além de ser infestados pela corrupção, estavam sob o domínio conjunto do crime organizado (a *camorra)* e das delegacias de polícia: "E para o que serviriam, se o governo não fosse usá-las em caso de necessidade?" (Salvemini, 1919, p. 8). Mas por que a obra do "ministro do crime" e dos seus violentos cabos eleitorais pode continuar sem problemas? Um jornalista do tempo explica-o: nos pequenos colégios do sistema eleitoral uninominal, com partidos frágeis ou inexistentes, a "luta política", na realidade, compreendia apenas a disputa entre contrapostas "facções pessoais, que disputavam entre si o latrocínio da coisa pública":

> A vida política estava como que confiscada pelas facções locais, que usurpavam o patrimônio público e os direitos civis e sustentavam qualquer governo, desde que deixasse prosperar o roubo sistemático por parte dos seus adeptos e retribuísse com favores ilícitos sua obediência mercenária. A Púglia estava encarregada de fornecer um amplo contingente àquela obscura massa parlamentar que os ministros convocam por telégrafo nos momentos de batalha e que, nos corredores da Câmara, é conhecida com o nome de "vagão de gado" por causa da docilidade bovina com que serve a qualquer dono. (Lucatelli, 1919, p. 125 ss.)

Por outro lado, em 1920, ao deplorar o resultado das primeiras eleições transcorridas com o sistema proporcional, são precisamente os nacionalistas, adeptos encarniçados do colégio uninominal, que notam, e lamentam, o fato de que "o voto em lista [...] deixou pequena margem para a corrupção individual", de modo que "esta se tornou relativamente mínima" (Rocco, 1981, p. 303). A questão real hoje em jogo é esclarecida por um dos defensores do colégio uninominal e do bipartidarismo, ou do monopartidarismo competitivo, ao declarar que "se trata de abrir os serviços públicos e os sociais (saúde, escola, previdência) à lógica, pelo menos parcial, do mercado" e de desmantelar de uma vez por todas o que define como "Estado social com tempero partidocrático" (Bognetti, 1992). Como no passado, o ataque ao sufrágio universal ou ao sistema proporcional caminha *pari passu* com a enunciação de uma política econômica neoliberal. E, neste quadro, também se deve inserir o desenvolvimento das Ligas, as quais, radicalizando a luta contra a redistribuição de renda, que, segundo denunciam, favorece o Sul, terminam por reivindicar a secessão do Norte.

E, no entanto, bonapartismo e uninominalismo ainda têm dificuldades para triunfar na Itália. Dir-se-ia que não faltam manifestações de impaciência: "Todas as revisões [constitucionais] respondem àquela espécie de lei não escrita que os especialistas chamam a regra do evento externo. O princípio diz que as Constituições modernas são modificadas ou de fato substituídas totalmente por causa de eventos externos e traumáticos" (Sensini, 1992, p. 3). Esta observação pode também ser uma chave de leitura para as vicissitudes obscuras que há algum tempo caracterizam a vida política italiana.

8. A parábola do liberalismo atual

Vimos que, segundo o juízo dos seus próprios admiradores, o país-guia do Ocidente é caracterizado por um sistema político em cujo âmbito o líder tem poderes executivos tão amplos que pode decidir autonomamente a guerra e invocar e introduzir o estado de exceção, assim como pode dispor, mesmo em períodos de normalidade, de um aparelho de propaganda e de persuasão oculta que suscitaria a inveja de Goebbels. Esta situação coloca o pensamento liberal diante de uma situação nova que, a julgar pelas palavras de ordem constantemente agitadas no curso da sua história, deveria suscitar seu alarme. Não é assim. Ao contrário, pode-se falar de involução, cujo ponto extremo talvez seja representado por Popper. Ao declarar enganosa e perigosa a questão relativa a "quem deve comandar", o teórico da sociedade aberta tinha indicado como problema central da filosofia e da vida política o controle e a limitação do poder. Num ensaio de 1955, até formula um problema inquietante: "Em que medida os monopólios da publicidade realizam uma espécie de censura?" (Popper, 1972, p. 599). Ora, está diante dos olhos de todos a gigantesca concentração de poder político e multimidiático ocorrida, que evidenciou suas enormes possibilidades de censura, de desinformação e de manipulação numa oportunidade como a da cruzada anti-iraquiana. Mas teria uma grande desilusão quem esperasse uma atenção a tais problemas por parte do teórico da sociedade aberta, que, ao contrário, não só pretende fazer calar ou culpar as poucas vozes divergentes (cf. supra, cap. 7, § 8), como também se faz promotor de novas expedições punitivas segundo o modelo da Guerra do Golfo, que inevitavelmente comportariam uma nova e gigantesca concentração de poder nos países beligerantes.

Naturalmente, a posição de Bobbio é nitidamente diferente e muito mais equilibrada, ao reconhecer a "inversão da relação entre controladores e controlados': dado que, "através do uso desembaraçado dos meios de comunicação de massa, agora os eleitos controlam os eleitores" (Bobbio, 1990, p. XV). Mas, em vez de extrair a conclusão de que o regime político hoje dominante não responde sequer aos requisitos por ele mesmo definidos como "mínimos" para ser incluído na categoria de democracia, o filósofo turinense parece convidar à resignação, uma resignação que, às vezes, vai até o ponto do aval a projetos de reforma, ou contrarreforma, eleitoral e institucional *(La Repubblica*, 1992). Tais projetos visam, em última análise, a realizar um monopartidarismo competitivo, que consagraria "a inversão da relação entre controladores e controlados" e eliminaria ou reduziria ainda mais, de modo drástico, a possibilidade de escolher entre alternativas "reais", possibilidade indicada pelo filósofo turinense como um dos requisitos mínimos da democracia.

Mas, independentemente da atitude assumida por este ou aquele autor, há uma tendência de caráter geral a ser constatada. Assiste-se hoje a um paradoxo. Por longo tempo, a tradição liberal sublinhou a necessidade de corpos intermediários como contrapeso ao despotismo. É um tema no qual Tocqueville insiste longamente, de resto com o olhar voltado não tanto para o perigo constituído pelo poder monárquico quanto para aquele constituído pela "onipotência da maioria" ou, de qualquer moqo, por um poder consagrado pelo voto popular: sem "associações", inclusive e em primeiro lugar as políticas, não mais existe "barreira a qualquer espécie de tirania" (Tocqueville, 1968, p. 230 e 818). Não é que o liberal francês fosse inteiramente coerente com a formulação por ele enunciada: não parece que se tenha empenhado pela legalização das coalizões operárias que, na França, foram perseguidas até pelos governos da Segunda República, de que o próprio Tocqueville fazia parte. Mas hoje não se pode falar sequer de incoerência: as etapas da ascensão do bonapartismo *soft* são regularmente marcadas por uma campanha que toma como alvo e, por fim, consegue limitar e marginalizar os partidos políticos organizados, isto é, os únicos corpos intermediários capazes de dificultar, nos nossos dias, um poder que assumiu proporções muito mais inquietantes do que as previstas ou temidas pelo autor de *Democracia na América*.

E, no entanto, apesar de todas as homenagens formais à tradição liberal, seus modernos seguidores parecem preocupados não com a limitação do poder, mas exclusivamente com sua eficiência e sua capacidade de ação rápida. É um fenômeno que se manifesta em diferentes níveis. Não só Kant mas também a tradição política anglosaxã considerou com grande desconfiança, por longo tempo, o Exército permanente, que, no entanto, era muito menos preocupante do que o Exército poderosamente profissional de hoje, para o qual vai o aplauso dos liberais modernos

Um fato análogo também pode ser observado no debate sobre os sistemas eleitorais. Como se sabe, John Stuart Mill (1916, p. 138) insiste na absoluta necessidade da representação proporcional com o objetivo de evitar o "despotismo coletivo": exercido pela "maioria numérica", que já se manifesta, ou começa a se manifestar, nos Estados Unidos. Mas verifica-se o fato singular de que o sistema eleitoral, recomendado pelo autor das *Considerações sobre o governo representativo* como antídoto eficaz a um poder que, nesse meio tempo, se ampliou enormemente, é condenado sem apelação e abandonado precisamente no momento em que, do ponto de vista da teoria liberal, seria mais necessário. É uma inversão de posições gritante, mas não destituída de lógica. Mill teme que, com a extensão do sufrágio, as "classes operárias" muito mais difundidas na Inglaterra e na Europa do que nos Estados Unidos, possam conquistar a maioria, utilizando-a em seguida com o objetivo de "transferir para os pobres aquela influência de classe que hoje só pertence aos ricos". O "governo da maioria numérica" terminaria por ser "um governo de classe", no sentido de que ratificaria o poder incontrastado da "maioria dos pobres" sobre "uma minoria que podemos chamar de ricos", aos quais, na falta do sistema proporcional, seria negada qualquer representação (Mill, 1916, p. 138). Eis por que o liberal inglês, por um lado, recomenda o voto plural a favor dos ricos e inteligentes de modo a reequilibrar a relação de forças; e, por outro, também tendo presentes as dificuldades para a introdução do sufrágio desigual, insiste no abandono do sistema eleitoral então vigente (baseado no colégio uninominal), que penaliza pesadamente ou faz calar inteiramente a minoria.

Mas Mill se enganava: ainda tinha presente uma situação em que os sinos das classes populares podiam se contrapor às trombetas da burguesia. O substancial monopólio da imprensa e dos *massmedia* torna obsoletas suas preocupações: já que o "governo de classe" hoje de fato existente não é, certamente, o das "classes operárias" por ele temido, os pensadores e teóricos liberais condenam a representação proporcional. É o caso de Giolitti, Pareto, Mosca, bem como de Hayek ou Schumpeter e, ao que parece, de Bobbio. Na Itália, uma coalizão bastante ampla declara pretender modificar o sistema político e eleitoral de modo a impor não só o bipartidarismo, mas um bipartidarismo que, tendo como protagonistas dois partidos "burgueses", configura-se na realidade como mono partida ris mo competitivo ou, para usar a linguagem de Mill, como governo de classe que assegura para si o monopólio da representação parlamentar.

9. *O bonapartismo* soft *e a análise marxiana da democracia "burguesa"*

Defini o regime que veio a triunfar no século XX como bonapartismo *soft*. No momento de concluir, convém determo-nos por um momento nesta categoria, comparando-a com outras concorrentes. Falou-se algumas vezes de "elitismo democrático". Mas esta definição ajuda bem pouco a compreender a realidade política dos nossos dias. De início, detenhamo-nos no adjetivo. Teria sentido definir como democráticas uma realidade e uma concepção política que não só consideram irrelevante o problema da participação dos cidadãos nas escolhas chamadas a determinar o destino da comunidade em que vivem, mas explicitamente teorizam o absenteísmo eleitoral de massa como um fator positivo e até essencial para a estabilidade e o correto funcionamento do sistema? O absenteísmo tomou o lugar da negação explícita da cidadania política de amplas camadas sociais, a seu tempo vista pelos teóricos da discriminação censitária como o pressuposto ineliminável do regime representativo. Observou-se corretamente que

> todas as teorias elitistas são baseadas em dois pressupostos-base: antes de tudo, que as massas são essencialmente incapazes; em segundo lugar, que elas são, na melhor das hipóteses, matéria inerte e maleável, ou, na pior, criaturas excitadas, sem regra, com uma tendência ineliminável a colocar em perigo tanto a cultura quanto a liberdade. (Bachrach, 1974, p. 2 ss.)

Mas não seria este, exatamente, o pressuposto com base no qual a tradição liberal clássica negou o sufrágio à multidão "criança"? O elitismo é tão pouco "democrático" que, na formulação de Schumpeter, considera normal e pacífica a exclusão desta ou daquela comunidade étnica e, eventualmente, social da esfera dos direitos políticos. É até duvidoso que um tal elitismo possa ser definido liberal, dada a simpatia por um regime de poder pessoal tão amplo a ponto de decidir autonomamente sobre a guerra e o estado de exceção; em outras palavras, a ponto de usufruir de prerrogativas próprias apenas do despotismo, segundo o velho Kant. Num certo sentido, deve-se considerar enganoso até o substantivo, que não leva em conta suficientemente a personalização do poder, uma característica que distingue, de modo nítido, o atual arranjo político e institucional do regime dirigido pela "elite representativa" cara a Sieyes.

A categoria "cesarismo democrático" é mais adequada. No entanto, nem ela é plenamente satisfatória. O substantivo apresenta o inconveniente de fazer referência antes a uma situação bastante remota no tempo do que a um capítulo de história contemporânea, que começa com o sufrágio de massa ou com o sufrágio universal. Ademais, o adjetivo apresenta o risco de funcionar como elemento de legitimação.

A categoria por mim proposta se expõe à objeção já dirigida às análises e às categorias políticas suspeitas de aproximar excessivamente o moderno arranjo político e constitucional do Ocidente de regimes ditatoriais e nascidos de golpes de Estado (Cavalli, 1992, p. 15). Na realidade, a Quinta República francesa também nasceu de um golpe de Estado; e, como sabemos, não faltaram historiadores que falassem de um golpe de Estado mais ou menos camuflado a propósito da gênese da Constituição americana. Sobretudo, esta objeção não leva em conta a distinção entre ditadura bonapartista de uma personalidade individual e regime bonapartista baseado numa sucessão ordenada e regulamentada, capaz de assegurar sua permanência no tempo (cf. supra, cap. 3, § 11, e 5, § 9).

A evolução mais recente da realidade e da própria teoria política no Ocidente terminou por dar plenamente razão à análise de Marx, que hoje, paradoxalmente, vem a ser mais apropriada e iluminadora do que no momento da sua formulação. Vejamos de novo, rapidamente, suas passagens centrais:

1) "As ideias da classe dominante são em cada época as ideias dominantes [...] A classe que dispõe dos meios da produção material dispõe com isto, ao mesmo tempo, dos meios da produção intelectual." É um texto no qual já me detive (cf. supra, cap. 4, § 3) e cuja extraordinária atualidade é todo dia confirmada pelas análises mais particulares relativas ao que foi definido, de modo feliz, como "principado multimidiático" (Zolo, 1992, p. 172 ss.). Mas este último – deve-se acrescentar – remete ao princípio da classe social que detém o controle dos *mass-media* e exerce um poder de algum modo mais capilar do que aquele previsto por Marx, dado que hoje o controle de meios de produção material comporta o controle de meios de produção espiritual tão poderosos que permitem uma "pressão manipuladora", a qual, antes ainda do que sobre os "comportamentos externos", aplica-se aos "atos de volição" dos indivíduos (Zolo, 1992, p. 172 ss. e 133).

2) Segundo O *capital*, a "liberdade" e a "igualdade" de que fala a teoria burguesa da democracia remetem só à esfera da circulação e constituem sua expressão ideológica (Marx e Engels, 1955, v. 23, p. 189). Reduzida por Schumpeter a mercado, a democracia não implica mais nem a igualdade política, também expurgada por Bobbio da "definição mínima" de democracia. No final do século XIX, o liberal--nacional Treitschke (1897-1898, v. 2, p. 272) expressava assim sua admiração pela democracia americana, que era capaz de controlar a plebe de modo muito mais eficaz do que a Alemanha imperial:

> Examinemos a plebe mais dócil do mundo, a de Nova York. É a soma dos refugos que confluem de toda parte da terra, mas, abandonados a si mesmos, estes elementos corrompidos são forçados a se controlarem. Alguém acredita que exista uma polícia prussiana capaz de mantê-los sob as rédeas assim como são mantidos pela lei severa da necessidade? Cada qual sabe muito bem: ninguém se importa se morro de fome.

Dir-se-ia que este modelo está se tornando de novo atual.

3) Uma democracia assim concebida se limita, segundo Marx, a conferir ao eleitorado a possibilidade de "decidir a cada três ou seis anos qual membro da classe dominante deve representar e oprimir *(ver- und zertreten)* o povo no Parlamento" (Marx e Engels, 1955, v. 17, p. 340). A teoria política mais recente concebe a democracia, precisamente, como a investidura competitiva de um líder ao qual são concedidos poderes tão amplos que ele pode autonomamente envolver todo o país em aventuras bélicas. O bonapartismo *soft* se desenvolveu tendo particularmente presente o estado de exceção, por ocasião do qual o líder se transforma tranquilamente num ditador, pelo menos no sentido romano do termo. E, considerando exatamente esta transformação, Marx vê como latente e implícito na democracia "burguesa" o momento da ditadura.

10. *A nova des-emancipação e o tempo longo da democracia*

Certamente, tal fenomenologia do poder de extraordinária lucidez implica uma "solução" utópica e utopista, a da extinção do

Estado, que teve um papel catastrófico em todas as tentativas de construção de uma sociedade pós-capitalista ou não capitalista. Não é possível aqui me deter num tema que já analisei em outra parte (Losurdo, 1992c). O fato é que, já em Marx e mais ainda na tradição que dele partiu, faz-se sentir negativamente o peso da tradição anarquista com sua irresistível hostilidade à ideia de representação, que faz Bakunin pensar em Saturno, o qual "representava os próprios filhos à medida que os devorava" (Bakunin, 1968, p. 397). É verdade, mesmo em *Estado e revolução*, publicado no momento em que mais era mais dura, e não podia deixar de ser, a denúncia dos regimes representativos liberais ou liberal-democráticos – os quais, no curso da Primeira Guerra Mundial, efetivamente funcionam no modo descrito pelo dirigente anarquista, dado que tranquilamente imolam milhões de homens e de "representados" num gigantesco rito sacrifical – mesmo em *Estado e revolução* podemos ler que nem a democracia mais desenvolvida pode prescindir de "instituições representativas" (Lenin, 1965b, p. 887). E, no entanto, o mito da extinção do Estado continua a alimentar a desconfiança na ideia de representação precisamente no mesmo momento em que – segundo a correta observação de Kelsen (1970a, p. 44-46 nota) – os dirigentes da Rússia soviética multiplicam os organismos representativos (como são, indiscutivelmente, os sovietes), não evitando sequer uma representação de segundo grau.

Às vezes, Marx e a tradição que parte dele contrapõem a democracia direta à parlamentar. Esta contraposição nasce da recusa de uma representação reduzida a simples representação teatral e que não consegue ter nenhuma eficácia nos lugares de produção, nas fábricas, onde os operários, "organizados militarmente" e, "como soldados rasos da indústria [...], submetidos à vigilância de toda uma hierarquia de suboficiais e de oficiais", continuam a ser submetidos a um "despotismo" que, na prática, priva-os da própria liberdade negativa que a tradição liberal diz prezar (Marx e Engels, 1955, v. 4, p. 469). Mas, por outro lado, a contraposição em causa parece nascer da ilusão de que, com o desaparecimento da mediação constituída pela representação, o povo conseguiria expressar sua carga autêntica de emancipação sem mais obstáculos ou distorções. Compreende-se bem esta ilusão a partir dos pressupostos até epistemológicos do anarquismo, que, às vezes, assume tons irracionalistas, com Bakunin constantemente empenhado em celebrar o "instinto" (Bakunin, 1981, p. 73) e a "vida" em contraposição ao "pensamento" e à sua pretensão de "prescrever regras à vida" (Bakunin, 1968, p. 143 ss.; Bakunin, 1981, p. 560 ss.). Mas esta ilusão dificilmente pode ser conciliada com a tese de Marx, segundo a qual as ideias dominantes são as ideias da classe dominante, aquela que monopoliza os meios de produção material e espiritual.

Nos nossos dias, assiste-se a um paradoxo: os que agitam a palavra de ordem da "democracia direta", naturalmente não a que intervém nas fábricas e nos postos de trabalho mas a que prescinde da mediação dos partidos, são precisamente os adeptos do bonapartismo *soft*, segundo os quais quem designa o líder da nação (no âmbito do regime presidencial) ou o líder de um determinado colégio eleitoral (no âmbito do sistema uninominal) deve ser diretamente o povo atomizado, privado dos seus meios mais modestos de autônoma produção espiritual e política e entregue, inerme, ao poder totalitário dos *mass-media* monopolizados pela grande burguesia.

Apesar dos seus limites básicos, a análise de Marx ainda tem muito a dizer sobre a construção da democracia nos países de alto desenvolvimento industrial e sociedade civil ramificada e complexa. Observou-se com razão que a democracia se torna cada vez mais uma palavra de ordem vazia, se não se recorre a medidas para a

> promoção de uma comunicação política democrática. Apesar da extrema dificuldade da tarefa, seria necessário livrar a comunicação multimídia da sua subordinação tanto ao sistema político quanto ao sistema produtivo e livrá-la do paradigma publicitário que cada vez mais associa estes dois subsistemas. (Zolo, 1992, p. 207 nota)

É uma conclusão corajosa e que parece ir contra a corrente dominante: a volatilização formalista da democracia se desenvolve precisamente quando já está claro que, sem intervenções capazes de enfraquecer ou controlar de algum modo o monopólio da produção espiritual, não se consegue salvar ou realizar sequer a democracia "mínima" e não se consegue impedir a reintrodução de fato da discriminação censitária, dado que, como se revela com particular evidência no país (os Estados Unidos) de vanguarda na redução da democracia a mercado, tendo sido enfraquecidos e marginalizados os partidos organizados e sendo exclusivamente os *mass-media* a decidir o resultado da competição eleitoral, os mais importantes postos eletivos tendem a se tornar apanágio da grande riqueza ou dos *lobbies* capazes de desembolsar, e interessados em fazê-lo, as cifras enormes agora requeridas.

A análise aqui proposta parece negar a "evidência" da democracia no Ocidente. Mas reflita-se sobre o fato de que, historicamente, até autores nada revolucionários às vezes expressaram a consciência de que a discriminação censitária pode se manifestar sob modalidades diferentes da exclusão formal e explícita do gozo dos direitos políticos: em 1866, um liberal francês moderado sublinhava como a não retribuição dos deputados na Inglaterra de fato beneficiava exclusivamente a aristocracia, que, deste modo, controlava os organismos representativos e, ademais, se pavoneava, ostentando seu suposto desinteresse (Laboulaye, 1866, v. 3, p. 365). A falta de salário para as funções parlamentares era um modo diverso de excluir determinadas classes sociais dos postos eletivos, que, de fato, continuavam a ser monopólio das classes mais ricas. Hoje, este monopólio teria desaparecido, ou está desaparecendo, ou, em vez disso, assistimos à criação de novos instrumentos para perpetuá-lo e até restabelecê-lo na sua integridade nos lugares em que tenha sido parcialmente quebrado?

As vésperas da derrocada generalizada das restrições censitárias que se seguiria à Primeira Guerra Mundial e à Revolução de Outubro, Lenin analisa de que modo, apesar da grande extensão do sufrágio conquistada através de uma longa luta, as instituições políticas continuam a excluir ou a marginalizar as classes subalternas: por um lado, há "a organização puramente capitalista da imprensa cotidiana"; por outro, alguns aspectos menores da legislação eleitoral desestimulam os pobres "a participar ativamente da democracia" (Lenin, 1965b, p.918 ss.). As mudanças ocorridas desde então foram enormes: ainda que através de um processo longo e árduo, entraram em colapso as normas legislativas que nos Estados Unidos, ainda depois da metade do século XX, excluíam dos direitos políticos, em medida não desprezível, negros e brancos pobres. O sufrágio universal igual se tornou um ponto firme e indestrutível: por isso, fracassaram as tentativas, que se prolongaram até quase nossos dias, de introduzir ou manter em vigor o voto plural. E, no entanto, não desapareceram inteiramente as "restrições, eliminações, exclusões, entraves para os pobres" de que Lenin fala: basta pensar, em relação aos Estados Unidos, nas leis sobre registro eleitoral, às quais eminentes sociólogos americanos atribuem precisamente um efeito, pelo menos objetivo, de discriminação baseada em última análise no censo. Na verdade, ainda em 1975, um senador americano atribuía àquelas leis o significado de uma des-emancipação *(disenfranchisement)* em ampla escala" das camadas mais pobres (Rosenstone e Wolfinger, 1978, p. 22).

Neste mesmo contexto deve-se inserir o recurso ao colégio uninominal, que, para citar Weber, o qual, no entanto, o defende, só aparentemente é um instrumento meramente técnico (cf. supra, cap. 6, § 9), quando, ao contrário, foi por muito tempo pensado por toda uma série de políticos e autores liberais ou conservadores como alternativa, agora a única viável, à supressão impossível do sufrágio universal. Tudo isto pode parecer espantoso e até inaudito. No entanto, vimos que o colégio uninominal, por um lado, antecede o advento do sufrágio universal e remete a um conceito pré-moderno de representação, cujos titulares são comunidades e corporações, não indivíduos; e, por outro, é pensado e teorizado em contraposição ao sufrágio universal como instrumento para continuar substancialmente a excluir da vida política a multidão "criança", que agora não é chamada nem mesmo para escolher, com base em programas alternativos e argumentos racionais, este ou aquele líder plenipotenciário, mas só a se deixar encantar e sugestionar por um ou por outro.

Da Inglaterra, onde a ideia de representação individual surge mais tarde do que em outros lugares, o sistema eleitoral baseado no colégio uninominal passa à América e aqui continua a se mostrar vital não só pelo peso da tradição que carrega mas também por outras razões. De início, trata-se de um sistema que em ambos os países anglo-saxões se revela perfeitamente adequado a um regime político caracterizado pela personalização do poder e pela ininterrupta expansão imperial no *Far West* e em outros territórios imediatamente contíguos ao metropolitano. E, quanto aos Estados Unidos, deve-se fazer uma consideração adicional. Num país em que o trabalho recai, em ampla medida, sobre os estrangeiros, quer se trate de negros – primeiro escravos e depois, durante muito tempo, em condições semisservis e, de todo modo, excluídos dos direitos políticos –, quer se trate de imigrados também muitas vezes não admitidos à cidadania política; num país que, por várias décadas, tem à disposição a válvula de escape representada pelos territórios tomados aos peles-vermelhas ou aos mexicanos – num tal país, a comunidade branca se apresenta bastante homogênea e privada das duras contradições sociais próprias da Europa. O colégio eleitoral corresponde a esta situação. Quando, posteriormente, negros e orientais obtêm a plena cidadania política, aquele sistema eleitoral se revela um ótimo instrumento de controle social, dado que permite excluir quase totalmente dos órgãos representativos as minorias étnicas. Não por acaso, nos anos 1960 e 1970, personalidades políticas americanas, preocupadas com a difusão e o acirramento das tensões raciais, propõem a introdução, pelo menos no plano do governo local, do sistema proporcional como instrumento para permitir que também os negros se expressem politicamente; mas estas propostas são rejeitadas com o argumento de que o abandono do colégio uninominal possibilitaria "a eleição de elementos militantes, quando não extremistas" isto é, mesmo de negros não plenamente integrados no sistema existente (Hermens, 1972, p. 477 ss.).

A revolta de Los Angeles em 1992 é a outra face da rejeição do princípio da representação proporcional e da decapitação política das classes subalternas: em medida não desprezível ainda atingidos pela discriminação racial, no rastro do triunfo da definição mínima de democracia reduzida a mercado, não mais considerados titulares de direitos sociais e econômicos, privados de uma organização de partido com a qual possam contar, sem possibilidade de acesso aos meios de informação e obstaculizados pelas leis sobre registro até no acesso às urnas, impossibilitados em última análise de se fazerem ouvir no plano mais propriamente político – os negros só podem protestar recorrendo a uma espécie de *jacquerie* urbana, de revolta enraivecida e destrutiva, que, no entanto, em nada modifica o estado de coisas existente.

Como demonstra em particular o exemplo da Quinta República francesa, também no século XX a marcha do bonapartismo é ritmada pelo triunfo do colégio uninominal. A legislação eleitoral multiplica ainda mais os efeitos em qualquer caso derivados do monopólio que a grande riqueza detém sobre um aparelho de *mass--media* com um poder sem precedentes na história, acelerando e reforçando o processo de decapitação política das classes subalternas. À medida que o modelo americano triunfa, também na Europa está fadado a se repetir o fenômeno das *jacqueries* urbanas, alimentadas por imigrados, subproletários e classes sociais subalternas e marginalizadas, como já ocorre, em particular, na Inglaterra. O processo de emancipação que, nos últimos dois séculos, conquistou o sufrágio universal igual (uma cabeça, um voto), reivindicou a representação proporcional em nome do "mesmo valor representativo" de cada voto (cf. supra, cap. 6, § 2), contestou o monopólio (independentemente de como se configurasse ou camuflasse) dos órgãos representativos por parte da riqueza, associou direitos políticos a direitos sociais e econômicos, viu e celebrou a democracia como emancipação das classes, das "raças" e dos povos mantidos em condição de subalternidade – tal processo parece ter sofrido uma grave interrupção. Neste sentido, estamos diante de uma fase de des-emancipação, uma daquelas que caracterizaram o caminho longo e tortuoso da democracia, mas cuja superação por ora não se consegue entrever.

REFERÊNCIAS BIBLIOGRÁFICAS

ACTON, John E. E. D.
  1985   *Selected Writings*. Indianápolis: Liberty Classics.

ADAMS, Angela e adams, Willi P.
  1987   *Die Amerikanische Revolution und die Verfassung 1754-1791*. Org. por A. Adams e W. P. Adams. Munique: DTV.

ALBERTONI, Ettore A.
  1990   *Storia delle dottrine politiche in Italia*. Milão: Comunità.

ALT, Franz
  1975   *Es begann mit Adenauer. Der Weg zur Kanzlerdemokratie*. Freiburg i.B.: Herder.

ALTER, Jonathan
  1992   The Limits of Schmooze. *Newsweek*, 10 ago., p. 39.

AQUARONE, Alberto
  1959   *Due costituenti settecentesche. Note sulla Convenzione di Filadelfia e sulla Assemblea nazionale francese*. Pisa: Nistri–Lischi.

ARENDT, Hannah
  1989   *The Origins of Totalitarianism* (1951); trad. it.: *Le origini del totalitarismo*. Milão: Comunità.

AULARD, Alphonse
  1977   *Histoire politique de la Révolution française* (1926). Aalen: Scientia (reprodução anastática).

BACHRACH, Peter
  1974   *The Theory of Democratic Elitism: A Critique* (1967); trad. it.: *La teoria dell'elitismo democratico*. Nápoles: Guida.

BAGEHOT, Walter
  1873   *Physics and Politics or Thought on the Application of the 'Principles of "Natural Selection" and "Inheritance" to Political Society*. 2. ed. Londres: Henry S. King & Co.

1958 *A Study of His Life and Thought together with a Selection from his Political Writings.* Org. por N. S. John-Stevas. Londres: Eyre and Spottiswode.

1974a *The English Constitution* (1867; 1872, 2. ed.). ln: _____. *Collected Works.* Org. por N. S. John-Stevas. Londres: The Economist. V. 5.

1974b *The English Constitution.* lntroduction to Second Edition (1872). ln: _____. *Collected Works.* Org. por N. S. John-Stevas. Londres: The Economist. V. 5.

BAILYN, Bernard e WOOD, Gordon S.

1987 *The Creat Republic. A History of the American People (1985)*; trad. it.: *Le origini degli Stati Uniti.* Bolonha: Il Mulino.

BAIRATI, Piero

1975 *I profetti dell'impero americano. Dai periodo coloniale ai nostri giorni.* Org. por P. Bairati. Turim: Einaudi.

BAKUNIN, Michail A.

1968 Circolare ai miei amici d'Italia (1871; 1. ed. póstuma, 1886). In: _____. *Stato e anarchia e altri scritti.* Org. por N. Vincileoni e G. Corradini. Milão: Feltrinelli.

1981 *Programm und Reglement der Geheimorganisation der internationalen Bruderschaft und der internationalen Allianz der sozialistischen Demokratie* (1868). In:_____. *Staatlichkeit und Anarchie und andere Schriften.* Org. por H. Stucke. Frankfurt a. M.-Berlim- Viena: Ullstein.

BAUBAR, Étienne

1988a Racisme et nationalisme. ln: Balibar, E. e Wallerstein, I. *Race, nation, classe. Les identités ambigües.* Paris: La Découverte.

1988b Le 'racisme de classe'. In: Balibar, E. e Wallerstein, I. *Race, nation, classe. Les identités ambigües.* Paris: La Découverte.

BARIÉ, Ottavio

1953 *Idee e dottrine imperialistiche nell'Inghilterra vittoriana.* Bari: Laterza.

BASTIDE, Paul

1939 *Les discours de Sieyès dans le débats constitutionelles de l'ann III.* Org. por P. Bastide. Paris: Hachette.

BAUER, Bruno
    1979   *Disraelis romantischer und Bismarcks sozialistischer Imperialismus* (1882,2. ed.). Aalen: Scientia. (reprodução anastática).

BEARD, Charles A.
    1959   *An Economic Interpretation of the Constitution of the United States* (1913; 1935, 2.ed.); trad. it.: *Interpretazione economica della Costituzione degli Stati Uniti d'America.* Milão: Feltrinelli.

BENSI, Giovanni
    1992   Eltsin: 'II Congresso e superfluo'. Rabbia sul Baltico per la sospensione dei ritiro delle truppe di Mosca. *Avvenire*, 31 out.

BEYME, Klaus von
    1986   *Vorbild Amerika? Der Einfluss der amerikanischen Demokratie in der Welt.* Munique: Piper.

BLANC, Louis
    1873   De la représentation proportionnelle des minorités (1864). ln: _____. *Questions d' aujourd'hui et de demain.* Paris: Dentu. T. 1.

BLUCHE, Frédéric
    1980   *Le bonapartisme. Aux origines de la droite autoritaire (1800-1850).* Paris: Nouvelles Editions Latines.

BOBBIO, Norberto
    1977   *Politica e cultura* (1955). Turim: Einaudi.
    1984   *Il futuro della democrazia. Una difesa delle regale dei gioco.* Turim: Einaudi.
    1989   *Il terzo assente. Saggi e discorsi sulla pace e sulla guerra.* Turim: Sonda.
    1990   *L'utopia capovolta.* Turim: La Stampa.

BOCCA, Giorgio
    1992   Dimenticare Hitler ... *La Repubblica,* 6 fev.

BOGNETII, Giovanni
    1992   Tanti programmi per nulla. *Il Sole-24 Ore,* 26 mar.

BONANNI, ANDREA
    1992   Si apre la sfida al Congresso. Eltsin è pronto a ricorrere alle urne per contrastare l'opposizione. *Corriere della sera,* 1º dez.

BONN, Moritz J.
    1925   *Die Krisis der europaischen Demokratie*. Munique: Meyer & Jessen.

BOON, Hendrik N.
    1936   *Rêve et réalité dans l'oeuvre économique et sociale de Napoleón III*. Haia: Nijhoff.

BREDIN, Jean-Denis
    1988   *Sieyès. La clé de la Révolution française*. Paris: Editions de Fallois.

BRIVIO, Enrico
    1992   *Come comunica la Casa Bianca*. Milão: Bridge.

BRYCE, James
    1888   *The American Commonwealth*. Londres: Macmillan.
    1901   *Studies in History and Jurisprudence*. Nova York: Oxford University Press.

BUCK, Paul H.
    1963   *The Road to Reunion, 1865-1900* (1938); trad. it.: *La riunificazione 1865-1900*. Bolonha: Il Mulino.

BURKE, Edmund
    1826a   *Reflections on the Revolution in France* (1790). In: _____. *The Works of the Right Honourable Edmund Burke*. Londres: Rivington. V 5.
    1826b   *Thoughts and Details on Scarcity* (1795). In: _____. *The Works of the Right Honourable Edmund Burke*. Londres: Rivington. V. 7.

BURNHAM, Walter Dean
    1970   *Critical Election and the Mainspring of American Politics*. Nova York-Londres: Norton & Company.

CALISE, Mauro
    1989   *Governo di partito. Antecedenti e conseguenze in America*. Bolonha: Il Mulino.

CANFIELD, Leon H.
    1966   *The Presidency of Woodrow Wilson, Prelude to a World in Crisis*. Rutherford: Fairleigh Dickinson University Press.

CARETTO, Ennio
 1991 'A Mosca chiederò la testa di Castro'. Bush annuncia le sue richieste per aiutare le ri forme in Urss. *La Repubblica*, 19 jul.
 1992 L'Onu vuol punire in Libia. *La Repubblica*, 29-30 mar.

CARLYLE, Thomas
 1983 *Latter-Day Pamphlets* (1850). Org. por M. K. Goldberg e J. P. Seigel. Ottawa: Canadian Federation for the Humanities.

CARROLL, Peter N. e NOBLE, David W.
 1991 *The Free und the Unfree. A New History of the United States* (1977); trad. it.: *Storia sociale degli Stati Uniti*. 3. ed. Roma: Riuniti.

CAVALLL, Luciano
 1992 *Governo del leader e regimi di partiti*. Bolonha: Il Mulino.

CHAPSAL, Jacques
 1981 *La Vie politique sous la Ve. République*, 1. 1958-1974. Paris: Presses Universitaires de France.

CHOMSKY, Noam
 1991 *Deterring Democracy*. Londres-Nova York: Verso.

CIANFANELLL, Renzo
 1992 Somalia: italiani tra le polemiche. *Corriere della sera*, 14 dez.

COBBAN, Alfred
 1967 *A History of Modern France* (1957); trad. it.: *Storia della Francia dai 1715 ai 1965*. Milão: Garzanti.
 1971 *Dictatorship. Its History and Theory* (1939). Nova York: Haskell.

COMMAGER, Henry S.
 1963 *Documents of American History*. 7. ed. Nova York: Appleton--Century-Crofts.

COMTE, Auguste
 1985 *Discours sur l'esprit positif* (1844); trad. it.: *Discorso sullo spirito positivo*. Org. por A. Negri. Roma-Bari: Laterza.

CONSTANT, Benjamin
 1837 *Cours de politique constitutionnelle*. 3. ed. Bruxelas: Société Belge de Librairie.

1970   *Principes de politique* (1815); trad. it.: *Princìpi di politica*. Org. por U. Cerroni. 2. ed. Roma: Riuniti.

1980   De la liberté des anciens comparée à celle des modernes (1819). In: _____. *De la liberté chez les modernes. Écrits politiques*. Org. por M. Gauchet. Paris: Hachette.

COOPER JR., William

1987   L'arena della politica sudista (1828-1856) (1978). In: Mannucci, Loretta Valtz (org.). *Gli Stati Uniti nell'età di Jackson*. Bolonha: Il Mulino.

CORRIERE DELLA SERA

1992   Nuovi scandali, sempre piti pericolose le relazioni con Saddam. 26 Out.

CORSO, Giovanni

1932   Elezione. In: ENCICLOPEDIA Italiana. Roma: Treccani. V. 13.

CROCE, Benedetto

1965   *Storia d'Europa nel secolo decimonono* (1932). Bari: Laterza.

1996   *Nuove pagine sparse* (1949). 2. ed. Bari: Laterza. V. 1.

1997   *Storia d'Italia dai 1871 al1915* (1927). Bari: Laterza.

DAHRENDORF, Ralf

1963   *Class and Class Conflict in Industrial Society* (1959); trad. it.: *Classi e conflitto di classe nella società industriale*. Bari: Laterza.

1988   *Fragmente eines neuen Liberalismus* (1987); trad. it.: *Per un nuovo liberalismo*. Roma-Bari: Laterza.

1990   *Reflections on the Revolution in Europe* (1990); trad. it.: 1989 – *Riflessioni sulla rivoluzione in Europa*. Roma-Bari: Laterza.

DAVIS, David B. e DONALD, David H.

1987   *The Great Republic. A History of the American People* (1985); trad. it.: *Le origini degli Stati Uniti*. Bolonha: Il Mulino.

DE FELICE, Renzo

1996   *Mussolini*. Turim: Einaudi.

DEPARTAMENTO DE ESTADO

1905   *Documentary History of the Constitution of the United States of America*. Washington: Department of State.

DE ROSA, Gabriele

1957   *Giolitti e ii fascismo*. Roma: Edizioni di storia e letteratura.

DER SPIEGEL
 1992 Kriege führen fur den Frieden, 21 mar., p. 202-211. Entrevista de Karl R. Popper a Olaflhlau.

DISRAELI, Benjamin
 1904 *Coningsby or the New Generation* (1844). Londres-Nova York--Bombaim: Longmans, Green and COo
 1908 *Sybel or The Two Nations* (1845). Org. por S. M. Smith. Oxford--Nova York: Oxford University Press.

DRESCHER, Seymour
 1964 *Tocqueville and England.* Harvard-Cambridge: Harvard University Press.

DULLES, Foster R.
 1963 *The United States since* 1865 (1959); trad. it.: *Gli Stati Uniti.* Milão: Feltrinelli.

ELORDI, Carlos
 1991 Castro tenta l'ultima bataglia. *La Repubblica,* 19 jul.

FABIANI, Franco
 1992 Bérégovoy: resistere all' America. *La Repubblica,* 20 novo

FARRAND, Max
 1996 *The Records of the Federal Convention of* 1797 (1911). Ed. revista. Org. por M. Farrand. New Haven-Londres: Yale University Press. 4 V.

FAYARD, Jean-François
 1989 Elezioni. In: Tulard, Jean; Fayard, J.-F. e Fierro, Alfred. *Historie et dictionnaire de la Révolution française 1789-1799* (1987); trad. it.: *Dizionario storico della Rivoluzione francese.* Florença: Ponte alle Grazie.

FEUCHTWANGER, Lion
 1989 *Democracy and Empire:* Britain 1865-1914 (1985); trad. it.: *Democrazia e impero. L'Inghilterra tra il 1865 e il 1914.* Bolonha: Il Mulino.

FLECHTHEIM, Ossip K.
 1992 *Karl Liebknecht zur Einführung* (1986); trad. it.: *Rosa Luxemburg e Karl Liebknecht.* Roma: Erre Emme.

FLORES D'ARCAIS, Paolo
    1990   Partito a misura di cittadino. *L'Unità*, 6 abro
FORCELLA, Enzo
    1972   Prefazione. In: Forcella, E. e Monticone, A. *Plotone d'esecuzione. I processi della prima guerra mondiale.* Bari: Laterza.
FOSTER, William Z.
    1956   *History of the Communist Party of the United States (1952);* trad. alemã: *Geschichte der kommunistischen Partei der Vereinigten Staaten.* Berlim: Dietz.
FRANCESCHINI, Enrico
    1992   I comunisti sfidano Eltsin e lo "zar" forma un esercito. *La Repubblica,* 17 mar.
FRANKLIN, John H.
    1983   *From Slavery to Freedom. A History of Negro Americans* (1947; 1980,2. ed.); trad. alemã: *Negro. Die Geschichte der Schwarzen in den Usa.* Frankfurt a.M.-Berlim-Viena, Ullstein.
FRIEDRICH, Carl J.
    1972   Introduction. In: Hermens, Ferdinand A. *Democracy or Anarchy? A Study of Proportional Representation* (1941). Nova York--Londres: Johnson Reprint. (Nova edição com o suplemento Proportional Representation in the Post-war World).
FURET, François
    1988   *La Révolution de Turgot à Jules Ferry 1770-1880.* Paris: Hachette.
GAETA, Franco
    1965   *La stampa nazionalista.* Org. por F. Gaeta. Bolonha: Cappelli.
GARZIA, Aldo
    1992   Fidel: la sinistra ricomincia. *Il manifesto,* 5 dez. Entrevista de Fidel Castro.
GENTZ, Friedrich
    1837   Ober die Moralität in den Staatsrevolutionen (1793). In: _____. *Ausgewahlte Schriften.* Org. por W. Weick. Stuttgart--Rieger & Comp. V. 2.

GÉRARD, Patrick
    1989   *George Bush président:* histoire d'une élection. Nancy: Presses Universitaires de Nancy.

GEYWITZ, Gisela
    1995   *Das Plebiszit von 1851 in Frankreich*. Tübingen: Mohr (Siebeck).

GIOBERTI, Vincenzo
    1911-1912   *Del rinnovamento civile degli italiani* (1851). Bari: Laterza.

GOBETII, Piero
    1983   *La rivoluzione liberale. Saggio sulla lotta politica in Italia* (1924). Org. por E. Alessandro Perona. Turim: Einaudi.

GODECHOT, Jacques
    1992   *La Grande Nation. L'expansion révolutionnaire de la France dans le monde 1789-1799* (1956); trad. it.: *La Grande Nazione. L'espansione rivoluzionaria della Francia nel mondo 1789-1799*. Bari: Laterza.

GOSSET, Thomas F.
    1995   *Race. The History of an Idea in America* (1963). 2. ed. Nova York: Schocken Books.

GRAMSCI, Antonio
    1975   *Quaderni dei carcere* (1929-1935). Edição crítica organizada por Valentino Gerratana. Turim: Einaudi.
    1979   *Cronache torinesi 1913-1917*. Org. por Sergio Caprioglio. Turim: Einaudi.
    1982   *La città futura 1917-1918*. Org. por Sergio Caprioglio. Turim: Einaudi.
    1987   *L'Ordine Nuovo 1919-1920*. Org. por Valentino Gerratana e Antonio A. Santucci. Turim: Einaudi.

GRANIER DE CASSAGNAC, Adolphe
    1851   *La révision de la Constitution*. Paris: Plon frères. (Texto de autoria incerta, atribuído a Adolphe Granier de Cassagnac).

GUILLEMIN, Henri
    1958   *Benjamin Constant muscadin 1795-1799*. 6.ed. Paris: Gallimard.

HABERMAS, Jürgen
   1977   *Strukturwandel der Öffentlichkeit* (1962); trad. it.: *Storia e critica dell'opinione pubblica*. Bari: Laterza.

HAVLÉVI, Ran
   1988   États géneraux. In: Furet, François e Ozouf, Mona. *Dictionnaire critique de la Révolution française*. Paris: Flammarion.

HAMILTON, Alexander
   1992   *The Papers, June 1788-November 1789*. Org. por H. C. Syrett e J. E. Cooke. Nova York-Londres: Columbia University Press. V. 5.

HANDLIN, Oscar e Handlin, Lilian
   1986   *Liberty in Peril 1850-1920*. Nova York: Harper Collins.

HARVARD LAW REVIEW
   1975   Developments in the Law-Elections, v. 88, n. 6, April, p.1.111 ss.

HAYEK, Friedrich A.
   1969   *The Constitution of Liberty* (1960); trad. it.: *La società libera*. Florença: Valecchi.
   1986a   *The Road to Serfdom* (1944). Londres: ARK Paperbacks. 1986b *Law, Legislation and Liberty* (1982; as três partes constitutivas do volume são, respectivamente, de 1973, 1976 e 1979); trad. it.: *Legge, legislazione e libertà*. Milão: Il Saggiatore. *1988 New Studies in Philosophy, Politics, Economics and the History of Ideas* (1978); trad. it.: *Nuovi studi di filosofia, politica, economia e storia delle idee*. Roma: Armando.
   1990   *The Fatal Conceit. The Errors of Socialism* (1988). Org. por W. W. Bartley III. Londres: Routledge.

HEGEL, Georg W. F.
   1993   *Die Vernunft in der Geschichte*. Org. por J.Hoffmeister (1955); trad. it.: *Lezioni sulla filosofia della storia*. Org. por G. Calogero e C. Fatta. Florença: La Nuova Italia. V. 1.

HERMENS, Ferdinand A.
   1972   *Democracy or Anarchy? A Study of Proportional Representation* (1941). Nova York-Londres: Johnson Reprint. (Nova edição com o suplemento Proportional Representation in the Post-war World).

HILBERG, Raul
   1988   *The Destruction of the European Jews* (1985, ed. revista); trad. francesa: *La destruction des Juifs d'Europe*. Paris: Fayard.

HIRSCHMANN, Albert O.
   1983   *Shifting Involvements. Private Interest and Public Action* (1982); trad. it.: *Felicità privata e felicità pubblica*. Bolonha: Il Mulino.

HOBSON, John A.
   1974   *Imperialism. A Study* (1902; 1938,3. ed.); trad. it.: *L'imperialismo*. Milão: lsedi.

HOFSTADTER, Richard
   1990   *The American Political Tradition and the Man Who Made it* (1951); trad. it.: *La tradizione politica americana*. Bolonha: Il Mulino.

HORKHEIMER, Max e ADORNO, Theodor W.
   1982   *Dialektik der Aufklarung* (1944); trad. it.: *Dialettica dell'illuminismo*. Org. por R. Solmi. Turim: Einaudi.

HUARD, Raymond
   1991   *Le suffrage universel en France 1848-1946*. Paris: Aubier.

HUNECKE, Volker
   1978   Tendenze anticapitalistiche nella rivoluzione francese. *Società estoria*, n.1, p.143-165.

JACQUIN, Philippe
   1977   *Histoire des indiens d'Amérique du Nord* (1976); trad. it.: *Storia degli indiani d'America*. Milão: Mondadori.

JAMESON, John F.
   1990   *The American Revolution Considered as a Social Movement* (1926); irado it.: *La rivoluzione americana come movimento sociale*. Bolonha: Il Mulino.

JARDIN, André
   1984   *Alexis de Tocqueville 1805-1859*. Paris: Hachette.

JERNEGAN, Marcus W.
   1980   *Laboring and Dependent Class in Colonial America. 1607-1783* (1931). Westport: Greenwood Press.

JÜNGER, Ernst
    1978   Die totale Mobilmachung (1930). In:_____. *Samtliche Werke*. Stuttgart, Klett-Cotta, 1978 ss. V. 7.

KANT, Emmanuel
    1900   *Gesammelte Schriften*. Berlim-Leipzig: Akademie der Wissenschaften, 1900 ss.
    1965   *Der Streit der Fakultaten* (1798); trad. it. parcial: In:_____. *Scritti politici e di filosofia della storia*. Trad. G. Solari e G. Vidari. Edição póstuma organizada por N. Bobbio, L. Firpo e V. Mathieu (1956). 2.ed. Turim: Utet.

KELSEN, Hans
    1970a   *Vom Wesen und Wertder Demokratie* (1929); trad. it.: Essenza e valore della democrazia. In:_____. *I fondamenti della democrazia e altri saggi*. Org. por N. Matteucci. Bolonha: Il Mulino.
    1970b   *Foundations of Democracy* (1955-1956); trad. it.: fondamenti della democrazia. In:_____. *I fondamenti della democrazia e altri saggi*. Org. por N. Matteucci. Bolonha: Il Mulino.

KERJAN, Liliane
    1991   *L'Égalité aux Etats-Unis:* mythes et réalité. Nancy: Presses Universitaires de Nancy.

LABOULAYE, Edouard
    1863a   *Le Parti libéral. San programme et san avenir*. Paris: Charpentier.
    1863b   *L'État et ses limites suivi d'essais politiques*. Paris: Charpentier. *1866 Histoire des États-Unis depuis les premiers essais de colonisation jusqu'à l'adoption de la Constitution fédérale 1620-1789*. Paris: Charpentier.

LACHAPELLE, Georges
    1911   *La représentation proportionnelle en France et en Belgique*. Paris: Alcan.

LAFFITTE, Jean-Paul
    1910   *Le paradoxe de l'égalité et la représentation proportionnelle* (1887). 2. ed. Paris: Hachette.

LANARO, Silvio
　　1992　Storia dell'Italia repubblicana. Dalla fine della guerra agli anni novanta. Veneza: Marsilio.

LA REPUBBLICA
　　1992　Il giudizio di Norberto Bobbio. "Segni e compagni sono l'única novità", 20 out.

LASKI, Harold J.
　　1948　Liberty in the Modern State. Londres: Allen & Unwin.
　　1977　The American Democracy. A Commentary and an Interpretation (1948). Fairfield: Kelley.

LASSWELL, Harold D.
　　1965　Style in the Language of Politics. In: Lasswell, Harold D. et al. Language of Politics. Studies in Quantitative Semantics. Cambridge (Mass.): The MIT Press.

LA STAMPA
　　1992　Cara America, ti restituirò un sogno. L'arringa di Clinton: guerra alla povertà e all'ingiustizia, 18 jul.

LATOUCHE, Serge
　　1992　L'Occidentalisation du monde. Essai sur la signification, la portée et les limites de l'uniformation planétaire (1989); trad. it.: L'occidentalizzazione dei mondo. Saggio sul significato, la portata e i limiti dell'uniformazione planetaria. Turim: Bollati Boringhieri.

LE BON, Gustave
　　1980　Psychologie des foules (1895); trad. it.: La psicologia delle folle. Org. por P. Melograni. Milão: Longanesi.

LECKY, William E. H.
　　1910　Historical and Political Essays (1896). Londres: Longmans, Green and Co.
　　1981　Democracy and Liberty (1896). Indianápolis: Liberty Classics.

LEFEBVRE, Georges
　　1984　La France sous le directoire 1795-1799 (1942-1943). Paris: Éditions Sociales.

1987 *La Révolution française* (1958); trad. it.: *La Rivoluzione francese*. Turim: Einaudi.

LEFÉVRE- PONTALIS, Antonin
1902 *Les Élections en Europe à la fin du XIX' siècle*. Paris: Plon.

LENIN, Vladimir I.
1955 *Opere complete*. Roma: Riuniti, 1955 ss.
1965a *L'imperialismo fase suprema dei capitalismo* (1917). In: _____. *Opere scelte*. Roma: Riuniti.
1965b *Stato e rivoluzione*. In: _____. *Opere scelte*. Roma: Riuniti.

LERDA, Gennaro V.
1976 La schiavitu e la guerra civile nelle pagine della 'Civiltà Cattolica' (1850-1865). In: Spini, Giorgio et al. *Italia e America dai Settecento all'età dell'imperialismo*. Veneza: Marsilio.

LIEBER, Francis
1859 *Civil Liberty and Self-Government*. 2. ed. Filadélfia: Lippincott.
1966 Anglican and Gallican Liberty (1848). *New Individualist Review*, v. 4, n. 2, Winter, p. 32-37.

LINCOLN, Abraham
1953 *The Collected Works*. Org. pela Abraham Lincoln Association. Springfield-New Brunswick: Butger University Press, 1953 ss.

LOCKE, John
1974 *Two Treatises of Civil Government* (1690); trad. it. parcial (só do segundo tratado): *Trattato sul governo*. Org. por L. Formigari. Roma: Riuniti.
1979 *Conduct of Understanding* (1706); trad. it.: *La condotta deli' intelletto*. In: _____. *Scritti filosofici e religiosi*. Org. por M. Sina. Milão: Rusconi.
1982 *An Essay Concerning Human Understanding* (1689); trad. it.: *Saggio sull'intelletto umano*. Org. por M. e N. Abbagnano. 2. ed. Turim: Utet.

LOEWENSTEIN, Karl
1925 Minderheitsregierung in Grossbritannien. Verfassungsrechtliche Untersuchung zur neuesten Entwicklung des britischen Parlamentarismus. *Annalen des deutschen Reichs für Gesetzgebung, Verwaltung und Volkswirtschaft*, p. 1-71.

Losurdo, Domenico

1983   *Tra Hegel e Bismarck. La rivoluzione dei 1848 e la crisi della cultura tedesca.* Roma: Riuniti.

1986   Le catene e i fiori. La critica dell' ideologia tra Marx e Nietzsche. *Hermeneutica,* n. 6, p. 87-143.

1987   Hannah Arendt e l'analisi delle rivoluzioni. In: Esposito, Roberto (org.). *La pluralità irrappresentabile. Il pensiero politico di Hannah Arendt.* Urbino: Istituto Italiano per gli Studi Filosofici-QuattroVenti.

1989a   *Hegel und das deutsche Erbe. Philosophie und nationale Frage zwischen Revolution und Restauration.* Colônia: Istituto Italiano per gli Studi Filosofici-Pahl-Rugenstein.

1989b   L'égalité e i suoi problemi. In: Burgio, Alberto; Losurdo, Domenico e Texier, Jacques (org.). *Égalité/Inégalité.* Urbino: Istituto italiano per gli Studi Filosofici-Quattro Venti.

1991   *La comunità, la morte, l'Occidente. Heidegger e l"ideologia della guerra".* Turim: Bollati Boringhieri.

1992a   *Hegel e la libertà dei moderni.* Roma: Riuniti.

1992b   Marx e la storia del totalitarismo. In: Burgio, Alberto; Cazzaniga, Gianmario e Losurdo, Domenico (org.). *Massa, folla, individuo.* Urbino: Istituto Italiano per gli Studi Filosofici--QuattroVenti.

1992c   Gramsci, il marxismo e lo Stato. *Marx centouno,* n. 8, p. 42-58.

Lucatelli, Luigi

1919   La Federazione degli Insegnanti Medi e le candidature Salvemini. In: Salvemini, Gaetano. *Il ministro della mala vita.* 2. ed. Roma: La Voce.

Lukacs, György

1987   *Demokratisierung heute und morgen* (1968; 1. ed. póstuma, 1985); trad. it.: *L'uomo e la democrazia.* Org. por Alberto Scarponi. Roma: Lucarini.

L'Unità

1992   Votate Bush o vi deruberanno, 22 ago.

Luraghi, Raimondo

1978   Introduzione. In: Luraghi, R. (org.). *La guerra civile americana.* Bolonha: Il Mulino.

LUTHARDT, Christoph E.
    1967   Die modernen Weltanschauungen und ihre praktischen Konsequenzen, Vortrage. ln: Hoefele, Karl H. *Geist und Geselschaft der Bismarckzeit*. Gõttingen-Berlim-Frankfurt a.M.: Mutterschmidt.

MACARTHUR, John R.
    1992   *Second Front. Censorship and Propaganda in the Gulf War*. Nova York: Hill and Wang.

MAINE, Henry S.
    1976   *Popular Government* (1885). Org. por G. W. Carey. Indianápolis: Liberty Classics.

MANDEVILLE, Bernard
    1974   *An Essay on Charity and Charity Schools* (1723); trad. it.: *Saggio sulla carità e su/le Scuole di carità*. Org. por M. E. Scribano. Roma-Bari: Laterza.
    1987   *The Fable ofthe Bees* (1705 e 1714); trad. it.: *La favola delle api*. Org. por T. Magri. Roma-Bari: Laterza.

MANICAS, Peter T.
    1989   *War and Democracy*. Cambridge (EUA), Basil Blackwell.

MARSILI, Gianni
    1991   Crimini contro l'umanità per Boudarel. *L'Unità,* 23 mar.

MARX, Karl e ENGELS, Friedrich
    1955   *Werke*. Berlim: Dietz, 1955 ss. (Quanto à tradução italiana, utilizamos livremente o que está contido na edição das *Obras completas* de Marx e Engels, em curso de publicação pela Ed. Riuniti.)

MASCILLI MIGLIORINI, Luigi
    1984   *Il mito dell'eroe. Italia e Francia nell'età della Restaurazione*. Nápoles: Guida.

MAYER, Arno J.
    1982   *The Persistence of the Old Regime. Europe to the Great War* (1981); trad. it.: *Il potere dell'Ancien Régime fino alla prima guerra mondiale*. Roma-Bari: Laterza.

MERRIAM, Charles E.
    1969   *A History of American Political Theories* (1903). Nova York: Kelley.

MESSINA, Sebastiano
    1992   *La grande Riforma. Uomini e progetti per una nuova repubblica*. Roma-Bari: Laterza.

MICHELET, Jules
    1981   *Histoire de la Révolution française* (1847-1853); trad. it.: *Storia della Rivoluzione francese*. Milão: Rizzoli.

MILIBAND, Ralph
    1968   *Parliamentary Socialismo A Study in the Politics of Labour* (1964); trad. it.: *Il laburismo. Storia di una politica*. Roma: Riuniti.

MILL, John Stuart
    1916   *Considerations on Representative Government* (1861); trad. it.: *Considerazioni sul Governo rappresentativo*. Org. por P. Crespi. Milão-Florença-Roma: Bompiani.
    1965   *Collected Works*. Org. por J. M. Robson. Toronto: Routledge & Kegan, 1965 ss.
    1971   *The Subjection of Women* (1869); trad. it.: *La soggezione delle donne*. Org. por A. M. Mozzoni. Roma: Parti san Edizioni. *1976 Autobiography* (1853-1870; 1. ed., 1873); trad. it.: *Autobiografia*. Org. por F. Restaino. Roma-Bari: Laterza.
    1981   *On Liberty* (1858); trad. it.: *Saggio sulla libertà*. Milão: Il Saggiatore.

MIRABELLI, Roberto
    1900   *La rappresentazione proporzionale*. Org. pelo periódico *Il 1799*. Nápoles: Ruggiano.

MISES, Ludwig von
    1922   *Die Gemeinwirtschaft. Untersuchungen über den Sozialismus*. Jena: Fischer.
    1927   *Liberalismus*. Jena: Fischer.
    1966   *Human Action. A Treatise on Economics* (1949). 3. ed. Chicago: Contemporary Books.

MONTESQUIEU, Charles-Louis de Secondat de
1949-1951   *Esprit des lois* (1748). In: _____. *Oeuvres completes*. Org. por R. Callois. Paris: Gallimard.

MONYPENNY, William F. e BUCKLE, George
1914   *The Life of Benjamin Disraeli, Earl of Beaconsfield*. Nova York: MacMillan, 1914 ss.

MORGAN, Edmund S.
1972   Slavery and Freedom: The American Paradox. *The Journal of American History*, v. 59, n. 1, p. 5-29.

MORISON, Samuel E.
1953   *Sources and Documents illustring the American Revolution and the Formation of the Federal Constitution 1764-1788 (1923)*. Org. por S. E. Morison. 2. ed. Oxford: Clarendon Press.

MOSCA, Gaetano
1949   *Partiti e sindacati nella crisi del regime parlamentare*. Bari: Laterza.
1953   *Elementi di scienza politica* (1923). Org. por B. Croce. 5. ed. Bari: Laterza.

MOSCA, Gaetano e FERRERO, Guglielmo
1980   *Carteggio (1896-1934)*. Org. por C. Mongardini. Milão: Giuffre.

MUSSOLINI, Benito
1951   *Opera Omnia*. Org. por E. e D. Susmel. Florença: La Fenice, 1951ss.

NAPOLEÃO III
1861   *Oeuvres*. Paris: Plon-Amyot.

NEVINS, Allan e COMMAGER, Henry S.
1960   *America. The Story of a Free People* (1943); trad. it.: *Storia degli Stati Uniti*. Turim: Einaudi.

NIETZSCHE, Friedrich
1970   *Menschliches, Allzumenschliches* (1879-1879); trad. it. baseada no texto crítico feita por G. Colli e M. Montinari: *Umano, troppo umano*. Milão: Mondadori.

1977   *Ecce homo. Wie Man wird, was Man ist* (1888); trad. it. baseada no texto crítico feita por G. Colli e M. Montinari: *Ecce homo*. Milão: Mondadori.

1979   *Genealogie der Moral* (1887); trad. it. baseada no texto crítico feita por G. Colli e M. Montinari: *Genealogia della morale*. Milão: Mondadori.

1980   *Sämtliche Werke, Kritische Studienausgabe*. Org. por G. Colli e M. Montinari. Munique: DTV.

1981a   *Morgenröte* (1881); trad. it. baseada no texto crítico feita por G. Colli e M. Montinari: *Aurora*. Milão: Mondadori.

1981b   *Jenseits von Gut und Base* (1886); trad. it. baseada no texto crítico feita por G. Colli e M. Montinari: *Al di là del bene e del male*. Milão: Mondadori.

NOLTE, Ernst

1978   *Der Faschismus in seiner Epoche* (1963); trad. it.: *I tre volti del fascismo*. Milão: Mondadori.

NOUAILHAT, Yves-Henry

1987   *L'Amérique puissance mondiale 1897-1929*. Nancy: Presses Universitaires de Nancy.

OKUN, Arthur M.

1990   *Equality and Efficiency. The Big Tradeoff* (1975); trad. it.: *Eguaglianza ed efficienza. In grande tradeoff*. Nápoles: Liguori.

ORTINO, Sergio

1970   *Riforme elettorali in Germania*. Florença: Vallecchi.

OSTROGORSKI, Moisei Y.

1991   *La démocratie et les partis politiques* (1902); trad. it.: *Democrazia e partiti politici*. Org. por G. Quagliarello. Milão: Rusconi.

PALMER, Robert R.

1971   *The Age of the Democratic Revolution* (1959-1964); trad. it.: *L'era delle rivoluzioni democratiche*. Milão: Rizzoli.

PARETO, Vilfredo

1966   *Scritti sociologici*. Org. por G. Busino. Turim: Utet.
1974   *Scritti politici*. Org. por G. Busino. Turim: Utet.

1988   *Trattato di sociologia generale* (1916). Ed. crítica organizada por G. Busino. Turim: Utet.

PATRICK, Gérard

1989   *George Bush président:* histoire d'une election. Nancy: Presses Universitaires de Nancy.

PIERRE, Victor

1878   *Histoire de la République de* 1848. Paris: Plon.

PIVEN, Francis F.

1991   Regole, partiti e atteggiamenti politici: l'assenteismo elettorale americano in prospettiva comparativa. In: Vaudagna, Maurizio (org.). *Il partito politico americano e l'Europa.* Milão: Feltrinelli.

PIVEN, Francis F. e CLOWARD, Richard A.

1988   *Why Americans Don't Vote.* Nova York: Pantheon Books.

POLLARD, Albert F.

1938   *The Evolution of Parliament* (1920). 3. ed. Londres-Nova York-Toronto: Longmans, Green and Coo

POPPER, Karl R.

1972   *Conjectures and Refutations* (1969); trad. it.: *Congetture e confutazioni.* Bolonha: Il Mulino.

1981   *The Open Society and its Enemies* (1943); trad. it.: *La società aperta e i suo inemici.* Roma: Armando.

1992   *La lezione di questo secolo.* Veneza: Marsilio. Entrevista a Giancarlo Bosetti.

POURSIN, Jean-Marie e Dupuy, Gabriel

1972   *Malthus* (1972); trad. *it.:Malthus.* Roma-Bari: Laterza.

RÉMOND, René

1987   *Le retour de De Gaulle.* Bruxelas: Complexe.

RENSHAW, Patrick

1968   The IWW and the Red Scare 1917-1924. *Journal of Contemporary History,* v. 3, n. 4, p. 63-72.

REUTH, Ralf G.

1991   *Goebbels.* 2. ed. Munique: Piper.

RIALS, Stephane
    1987   Révolution et contre-révolution en France au XIX' siecle. Paris: Albatros.

RIOTTA, Gianni
    1992a   Prefazione. In: Brivio, Enrico. *Come comunica la Casa Bianca.* Milão: Bridge.
    1992b   E nell'anno 2012 i soldati di pace faranno un golpe. *Corriere della sera,* 14 dez.

ROBESPIERRE, Maximilien
    1958   *Textes choisis.* Org. por Jean Poperen. Paris: Éditions Sociales.

ROCCO, Alfredo
    1981   Ritorni del Medioevo (1920). In: D'Orsi, Angelo (org.). *I nazionalisti.* Milão: Feltrinelli.

ROCHESTER, Stuard L
    1977   *American Liberal Disillusionment in the Wake of World War I.* Park-Londres: Pennsylvania State University Press.

ROOSEVELT, Franklin D.
    1941   *The Public Papers and Addresses, 9. 1940, War and Aid to Democracies.* Nova York: MacMillan.

ROOSEVELT, Theodore
    1901   *The Strenuous Life. Essays and Addresses.* Nova York: The Century.
    1920   *An Autobiography* (1913). Nova York: Scribner's Sons.
    1951   *The Letters.* Org. por E. E. Morison, J. M. Blum e J. J. Buckley. Cambridge (Mass.): Harvard University Press, 1951 ss.
    1968a   *The Naval War of 1812* (1882). Nova York: Haskell.
    1968b   *Gouverneur Morris* (1888). Nova York: Haskell.

ROSENSTONE, Steven J. e WOLFINGER, Raymond E.
    1978   The Effect of Registration Laws on Voter Turnout. *The American Political Science Review,* LXXII, March, p. 22-45.

ROUSSEAU, Jean-Jacques
    1959   *Oeuvres completes.* Org. por B. Gagnebin e M. Raymond. Paris: Gallimard.
    1966   *Du contrat social* (1762); trad. it.: *Il contratto sociale.* Org. por Valentino Gerratana. Turim: Einaudi.

1971   *Oeuvres completes*. Org. por M. Launay. Paris: Seuil. V. 2.

SALVATORELLI, Luigi e MIRA, Giovanni

1972   *Storia d'Italia nel periodo fascista* (1964). 3. ed. Milão: Mondadori.

SALVEMINI, Gaetano

1919   *Il ministro della mala vita*. Com textos de Ugo Ojetti e Luigi Lucatelli. 2. ed. Roma: La Voce.

1963   *Come siamo andati in Libia e altri scritti dal 1900 al 1915*. Org. por A. Torre. Milão: Feltrinelli. V. 8, I, das *Opere*.

SANTARELLI, Enzo

1992   *Imperialismo, socialismo, Terzo mondo. Saggi di storia dei presente*. Urbino: QuattroVenti.

SARIPOLOS, Nicolas

1899   *La démocratie et l'élection proportionnelle. Étude historique, juridique et politique*. Paris: Rousseau.

SCALFARI, Eugenio

1992   Al pettine i nodi di Reagan e Thatcher. *La Repubblica, 26-27* jan.

SCHLESINGER | jr. |, Arthur M.

1948   *The Age of Jackson*. Boston: Little, Brown and Co.

1959-1965   *The Age of Roosevelt* (1957-1960); trad. it.: *L'età di Roosevelt*. Bolonha: Il Mulino.

1973a   *History of U.S. Political Parties*. Org. por A. M. Schlesinger jr. Nova York-Londres: Chelsea House and Bawker.

1973b   *The Imperial Presidency*. Boston: Houghton Mifflin Company. 1991 *The Cycles of American History* (1986); trad. it.: *I cicli della storia americana*. Pordenone: Edizioni Studio.

SCHLESINGER | sr. |, Arthur M.

1967   *The Rise of Modern America 1865-1951* (1957); trad. it.: *Storia degli Stati Uniti. Nascita dell'America moderna (1865-1951)*. 4. ed. Milão: Garzanti.

SCHMID, Alex P.

1974   *Churchills privater Krieg. Intervention und Konterrevolution im russischen Bürgerkrieg. November 1918-März 1920*. Zurique: Atlantis.

SCHMITT, Carl
- 1972 *Politische Theologie. Vier Kapitel zur Lehre der Souveranität* (1934, 2. ed.); trad. it.: In: _____. *Le categorie del "politico". Saggi di teoria politica*. Org. por G. Miglio e P. Schiera. Bolonha: Il Mulino.
- 1984 *Verfassungslehre* (1928); trad. it.: *Dottrina della costituzione*. Milão: Giuffrè.
- 1988 *Positionen und Begriffe im Kampf mit Weimar-Genf-Versailles 1923-1939* (1940). Berlim: Duncker & Humblot.

SCHUMPETER, Joseph A.
- 1945 L'avenir de l'entreprise privée devant les tendances socialistes modernes. In: ASSOCIATION Professionnelle des Industrieis (org.). *Comment sauvegarder l'entreprise privée?* Montréal.
- 1964 *Capitalism, Socialism and Democracy* (1946); trad. it.: *Capitalismo, socialismo e democrazia*. Milão: Comunità.

SENSINI, Alberto
- 1992 *Presidente o Cancelliere? Viaggio ragionato nellabirinto delle riforme istituzionali*. Milão: Sperling & Kupfer.

SEWELL JR., William H.
- 1987 *Work and Revolution in France. The Language of Labor from the Old Regime to 1848* (1980); trad. it.: *Lavoro e rivoluzione in Francia. Il linguaggio operaio dall'Ancien Régime ai 1848*. Bolonha: Il Mulino.

SIEYÈS, Emmanuel-Joseph
- 1985 *Écrits politiques*. Org. por R. Zapperi. Paris: Éditions des archives contemporaines.

SINEAU, Mariette
- 1992 Le donne nella sfera della politica: diritti delle donne e democrazia. In: Duby, Georges e Perrot, Michelle (sob a direção de). *Storia delle donne in Occidente, Il Novecento*. Org. por F. Thebaud. Roma–Bari: Laterza.

SIOTTO PINTOR, Manfredi
- 1932 Storia dei regime elettorale – verbete Elezione. In: ENCICLOPEDIA Italiana. Roma: Treccani. V. 13.

SKIDELSKY, Robert
    1989   *John Maynard Keynes. I. Hope Betrayed 1883-1920* (1981; 1986, 2. ed.); trad. it.: *John Maynard Keynes. Speranze tradite 1883-1920.* Turim: Bollati Boringhieri.

SMITH, Adam
    1977   *An Inquiry into the Nature and the Causes of the Wealth of Nations* (1775-1776; 1783, 3. ed.); trad. it. de F. Bartoli, C. Camporesi e S. Caruso: *Indagine sulla natura e le cause della ricchezza delle nazioni.* Milão: Mondadori.

SOBOUL, Albert
    1966   *Précis d'Histoire de la Révolution française* (1964); trad. it. (a partir de uma edição especialmente ampliada): *La rivoluzione francese.* Bari: Laterza.

SOREL, Georges
    1973   *Da Proudhon a Lenin e L'Europa sotto la tormenta.* Apêndices a *Lettres à Mario Missiroli.* Introdução de G. De Rosa. Roma: Edizioni de Storia e Letteratura.

SPENCER, Herbert
    1978   *The Principies of Ethics* (1879-1893). Org. por T. R. Machan. Indianápolis: Liberty Classics.
    1981   *The Man versus the State with Six Essays on Government, Society and Freedom* (1843-1884). Indianápolis: Liberty Classics.

SPENGLER, Oswald
    1933a   *Jahre der Entscheidung.* Munique: Beck.
    1933b   *Politische Schriften.* Munique: Volksausgabe, Beck
    1980   *Der Untergang des Abendlandes* (1918-1923). Munique: Beck.

SPINELLI, Barbara
    1992   Io, il Papa e Gorbaciov. *La Stampa,* 9 abr. Entrevista de Karl R.Popper.

STAËL- HOLSTEIN, Anne-Louise-Germaine Necker
    1893   *Considération sur les principaux événements de la Révolution française* (1818); republicado com o título *Considérations sur la Révolution française.* Org. por J. Godechot. Paris: Tallandier.

STAHL, Friedrich J.
  1863   *Die gegenwartigen Parteien in Staat und Kirche. Neuundzwanzig akademische Vorlesungen.* Berlim: Hertz.

STAME, Federico
  1990   La prima riforma e la sinistra unita. *Micromega,* n. 4, p. 36-43.

STENDHAL, Henri
  1980   *Le rouge et le noir* (1830); trad. it.: *Il rosso e ii nero.* Org. por P.-G. Castex. Milão: Rizzoli.

STOPPINO, Mario
  1974   Élites, democrazia e partecipazione. In: Bachrach, Peter. *The Theory of Democratic Elitism:* A Critique (1967); trad. it.: *La teoria dell'elitismo democratico.* Nápoles: Guida.

STRAUBING, Harold E.
  1989   *The Last Magnificent War. Rare Journalistic and Eyewitness Accounts of World War I.* Org. por H. E. Straubing. Nova York: Paragon House.

STURZO, Luigi
  1992   *Opere scelte.* Org. por G. De Rosa. Bari: Laterza. V. 1.

TAGUIEFF, Pierre-André
  1987   *La force du préjugé. Essai sur le racisme et ses doubles.* Paris: La Découverte.

TANSILL, Charles C.
  1927   *Documents illustrative of the Formation of the Union of the American State.* Org. por C. C. Tansill. Washington: Government Printing Office.

TAWNEY, Richard H.
  1975   *Religion and the Rise of Capitalism* (1929); trad. it.: *La religione e la genesi dei capitalismo.* In: _____. *Opere.* Org. por F. Ferrarotti. Turim: Utet.

TAYLOR, Alan J. P.
  1975   *English History* 1914-1945 (1965); trad. it.: *Storia dell'Inghilterra contemporanea.* Roma-Bari: Laterza.

Testi, Arnaldo
    1984   Introduzione. In: Testi, A. (org.). *L'età progressista negli Stati Uniti*. Bolonha: Il Mulino.
    1991   'Questi partiti selvaggi e voraci'. James Bryce, Moisei Ostrogorski e l'immagine del partito americano. Le loro fonti nel contexto della lotta politica negli Stati Uniti di fine Ottocento. In: Vaudagna, Maurizio (org.). *Il partito politico americano e l'Europa*. Milão: Feltrinelli.

The federalist
    1980   Alexander Hamilton, James Madison, John Jay. *The Federalist* (1787-1788); trad. it.: *Il Federalista*. Org. por M. D'Addio e G. Negri. Bolonha: Il Mulino.

Thiers, Adolphe
    1879   *Discours parlementaires*. Org. por M. A. Calmon. Paris: Calman Lévy. V. 2.

Thomas, John L.
    1988   *The Great Republic. A History of the American People* (1985, 3. ed.); trad. it.: *La nascita di una potenza mondiale. Gli Stati Uniti dal 1877 al 1920*. Bolonha: Il Mulino.

Tocqueville, Alexis de
    1864-1867   *Oeuvres completes*. Org. pela viúva Tocqueville e por G. de Beaumont. Paris: Michel Lévy Frères.
    1951   *Oeuvres completes*. Org. por J. P. Mayer. Paris: Gallimard, 1951 ss.
    1968   *De la démocratie en Amérique* (1835-1840); trad. it.: *La democrazia in America*. In: _____. *Scritti politici*. Org. por N. Matteucci. Turim: Utet.

Toinet, Marie-France
    1987   *Le Systeme politique des États-Unis*. Paris: Presses Universitaire de France.
    1988   La Participation politique des ouvriers américains à la fin du dixneuvième siecle. In: Debouzy, Marianne (org.). *A l'ombre de la statue de la liberté. Immigrants et ouvriers dans la République américaine 1880-1920*. Vincennes: Presses Universitaires de Vincennes.

1991 'Americanizzazione' o 'europeizzazione': lo studio attuale dei partiti americani nel processo politico. In: Vaudagna, Maurizio (org.). *Il partito politico americano e l'Europa*. Milão: Feltrinelli.

TREITSCHKE, Heinrich von

1878 *Der Sozialismus und der Meuchelmord*. Separata de *Preussische Jahrbücher*, XLI. Berlim: Reimer.

1897-1898 *Politik. Vorlesungen gehalten an der Universität zu Berlin*. Org. por M. Cornicelius. Leipzig: Hirzel.

TREVELYAN, George M.

1942 *British History in the Nineteenth Century 1782-1901 (1922)*; trad. it.: *Storia dell'Inghilterra nel secolo XIX*. Turim: Einaudi.

1965 *A Shortened History of England* (1942); trad. it.: *Storia d'Inghilterra*. Milão: Garzanti.

TROTSKI, Lev D.

1968 *La Révolution trahie* (1936-1937); trad. it.: *La rivoluzione tradita*. Roma: Samonà e Savelli.

TURATI, Filippo

1979 *Socialismo e riformismo nella storia d'Italia. Scritti politici 1878-1932*. Org. por F. Livorsi. Milão: Feltrinelli.

ULBRICHT, Walter

1967 *Geschichte der deutschen Arbeiterbewegung*. Org. por Walter Ulbricht. Berlim: Institut für Marxismus-Leninismus beim Zentralkomitee der SED, Dietz. V. 5 e 6.

VECA, Salvatore

1990 *Cittadinanza. Riflessioni filosofiche sull'idea di emancipazione*. Milão: Feltrinelli.

VILLEY, Edmond

1900 *Législation électorale comparée des principaux pays d'Europe*. Paris: Larose-Pedone.

VINCENT, John

1990 *Disraeli*. Oxford-Nova York: Oxford University Press.

WALTER, Gérard

1990 *La Révolution russe* (1972); trad. it.: *La rivoluzione russa*. Novara: De Agostini.

WASHINGTON, George
    1988   *A Collection*. Org. por W. B. Allen. Indianápolis: Liberty Classics.

WEBER, Marianne
    1926   *Max Weber. Ein Lebensbild*. Tübingen: Mohr (Siebeck).

WEBER, Max
    1971   *Gesammelte politische Schriften* (1958). Org. por J. Winckelmann. 3. ed. Tübingen: Mohr (Siebeck).
    1982   *Parlament und Regierungim neugeordneten Deutschland. Zur politischen Kritik des Beamtentums und Parteiwesens* (1918); trad. it.: *Parlamento e governo. Per la critica politica della burocrazia e del sistema dei partiti*. Org. por F. Fusillo. Roma-Bari: Laterza.
    1988   *Zur Politik im Weltkrieg. Schriften und Reden 1914-1918*. Org. por W. J. Mommsen, em colaboração com G. Hübinger. Tübingen: Mohr.

WEHLER, Hans U.
    1984   *Grundzüge der amerikanischen Aussenpolitik 1750-1900*. Frankfurt a. M.: Suhrkamp.

WEINBERG, Albert K.
    1963   *Manifest Destiny. A Study of Nationalistic Expansionism in American History* (1935). Chicago: Quadrangle Books.

WILLIAMS, Basil
    1921   *Rhodes Cecil*. Londres: Constable and Co.

WILSON, Woodrow
    1918   *A History of the American People. Documentary Edition* (1901). Nova York-Londres: Harper & Brothers.
    1927   *War and Peace. Presidential Messages, Addresses, and Public Papers* (1917 -1924). Org. por R. S. Baker e W. E. Dood. Nova York-Londres: Harper & Brothers.
    1959   *Congressional Government. A Study in American Politics* (1885). Org. por W. Lippmann. Nova York; Meridian Books.
    1966   *The Papers, I. 1856-1880*. Org. por A. S. Link. Princeton: Princeton University Press.

WOLF, Eric
   1990   *Europe and the People Without History* (1982); trad. it.: *L'Europa e i popoli senza storia*. Bolonha: Il Mulino.

YAKOBSON, Sergius e Lasswell, Harold D.
   1965   Trend: May Day Slogans in Soviet Russia 1918-1943. ln: Lasswell, Harold D. et al. *Language of Politics. Studies in Quantitative Semantics*. Cambridge (Mass.): The MIT Press.

ZOLO, Danilo
   1992   *II principato democratico. Per una storia realistica della democrazia*. Milão: Feltrinelli.

ZUCCONI, Vittorio
   1992   Costa cento miliardi vincere la Casa Bianca. *La Repubblica*, 27 fev.

ÍNDICE ONOMÁSTICO

A

Acton, John, E. E. D., 265
Adams, Angela, 97, 98, 101, 102, 107
Adams, John, 49, 103, 108, 131
Adams, Willi P., 97-98, 101,102, 107
Adorno, Theodor W., 298
Albertoni, Ettore A., 265 Alt, Franz, 311
Alter, Jonathan, 306
Aquarone, Alberto, 110
Arendt, Hannah, 71, 82, 123, 197, 200
Aristóteles, 45, 237
Aulard, Alphonse, 15

B

Bachrach, Peter, 325
Bagehot, Walter, 54-55, 67-73, 80, 86-87, 90, 91, 105, 113, 114, 117 128, 138 144 162, 210-211, 215, 296, 313
Bailyn, Bernard, 112,-114, 139
Bairati, Piero, 130-131
Bakunin, Michail A., 328-329
Balibar, Etienne, 46
Barié, Ottavio, 80-81, 82
Barres, Maurice, 216-218
Bastid, Paul, 254
Bauer, Bruno, 80
Beard, Charles A., 23, 132
Beaumont, Gustave de, 79
Bensi, Giovanni, 202
Bentsen, Lloyd Militard, 303
Bernstein, Eduard, 183
Beveridge, Albert J., 307
Beyme, Klaus von, 126
Bismarck, Ouo von, 76-77, 80, 131, 137, 141, 154, 157, 185-186, 194, 197, 206, 230, 312
Blanc, Louis, 213
Blanqui, Auguste, 150
Bluche, Frédéric, 61, 66, 93
Bobbio, Norberto, 51, 55, 56, 258-259, 271, 274- 279, 284, 288, 322, 324, 327
Bocca, Giorgio 284
Bodin, Jean, 47
Bognetti, Giovanni, 318-321
Boissy D'Anglas, François--Antoine, 16,38
Bonanni, Andrea, 202, 289
Bonn, Moritz J., 171
Boon, Hendrik N., 65, 94
Bossuet, Jacques-Benigne, 47
Boudarel, Georges, 284
Boulanger, Georges-Ernest-Jean, 205
Bredin, Jean-Denis, 93, 101
Brivio, Enrico, 302
Bryan, William-Jennings, 145, 308
Bryce, James, 80, 123, 160-161, 164, 266, 320
Buck, Paul H., 42, 44
Buckle, George, 77
Burke, Edmund, 45-46, 50, 113, 254, 278-279

Burnham, Walter Dean, 43, 159, 218, 231
Bush, George W., 281, 283, 287, 291, 300, 304-306, 309

C

Calise, Mauro, 54, 126
Canfield, Leon H., 169, 171-173
Caretto, Ennio, 281-284
Carlos V, 306
Carlyle, Thomas, 74-75, 130
Carroll, Peter N., 134, 167, 169, 173, 180-181
Castro, Fidel, 199, 284, 288
Cavaignac, Louis-Eugene, 115, 123-124
Cavalli, Luciano, 326
César, Caio Júlio, 90
Chambord, Henri-Charles d'Artois, conde de, 22, 78
Chapsal, Jacques, 315
Chomsky, Noam, 282
Churchill, Winston, 181, 282, 286
Cianfanelli, Renzo, 287
Clausewitz, Karl von, 302
Clemenceau, Georges, 170, 192
Cleveland, Stephen Grover, 140-141, 172
Clinton, William, 305-306
Cloward, Richard A., 42, 43-44, 51-52
Cobban, Alfred, 41, 67, 103, 149, 150, 170, 203, 240
Commager, Henry S., 27-28, 98, 129, 133, 135, 139-140, 160, 163, 171, 173-176, 178, 258, 286
Comte, Auguste, 153
Constant, Benjamin, 15-21, 23-24, 28, 30-31, 34, 38-39, 48-49, 51, 77, 79, 89, 127-128, 208, 237, 247, 262-263, 269, 272, 275, 289, 296
Cooper Jr., William, 26
Corso, Giovanni, 58, 86
Crispi, Francesco, 197
Croce, Benedetto, 154, 168, 241
Cromwell, Oliver, 145-146
Cunin-Gradin, 208

D

Dahrendorf, Ralf, 45, 260-261, 273, 277-278, 279, 288
Davis, David B., 133-134
Davis, Jefferson, 126
Debs, Eugene V., 140, 172
De Felice, Renzo, 195, 223-224, 229, 235-236, 240-241, 299
De Gaulle, Charles, 314-315
Depretis, Agostino, 197
De Rosa, Gabriele, 235, 241
De Stefani, Alberto, 240
Dickinson, John, 104
Disraeli, Benjamin, 72, 77, 80-81, 83-86, 131, 141
Donald, David H., 133-134
Dorso, Guido 167, 295
Drayton, William Henry, 130
Drescher, Seymour, 21
Dukakis, Michael, 303-306
Dulles, Foster R., 140
Dupin, André-Marie, 208
Dupuy, Gabriel, 112

E

Einaudi, Luigi, 240
Elordi, Carlos, 287
Engels, Friedrich, 26-28, 51, 63, 70, 74, 77, 79, 81, 87, 121, 123, 147,

149-152, 154, 156-157, 198, 268, 273, 293-294, 327, 328

F

Fabiani, Franco, 287
Farinacci, Roberto, 228, 236
Farkas, J., 37
Farrand, Max, 101, 109
Fayard, Jean-François, 15, 148
Ferrero, Guglielmo, 237-238
Feuchtwanger, Lion, 55
Flechtheim, Ossip K., 172
Flores D'Arcais, Paolo, 319
Forcella, Enzo, 168
Foster, William Z., 172
Franceschini, Enrico, 202
Franklin, John H., 45, 125
Friedmann, Milton, 264
Friedrich, Carl J., 267
Fulani, Leonora B., 309-310
Furet, François, 113-115

G

Gaeta, Franco, 225-228, 235
Garzia, Aldo, 288
Gentz, Friedrich, 74
Gérard, Patrick, 52, 304-307, 309
Geywitz, Gisela, 62-63, 144
Gioberti, Vincenzo 155
Giolitti, Giovanni, 58, 85, 197, 226, 229, 235, 241, 320, 324
Girardin, Saint-Marc, 47
Giscard d'Estaing, Valéry, 284
Gladstone, William Ewart, 55, 69, 72,137
Gobetti, Piero, 223, 231-233, 234
Gobineau, Joseph-Arthur, conde de, 29
Godechot, Jacques, 99

Goebbels, Paul Joseph, 299, 321
Goethe, Wolfgang Johann, 282
Gorbachev, Mikhail, 202
Gosset, Thomas E, 44, 59, 135, 248
Gramsci, Antonio, 162, 196-197, 201, 217, 231-232, 299
Granier de Cassagnac, Adolphe, 63, 95-96, 115-118
Grant, Ulysses-Simpson, 133
Guilherme II, 291
Guillemin, Henri, 16,77,103
Guizot, François-Pierre--Guillaume, 57

H

Habermas, Jürgen, 148
Halévi, Ran, 20
Hamilton, Alexander, 23-24, 49, 102-104, 106-108, 112, 130, 139, 144
Handlin, Lilian, 290
Handlin, Oscar, 290
Harding, Warren Gamaliel, 172
Harrison, Benjamin, 133
Hayek, Friedrich, A., 39, 45, 57, 261-264, 267-270, 276-279, 288, 291, 313, 324
Hegel, Georg W. E, 120-121, 152, 154
Heine, Heinrich, 131
Hermes, Ferdinand A., 267, 312-313, 332
Hilberg, Raul, 249
Hirschmann, Albert O., 71
Hitler, Adolf, 183, 293, 298, 312-313
Hobbes, Thomas, 99, 108
Hobson, John A., 82, 285, 290
Hofstadter, Richard, 136, 141, 286
Hohenzollern, 58, 172, 216, 221, 225

Hoover, Herbert Clark, 178
Hoover, John Edgar, 181
Horkheimer, Max, 298
Huard, Raymond, 37, 41, 50, 57, 59 150, 213-214, 216, 264, 276
Hunecke, Volker, 47
Hussein, Saddam, 284, 287, 291

I

Ieltsin, Boris, 202

J

Jackson, Andrew, 23, 24-25, 94, 119, 125-126, 133-136, 145, 307
Jacquin, Philippe, 51
Jameson, John F., 49, 120
Jardin, André, 22
Jaures, Jean, 214
Jay, John, 96, 97, 103, 105
Jefferson, Thomas, 107, 121, 131, 178
Jernegan, Marcus W., 27
Jorge III, 104, 106 Jünger, Ernst, 175, 177

K

Kadhafi, Muhammar, 281
Kant, Immanuel, 301, 323, 325
Kelsen, Hans, 219-221, 233, 243, 328
Kerenski, Aleksandr Fiodorovitch, 189, 196, 206
Kerjan, Liliane, 52, 231
Keynes, John Maynard, 177
Kipling, Rudyard, 82, 285-287
Knox, Philander Chase, 97, 104-105
Koltchak, Aleksandr Vasilievitch, 180

L

Laboulaye, Edouard, 15, 79, 119, 207-210, 211, 215, 263-264, 330
Lachapell, George, 212-214, 230
Lafitte, Jean-Paul, 72, 212
Lamartine, Alphonse Louis de, 208, 213
Lanaro, Silvio, 240
Lanzillo, Agostino, 224, 236
Laski, Harold J., 25, 131, 133, 258
Lasswell, Harold D., 173, 201
Latouche, Serge, 281
Le Bon, Gustave, 87-92, 165, 295-296, 298
Lecky, William E. H., 33, 36-37, 39, 80, 265, 276
Ledru-Rollin, Alexandre-Auguste, dito, 67
Lee, Henry, 97
Lefebvre, Georges, 16-17, 38, 103
Lefevre-Pontalis, Antonin, 230
Lenin, Vladimir I., 55, 84-87, 181, 188-189, 196-198, 201, 217, 286, 328, 330
Lerda, Gennaro V., 155
Lieber, Francis, 131, 264
Liebknecht, Karl, 171, 201
Lincoln, Abraham, 26, 135-138, 142-143, 145
Lloyd George, David, 170, 191, 192, 203
Locke, John, 38-39, 45-50, 80, 99, 108-109, 111, 250
Loewenstein, Karl, 234
Losurdo, Domenico, 20, 28, 45, 89, 123, 130, 131, 155, 198, 254, 293, 312, 328
Lucatelli, Luigi, 58, 320
Ludendorff, Erich, 182, 191, 312

Luís XIV, 134
Luís Filipe, 149
Lukács, Gyargy, 298
Luraghi, Raimondo, 142
Luthardt, Christoph E., 154

M

Macarthur, John R., 302
Macaulay, Thomas Babington, 88
MacDonald, James Ramsay, 197, 250
Madison, James, 24, 97, 121
Maine, Henry S., 116
Mallet du Pan, Jacques, 16
Mandeville, Bernard de, 45
Manicas, Peter T., 173
Mao Tsé-tung, 200
Marsili, Gianni, 284
Marx, Karl, 25-26, 51, 63, 70, 74, 77, 79, 81, 121, 123, 147, 149-153, 156-159, 198, 201, 260, 268, 270, 273, 278, 293-294, 326-329
Mascilli Migliorini, Luigi, 74, 75
Massu, Jacques, 316
Matteotti, Giacomo, 229
Mayer, Arno I., 58, 243
Mazzini, Giuseppe, 74
McKinley, William, 145
Merriam, Charles E., 23, 49
Messina, Sebastiano, 301, 316
Michelet, Jules, 73
Michels, Robert, 85
Miliband, Ralph, 234, 250
Mill, John Stuart, 31-37, 39, 49, 75-76, 82-83, 88, 208, 212, 222, 224, 247, 280, 285-286, 323-324
Mira, Giovanni, 240
Mirabelli, Roberto, 215
Mises, Ludwig von, 39, 244-246, 252-253, 255, 267, 269, 295-297

Missiroli, Mario, 203
Mitterand, François, 315
Monroe, James, 176
Montesquieu, Charles-Louis de Secondat de, 37-38, 109-111, 116
Monypenny, William F., 77
Morgan, Edmund S., 121
Morison, Samuel E., 23-24, 49, 97, 100, 104-105, 113, 121, 125
Morris, Gouverneur, 23, 110, 121, 125
Mosca, Gaetano, 193, 195, 203, 237-238, 265, 324
Maser, Justus, 254
Mubarak, Hosni, 287
Müller, Johannes von, 282
Murri, Romolo, 223
Mussolini, Benito, 190-192, 195, 200, 223-224, 228-229, 233, 236, 239-240, 243, 299

N

Napoleão I (Bonaparte), 130-131, 177, 193, 205
Napoleão III (Luís Napoleão), 20, 22, 41, 61-63, 64-67, 69-70, 73-74, 76-81, 87, 89-95, 98-100, 103, 112-113, 114, 117-119, 124, 130-131, 141, 144-146, 151, 152, 157, 176, 193-195, 203, 205, 209, 213, 264, 282, 315
Necker, Jacques,113 160, 163
Nevins, Allan, 27, 98, 129, 135, 163
Nietzsche, Friedrich, 28, 49-50, 76, 89, 154-155
Noble, David w., l34, 167, 169, 173,180-181
Noite, Ernst, 29
Nouailhat, Yves-Henry, 168, 173

O

O'Connel, Daniel, 174
Okun, Arthur M., 37
Orlando, Vittorio Emanuele, 84
Ortino, Sergio, 219, 312-313
Ostrogorski, Moisei Y., 43, 53-54, 72, 160-164
O'Sullivan, John L., 135

P

Page, Walter, 176
Palmer, Mitchell, 181
Palmer, Robert R., 116, 122
Palmerston, Henry John, 53, 80
Pantaleoni, Maffeo, 224, 240
Pareto, Vilfredo, 177, 190, 193- 195, 203, 221, 241, 265, 324
Peel, Robert, 54
Perot, Ross, 305, 310
Pétain, Philippe, 37
Pierre, Victor, 40
Pitt, William, 112
Piven, Francis F, 42, 43-44, 51, 52
Plutarco, 108
Polk, James Knox, 134-135
Pollard, Albert F, 40, 53, 55-56
Popper, Karl R., 259-260, 270-274, 277, 279, 284-285, 289, 322
Poursin, Jean-Marie, 112

R

Reagan, Ronald, 273
Rémond, René, 315
Renshaw, Patrick, 179-180
Reuth, Ralf G., 299
Rhodes, Cecil, 286
Rials, Stephane, 20, 22, 79
Riotta, Gianni, 288, 303
Robespierre, Maximilien, 16,21, 51, 56, 73, 245, 267
Rocco, Alfredo, 226-227, 320
Rochester, Stuart I., 177
Roosevelt, Eleonore, 258
Roosevelt, Franklin D., 174-175, 178,257
Roosevelt, Theodore, 83, 136-138, 141, 145-146, 167, 286
Rosenstone, Steven J., 331
Rossoni, Edmondo, 224
Rousseau, Jean-Jacques, 50-51, 54, 89, 108, 198, 219
Royer-Collard, Pierre-Paul, 208
Ruffilli, Roberto, 316

S

Salandra, Antonio, 167, 223, 229, 240
Salvatorelli, Luigi, 240
Salvemini, Gaetano, 167, 320
Santarelli, Enzo, 291
Saripolos, Nicolas, 212-215
Scalfari, Eugenio, 291
Schacht, Hjalmar, 249
Schlesinger | jr. |, Arthur M., 52, 126, 129, 133-134, 142, 172, 174, 178, 182, 304, 310-311, 319
Schlesinger | sr. |, Arthur M., 51, 59, 145, 171-173, 176, 179-180
Schmid, Alex P., 181
Schmitt, Carl, 64, 144, 292-293
Schumpeter, Joseph A., 247-257, 258, 265-267, 295-299, 313, 325-327
Segni, Mario, 318
Sensini, Alberto, 321
Sewell Jr., William H., 50, 65, 163
Shays, Daniel, 96, 99, 100-103, 110-122, 125

Sieyès, Emmanuel-Joseph, 27, 45-
51, 77, 83, 100, 103, 253-255, 325
Sineau, Mariette, 217
Siotto Pintor, Manfredi, 58, 86
Skidelsky, Robert, 177
Smith, Adam, 163, 256
Soboul, Albert, 148
Sólon, 108
Sorel, Georges, 176, 203-205
Spencer, Herbert, 88, 216, 301
Spengler, Oswald, 191, 244, 314
Spinelli, Barbara, 284
Staël-Holstein, Anne-Louise-
Germaine Necker, 16, 77, 103
Stahl, Friedrich J., 151
Stalin, Iosif Vissarionovitch, 197-
199
Stame, Federico, 318
Stendhal, Henri, 152
Stephen, Leslie, 71
Stoppino, Mario, 295
Straubing, Harold E., 173
Sturzo, Luigi, 231

T

Taguieff, Pierre-André, 46
Taine, Hippolyte-Adolphe, 89
Talleyrand, Charles-Maurice,
príncipe de, 73
Tansill, Charles c., 104, 110
Tawney, Richard H., 46
Taylor, Alan J. P., 55, 86, 133-134
Taylor, Charles, 287
Testi, Arnaldo, 160
Thiers, Adolphe, 41, 57, 62, 151,
244, 264, 275
Tocqueville, Alexis de, 17-22, 25-
27, 28-31, 36, 47, 57, 67, 77-79,
84, 88, 90, 94-96, 115, 117-118,

120, 122-123, 132, 151,157-
158, 293, 307-308, 319, 322-323
Togliatti, Palmiro, 258, 316
Toinet, Marie-France, 23, 43, 44,
139, 159, 231, 309, 311
Treitschke, Heinrich von, 154, 327
Trevelyan, George M., 71, 122
Trotski, Lev D., 197, 199
Turati, Filippo, 85, 215
Tyler, John, 134

U

Ulbricht, Walter, 172

V

Van Buren, Martin, 126
Veca, Salvatore, 37
Villey, Edmond, 15,37,63
Vincent, John, 81, 84

W

Walter, Gérard, 217
Washington, George, 93, 96-98,
102-104, 112-114, 132-134, 139,
145, 303
Weber, Marianne, 183
Weber, Max, 55, 182-190, 195, 199,
203-206, 220-223, 238-239, 311-
315, 318, 331
Webster, Daniel, 125, 134
Webster, Noah, 107
Wehler, Hans U., 99, 129
Weinberg, Albert K., 131, 135, 286,
307
Williams, Basil, 286
Wilson, James, 109, 129-130
Wilson, Joseph Ruggles; 127
Wilson, Woodrow, 42, 59, 98, 112,
122, 127-128, 135, 137-140,

167-173, 176-177, 181, 191-192, 216, 250
Wolf, Eric, 27, 44
Wolfinger, Raymond E., 331
Wood, Gordon S., 112-114, 139

Y

Yakobson, Sergius, 201

Z

Zanetti, Armando, 227
Zolo, Danilo, 300, 326, 329
Zucconi, Vittorio, 311